U0665697

▲ 1999 年的刘心武

杭州断桥远眺（2010 年）▲

人面魚

劉心武 著

聯經

▲ 台湾版小说集《人面鱼》（2003 年）封面

Liu Xinwu

Poisson à face humaine

Chine *en* poche

▲《人面鱼》法译本封面

刘心武文存14

[1958-2010]

短篇小说 第五卷

人面鱼

刘心武◎著

江苏人民出版社

图书在版编目（CIP）数据

人面鱼 / 刘心武著 . — 南京：江苏人民出版
社，2012.11
（刘心武文存；14. 短篇小说. 第 5 卷）
ISBN 978-7-214-08050-9

Ⅰ. ①人 … Ⅱ. ①刘… Ⅲ. ①短篇小说－小说集－中
国－当代 Ⅳ. ① I247.7

中国版本图书馆 CIP 数据核字（2012）第 050028 号

书　　　名	人面鱼
著　　　者	刘心武
责 任 编 辑	刘　焱
统 筹 编 辑	李　丹
特 约 编 辑	朱　鸿
文 字 校 对	陈晓丹　郭慧红
装 帧 设 计	门乃婷工作室
出 版 发 行	凤凰出版传媒股份有限公司
	江苏人民出版社
出版社地址	南京湖南路1号A楼　邮编：210009
出版社网址	http://www.book-wind.com
经　　　销	凤凰出版传媒股份有限公司
印　　　刷	三河市金元印装有限公司
开　　　本	700毫米×1000毫米　1/16
印　　　张	17
字　　　数	245千字
彩　　　插	4
版　　　次	2012年11月第1版　2012年11月第1次印刷
标 准 书 号	ISBN 978-7-214-08050-9
定　　　价	42.00元

（江苏人民出版社图书凡印装错误可向本社调换）

《刘心武文存》出版说明

　　《刘心武文存》收录刘心武自1958年16岁至2010年68岁公开发表的文字约900万字。《文存》共40卷，按文章门类收录，计有长篇小说5卷、中篇小说4卷、短篇小说5卷、小小说1卷、儿童文学1卷、建筑评论2卷、《红楼梦》研究4卷、散文随笔11卷、杂文1卷、海外游记1卷、多品种（图文交融文本、报告文学、诗歌、剧本、足球评论、译述）1卷、创作谈1卷、理论批评1卷、早期（1958年至1976年）作品1卷、自述1卷。因跨越时间达半个世纪以上，收录定有遗漏，但其此期间的主要作品，相信均已收入。

　　《刘心武文存》各卷均附有《刘心武文学活动大事记》及《刘心武著作书目》，可备检索。

　　编辑出版《刘心武文存》的目的，意在供各方面人士阅读欣赏、分析研究、批评批判、收藏保存。

刘心武文存

14

——

目录

目录

巴厘燕窝

姐姐怎么又来信？他皱眉，未及拆开，已有同学起哄："情书抵万金啊！"

他有一种不祥的预感。他捏着那封信，来到宿舍楼后面的小树林里，四顾，见无人，这才拆信……

读完信，他几乎站立不住，靠在白杨树的粗干上，他仰望上方，那些从树枝树叶泻下的光缕，刺得他眼痛心酸。

母亲竟确诊为癌症！……姐姐来信，是恳求他回去，把家里给他带来上这大学的两千块钱，送回去给母亲作手术费……实际上光这两千块钱根本不够，可是，如果没有他这两千块钱应急，那就更无从说起！……医生说，还没扩散，手术还来得及……

这两千块钱，是临来这都会上大学前，母亲手挨手交给他的。有父亲遗下的一千，母亲自己攒下的八百，还有姐姐支援的二百，全是诚实劳动、省吃俭用的血汗钱啊！

母亲说："一次给足了你，你去了就存银行，每月取着用，还能多点利息……咱们家，可就指望着你了！"

可是现在刚入学三个月，就忽然……

难道他就这样辍学？……向学校申请补助？学校有奖学金的设置，却并无助学金一说；许多同学还是自己交大把的钱，才进来的呢……奖学金至少要一学期后，你成绩名列前茅了，才可申请，并且，那几百元奖学金也根本不解决他的问题……向同学们募捐？这……也不是办法，人家没这个义务，再说，母亲的治疗费究竟需要多少？现在还是一个可怕的未知数……姐姐的信上，分明有那未写出的深意，就是，所需要的，不仅是他手里的两千块钱（其实已经不足两千了），而是他辍学后赶快找份工作，及时地挣出钱来……前几天在图书馆阅览室里读报，记得看到一篇文章，介绍国外情况，那里的大学生可以先向银行借款，等上完学后，工作时再分期还给银行，当时好羡慕！现在想起来，是呀，"中国以后也会这样"，可是远水解不了近渴……怎么办呢？怎么办？！

他转过身，把脸对着白杨树，白杨树树干上有一大一小两双"眼睛"，斜睨着他，让他一惊，他使劲一推白杨树，却让自己往后一错，摔了个屁股蹲，沮丧地爬起来，他决定这就回宿舍收拾行李，天绝学路，其奈天何？他眼前仿佛浮现出母亲憔悴中不失慈蔼的面容，心尖上一阵酸楚。

……他回到宿舍，同学们都不在……他坐在铺位上把姐姐来信又看了一遍，看完了，折起，搁回衣袋。他变得很理智，细致地设计着行动步骤，应当先去银行取钱，然后去买火车票，再到食堂退回虽然不多却万不能浪费的饭票，然后才是卷铺盖卷……最好不要惊动同学们，更不必先找老师，悄悄地离去……当然，待他把母亲在医院安排停当，他会给学校来信的……

他站起身，无意中，眼光落在了公用长桌上的一张报纸上。那是宿友随便撂在那里的，压着一只渍满茶锈的茶缸，还吐着些油浸浸的鱼刺，那报纸上占半版的广告中，一行醒目的字映入他的眼帘："……总经理屈秀伟向广大客户致意……"

仿佛触了电，他全身一抖，屈秀伟！正是母亲跟他说过的那个人！原是父亲最得意的门生，"听说现在是好大一个公司的总经理"，"必要时你可以想法子跟他取得联系"……现在，难道不就是最必要的时候吗？

他忙把那张报纸抄起来，以至于弄倒了人家的茶杯，并且把那些油浸浸的鱼刺都挥到了自己的衣服上……他很高兴，因为，那广告上有详细的地址和电话。

他汗咻咻地来到了那家公司。

和所预计的一样，闯过传达室就很不容易，在离总经理室还很远的地方便被人挡驾，可是他还是成功地来到了总经理办公室的外间。

秘书小姐扬起眉毛问："请问您有什么事？"

"找屈总！"

"您哪位？"

他说了父亲的名字。

秘书小姐很快查清："今天的约见表上没有您，请问您什么时候跟屈总约的？"

"半小时以前，屈总在电话里让我马上来。"

秘书小姐满面狐疑，可是她并没有往里面对讲查实。

"请您让我进去，我有急事。"

秘书小姐定睛望了望他，说："屈总现在不在。"

这也是他一路上估计到的，现在他只能撞大运了。

"他在，他正等我，我进去了啊！"

秘书小姐紧张得站了起来，提高声音对他说："那您请坐！我给您联系一下！"

他松了一口气，这才看见了屋里的真皮沙发。

可就在他还没坐下，秘书小姐也还没来得及往里通报时，总经理办公室的双扇镶皮钉缝成菱形图案的门忽然大开，屈总大摇大摆地走了出来，随之还有好几个人环绕着。

屈总似乎还在继续原有的话题，声音宏亮，打着哈哈……

他劈面迎了上去。

成败就此一举！

屈总猛地看见了他，不禁停步，脱口而出："咦，这不是——？！"

显然，他那与父亲酷似的面貌，令屈总一刹那间以为是原来的恩师突然来到眼前。

这正是他所期望的!

"屈叔叔!我是——"

屈总继续挪步,听清了他的自我介绍,很有点喜出望外的样子,连连拍着他的肩膀说:"来得好呀来得好呀……好好好,走,先一起吃饭……"

他就随着屈总和那几个人往外走,随着他们坐电梯,随着他们来到大厦门前,并且随着屈总的招呼坐进了一辆闪闪发光的小轿车。

屈总八面应付着,在小汽车里,屈总坐在司机旁边,虽不回头,却没停嘴;他和另两人坐在后座上,他居中;屈总在前面甩出的话,一句是对他右边的,一句是对他左边的,一句是对他的:"你父亲他老人家好吧?"他刚答了一句:"家父已经不幸去世,都两年了……"屈总叹息:"唉,这是怎么说的!音容笑貌,还宛在眼前嘛……"可不等他再搭腔,屈总又回答上了他右边那一位的问题:"这辆凌志?新什么?都跑了几千公里啦!……不过我要原价让出去,有人还会抢着要呢!"……虽然他不能马上向屈总求援,但是坐在那辆空调开放凉风习习的凌志车里,听着屈总在与左右的客人谈话里不时冒出"也就三五十万吧"、"广西那片地我不想要了"之类的只言片语,他心里仿佛也安了个空调器,充满安适与快乐……

他们来到一座五星级大饭店,他还是头一回进入这样的场所。闪光的、新奇的东西太多了,可是容不得他仔细观赏,屈总一阵风地把大家引入了观览电梯。他像做梦一样,在电梯里看到金碧辉煌的大堂居然跌落在自己脚下……后来他们进入一个以前他只在电视上见过的那种豪华餐厅,餐厅里充满了空座位,可是屈总还是不断地往里走,原来他们并不是要在这样的大厅里用餐,他们最后进入了一个单间,那里的落地玻璃窗外,是大都会的万丈红尘……

"随便坐随便坐……工作餐……越随便越好……"屈总招呼着。大家也就果然随便起来,只有他略显拘束。都落座以后,他才发现自己坐在大圆桌与屈总最远的那个位置上。这样也好,他想,自己与屈总的目光,可以较多地对接……但他盘算错了,因为,屈总更多的是在左顾右盼,一会儿跟这位开句玩笑,一会儿似乎又在与另一位用隐语涉及生意上的事……他发现，跟着来吃饭的，至少来自四个以上的方面，有的与屈总极熟，有的半生不熟，有的甚至跟他一样，也是头回谋面……他很快领悟，这确实并非什么宴请，而是名副其实的工作餐，而且，这也就是屈总的日常生活……

服务小姐来问都喝什么饮料，屈总大声地宣布："下午还都要工作，例不饮酒，都来软饮料吧……"于是人们纷纷点软饮料，有要鲜榨伊丽莎白瓜汁的，有要台湾明珠果汁的，有要果茶的，有要可乐的……屈总自己要的是蒸馏水；服务小姐问到他："这位先生要……？"他竟一时莫知所措，这时屈总便问服务小姐："今天有没有椰清？"小姐点头，于是屈总热情地向他建议："喜欢椰清吗？……试一试，如何？"他便点头。席间一位从旁问："你们这儿椰清多少钱一客？"小姐答："一百元。"那位便说："那也给我上椰清吧！"他正懵懂中，椰清给他端上来了，原来就是去了棕皮、削了顶上一小块青壳，露出鲜椰子乳白的内果肉，并且保留着原始汁液的椰子，里面已经插好了一根弯口吸管。这东西值一百元？他听见席间有人说："海南空运的……不算贵……"

有好一阵他的心很乱。菜一道道地端了上来，几乎都是他前所未见的，而且菜由服务小姐分给每一个人，每吃完一道菜，便给换上一个新的小瓷碟，这种进餐方式对他来说也是破天荒的……可是他实在有点不知其味……他都有点忘记所来为何了。

忽然从始终嘈杂不停的聒噪中，屈总的声音忽然变得清晰起来："……唉呀没想到他父亲……恩师啊，竟已经去世两年了！……要没恩师给我启蒙、开窍，我屈某今天指不定还在哪个旮旯里窝着呢！……算起来现在就还是当教师清苦啊！……"

他抬起头来，眼光正与屈总相对。这时席上人的目光，也都或对着屈总，或对着他。屈总问他："……师母还好吧？我记得她也是当老师的……还在那个民办小学吗？该退休了吧？"

机会来了！他赶忙把一块铁板牛肉咽下，展平舌头，开口说："我母亲她——"

他还没吐出"得癌了"三个字，服务小姐开始给他们布一道新菜，是每人一个小小的陶钵，掀开盖，仿佛是一道热汤……

这时就听见席间一阵小小的欢呼，人们的目光大都移向了那热汤，屈总便乐呵呵地说："今天除了这一样，都是平常菜……就这一样稀奇点……大家下午、晚上还都要继续工作嘛，补补神还是很有必要的……这是巴厘燕窝，还就是他们这儿才有这个料……"

"没想到法国也出燕窝啊！原以为他们只是时兴吃蜗牛呢……"一位食客这么说，话音没落，便被屈总中气极足的厚实润朗的嗓音切断："哈哈，我以为老兄是品燕行家呢，没想到这回是大跌眼镜！你当是法国那个巴黎吗？大谬啊！是印度尼西亚的那个巴厘！没想到吧？我也是原以为只有泰国燕窝是一绝……都尝尝吧，这味道确实不凡！"

席上其他人就都嘲笑起那位把巴厘燕窝误听成巴黎燕窝的人，并发出一片嗄呷声来……他尝了几勺，却只觉得不过是鸡汤的味道……

那位询问过椰清价格的人，这回又问服务小姐："你们这巴厘燕窝怎么算？"

"五百。"

"一总？"

"不，一客。"

他几乎不相信自己的耳朵。他拿眼晃了晃全席，连他自己，一共九客，那么，光这一道燕窝，便是四千五百元！

他觉得揣在衣兜里的那封姐姐的来信，烫心。现在姐姐也在吃中饭吗？吃的什么？就因为家里穷，姐姐一直没嫁出去……当然姐姐也不甘"下嫁"给更穷的男人……这九客巴厘燕窝，父亲在世时，需要挣多长时间？母亲呢？母亲更不堪折算，因为，根本就经常开不出工资来……并且，他们民办教师没有公费医疗，现在得了癌，要开刀只能自费……偏姐姐也入了教师这一行，是在幼儿园，挣得比母亲多，也算国家正式职工，但那工资又怎么堪与这巴厘燕窝相比较！……

他撂下小勺，推开小钵，而且嗓子里有股腥味……

恍恍惚惚的，已经上过大果盘，并且果盘里的西瓜片、荔枝肉、菠萝块还没怎么动，屈总已经站了起来，剔着牙对一位本公司的随员说："埋单埋单……两点还有个谈判……我们先走一步……"

他这才懂得"埋单"便是结账的意思。

……随着屈总他们往饭店外走时，他猛想起自己所来何谋，于是在进电梯后，努力挪靠到屈总身边；他刚想单刀直入地向屈总求援，屈总却拍着他肩膀，跟旁边的人感叹起来："时不待人啦！你们看，老师的孩子，都这么老大，上大学啦！他们有了高学历，再来下海，那我们可就难扑通啦！不过一代儒商的形成，希望正寄托在他们身上啊！……"屈总的话他很难切断，于是直到出电梯、过大堂、出大门……他都没能插进话去。

人们在大饭店门口乱哄哄地互致告别。有的上屈总公司的车，有的叫出租车，屈总也要上那辆凌志，这时屈总转过身来，又热情地拍他的肩膀，他感到实在不能再耽搁大事了，便几乎是嚷了出来："屈叔叔，我有事求您！"

屈总一点也没现出惊讶不屑的表情，相反，那面容更其热情可亲；屈总掏出一张名片，递给他，对他说："……没关系！你有什么事，给我打电话好了……"

他低头看那名片，上面有几种电话号码，包括"大哥大"的号码，还有电传号码……而再一抬头，屈总已经在凌志车里跟他招手作最后告别了……

他彳亍街头，心里仿佛塞满了异样的东西……什么东西？是巴厘燕窝吧？塞满了，没煮汤的燕窝，硬硬的，剌乎乎的……

他不能回学校，他不能浪费时间，他甚至不能等到晚上。风吹过来，他异样地清醒，他冲到一个公用电话亭里，拨通了屈总的"大哥大"，看样子屈总还在凌志车里。

"屈叔叔！是我！……我母亲得癌了，要动手术，我需要一笔钱！起码先要两千！"

"哎呀！真没想到！……你转达我的慰问！……不过，从公司方面，我没有办法……我个人嘛……"

"怎么没办法？刚才的巴厘燕窝，你就花了差不多五千！"

"你怎么不懂，那能开票的呀……叮给你母亲，我们怎么入账呢？……再说，我们毕竟不是慈善机构啊！我们董事会，副总们，谁没老师、亲友啊？都捐助，怎么承担得起呢？……这样吧，我个人捐助你母亲二百！……"

"二百？还不够半碗巴厘燕窝！"

"……你误会了！工作消费，还有我这'大哥大'、凌志车什么的……都并不能转化为现金，归我个人所有啊，我的月工资，也不过一千五，只够喝三碗巴厘燕窝……我也还要养家糊口啊……再，你父亲教育过我，'富贵不能淫'……公费享受，也只能在财会制度允许之内，个人更不能挪用公款啊……小伙子，你应该能懂，我们如果不是到这个正规的大饭店，而是到街头吃兰州拉面，吃下来就算是几十块钱，可开不出有效票据，那怎么报销？都这么乌涂起来，看似为公司节约，那不是为有的人假借工作餐开支，今天几十，明天几百的，据公司现金为己所有，开了方便之门吗？……"

他正想骂一声，电话突然中断。也不知是屈总关闭了"大哥大"，还是因为他未能往电话机里继续投币。

他一拳砸向电话亭的玻璃……

变叶木

16：40，非常准时。小韩拿着晚报进了屋。今天晚报有什么令他特别感兴趣的内容？朝冯教授走过来的时候，竟忍不住双手握着张开的报纸，一个劲地浏览。

冯教授是个空巢老人。小韩是他雇的钟点工，每天 16：40 来，为他做晚餐，收拾完晚餐残局后，如果没什么别的事，就陪他说话，一般在 21：40 离去，5 个小时，冯教授付他 40 元，这个付酬标准超过了劳务市场指导价。

冯教授跟小韩相处逾半年，爷俩越处越和谐。冯教授那定居海外的儿子打来越洋电话，冯教授跟他说，真好运气，遇上了小韩这么个帮手，每天 5 个小时的服务，是物质和精神上的双重享受，"就是你在家，也未必能像他那么孝顺我，生活服务上色色精细、小心侍候还是其次的，难能可贵的是，别看才初中的学历，很内秀，坐下来陪我说话，既能理解我的幽默，也能给我不少乡野市井的新鲜信息，能逗我一笑开怀……"儿子也知道雇个女的不方便，雇个小伙子还能帮老父亲洗澡，但他总有些个不放心，几次说："您把他来历弄清楚了吗？您为什么不从正式的渠道雇人呢？"冯教授就一再解释："这边的中介很不成熟，我们中国人更重私人口碑，小韩是你曹伯伯推荐给我的，很可靠！"

小韩尽管才 28 岁，经历确实已经非常丰富。冯教授了解到，小韩 16 岁初中一毕业就随家乡的父兄辈进城打工，头三年是在建筑工地当小工，工头年年拖欠工资，最后一年春节前更只发给每个小工200元，说其余的开春补齐，等过完春节回到那工地，除了几个髑髅似的烂尾楼，再找不到个管事的人影儿，在城里城郊流浪了一阵以后，他去一家搬家公司当过搬运工，又曾跟两个一起搬运的结拜兄弟辞工合伙开过小包子铺，因为非法经营被查封后，他们燃香起誓互不相忘，各奔前程，他又去帮楼盘销售商在街头散发过小广告、在地铁通道里兜售过盗版光盘、在河渠边提桶河水拿块抹布给人廉价洗车……后来他到冯教授的朋友曹院士住的那个叫榆香园的新楼盘的物业部打工，专管给各家换饮用桶水，曹院士虽然老伴还在，儿女也都不在身边，小韩来换水，态度很好，也很懂得他们讲究卫生的心思，换桶水时小心翼翼，绝不让手和袖口什么的碰到出水口，给曹氏二老留下很好印象，小韩跟他们说有什么力气活儿要帮忙，尽管叫他，他们后来果然叫他来帮忙，小韩干活十分麻利妥当，要给报酬，坚决不收。后来小韩家里把他唤回去成了亲，几个月后媳妇就怀了孕，转年胖儿子生下来，阖家欢喜，但养儿子更得挣钱啊，小韩再次进城，那物业公司满员，找工作不易，去求曹院士帮忙，恰好冯教授想雇男家政员，就介绍去试试，没想到一试就满意，再通电话，冯教授总要为此感谢曹兄及嫂夫人一番。

2

"什么新闻，你那么着迷？"

小韩把晚报递给冯教授，说："深圳富家满门被害，还有那家伙照片呢。"

冯教授戴上老花镜，找那条消息和"那家伙"的照片。

有几家日报年年向冯教授赠阅，每天早晨冯教授坚持下楼遛弯，顺便买菜，回楼时从传达室取日报和邮件。晚报是冯教授自己订的，每天小韩替他从传达室取来。每天晚餐吃什么，头一天定下来，小韩到了，从冰箱里取冯教授买妥的原料，就去厨房料理饭菜。不一会儿单元里就弥散开饭菜香。这晚的主菜是红烧平鱼，冯教授高声向厨房里嘱咐："海鱼腥味重，要多搁点姜蒜。"小韩就高声回应："晓得啰！"

小韩原来表达这个意思是用"知道啦",但很快就发现冯教授习惯于"晓得"这语汇,遂总是"晓得晓得"地让老人家耳顺,从这很小的地方,也可见小韩的乖巧。

小韩布好餐桌,去把冯教授从沙发扶到餐桌边,冯教授心满意足,但免不了还要说:"我还没老到这么几步也得人搀的地步啊。"小韩就说:"晓得啰。可我不这么搀您一下,心里总饶不过自己呢!"小韩也确是真心实意。在冯老这里只干5小时,还一起有鱼有肉有好蔬菜好水果地进晚餐,每月却有1200元工资,自己上午再揽点别的活计,每月收入过两千啦,刨去租地下室一间小屋的房租和别的花费——其实他也花费不了什么,由于每晚跟着冯老吃得营养完全,他往往白天就干脆不吃什么,或者就啃两三个馒头了事——每月他能给家里汇去1000多呢,媳妇得意,父母高兴,当然,他只说找到了份好工作,没让他们知道是当男保姆。

吃完这天晚餐,收拾完一切,小韩问冯教授是不是洗澡,冯教授说总洗澡并不利于健康,但是,说着呵呵笑,还没等冯教授拍耳朵,小韩就知道了:"又痒痒啦?晓得啰。我给您掏掏吧。"冯教授把胳臂弯到桌面上,把头侧枕上去,小韩把滑动灯往下拉,按亮,照着冯教授右耳孔,便低头用一只银耳挖勺谨慎而耐心地替老人取除耳屎。在熨心的轻痒中,冯教授闭眼享受着这人间琐屑的快乐。

3

晚餐后分手前这一段时间,越来越让他们双方迷恋。这段时间总差不多有两个来钟头。他们坐在沙发上促膝谈心。小韩开始还总是觉得,应该为老人再干点什么活儿,后来他晓得啰,这其实也就是干活,文明的说法是陪聊,而且冯老最需要的,也正是这一项活计。随着时间的推移,小韩渐渐从有问必答的被动型,转换为活泼讲述的主动型,比如他给冯老讲了建筑队里的怪事:有个工友生下来屁股上有条尾巴,到了十几岁想动手术割掉,可是没钱,于是就自己让人帮忙用菜刀剁了,也没因此残废死掉,现在那里只留下一个大疤瘌,也跑到城里来打工,有不信他讲的,就脱了裤子撅起屁股让人参观……

冯教授呢，跟小韩聊久了，就总想获得这个小伙子的透明度，想通过这样一个生命的个案，来探究人的生存困境，以及努力冲决困境的种种心理上的、情感上的，以至非理性的那些复杂的反应，也就是他所谓的"深度交谈"。比如有次他跟小韩谈性，就问小韩在婚前有没有性经验。小韩心里想反问："那您呢？"问不出口，在冯教授的一再诱导下，也就放胆讲述。小韩告诉冯教授，其实在工棚里工友们不光张口就是荤话，也常来真的，那就是有"工棚嫂"来；轮到冯教授大惊小怪，小韩就成了先生，教给他，如今农村跑到城里的女子，一等的是让人包成了"二奶"，二等的进夜总会被训练成"交际花"，三等的去酒吧歌厅当"坐台女"，四等的是"站街女"，还有那上点年纪或容貌太差的，就主动往工棚里钻，这就是"工棚嫂"，"打一炮"多少钱，有定规的，就那么在一块临时拉起的帘子后头，让人"打炮"，愿意花那个钱的，轮流去那帘子里头……冯教授啧啧称奇，问："你也打过炮？"小韩坦白："我打不起，开头，只花过一块钱，摸过奶……后来，那嫂子喜欢我吧，把我搂过去，让我白打……帘子外头全是起哄声，我就没挺起来……"见冯教授咬嘴唇，忙说，"太那个罢……晓得啰，不讲了不讲了。"冯教授则说："唉唉，如果老舍、曹禺还在世，该写成怎样的小说、剧本……"小韩也不知道冯教授说的是怎样的两个人，就发愣，冯教授就说："感谢你把这些告诉我，这是我应该知道的。"

4

这天因为晚报上登了那命案，冯教授就由此开聊，说这个案子里，背后都是人性恶。杀人的固然是人性恶，被杀富男妍妇之所以招来杀身之祸，也是人性恶使然。那被杀的富翁，只痴迷女子的美色，不去注意其心灵的卑陋浅薄，将其包为"二奶"，满足自己的性欲而外，不计其他，这不是人性恶是什么？那"二奶"呢，本来所扮演的角色并无什么光彩，却在所痴迷的牌桌赌局上大露其富大炫其阔，结果招来妒恨杀机，她不是也毁于自己的人性恶吗？无辜的是她那跟别人生的小女儿，可怜竟被凶残地割喉而亡！

小韩就说起前些时候的那桩命案，阔学生一天到晚拿那穷学生打趣开心，有的话语不仅是伤害自尊心，简直就没把那穷学生当人！那几个阔学生真是死到临头还糊涂，你那么毫无顾忌地戏耍人家，就没想到人家也不跟你们论理了，人家横下一条心，把你杀了就完了！阔人最爱惜最舍不掉的就是命，穷人最勇于牺牲最能跟阔人相拼的只有一条命……冯教授依稀看见小韩说那些话的时候眼里闪着怪异的光，心里微微吃惊，问："你同情那被判了死刑的穷学生？"小韩用力点头，冯教授心里一咯噔，就不知道该把那心思判断为人性恶还是非恶了……

于是就又侃到了穷富问题。冯教授非要小韩"说出心里最深处的想法"，小韩开始还含混应对，后来冯教授一番腾云驾雾般的哲理论述，让小韩有喝醉酒的感觉，小韩只知道冯教授是好意，是研究人性什么的，也就渐渐没了遮拦，跟冯教授说："我有时候会恨所有比我有钱的人。"冯教授就用食指点着自己胸脯问："难道你也恨我？"小韩不敢点头，却也没有摇头。冯教授就开导他：晓得么，富人，有钱人，特别是小康人士，许多是取财有道的，或者按社会规定的游戏规则做生意获利，或者凭借一技之长挣钱，就是官员，也有确实清廉的，待遇高一点，过得好一点，并不一定就意味着贪污腐化……总之，人类社会在很长时期都不可能达到人人财富均等，因此要克服自己内心里那种盲目的妒富愧贫的恶性情绪……

小韩毕竟比一般打工仔聪明，听了冯教授的教诲一连串地说"晓得啰晓得啰"，冯教授也就微笑点头。

本来这天的聊天深入到这样的程度，也就很尽兴了。冯教授想起来，早上在超市里看到了有新到的哈密瓜，就拿钱嘱咐小韩明天来时买一只来，小韩知道一般自己拿得动的菜蔬鱼肉，冯教授总是愿意自己去买，因为这老人对东西挑拣得很仔细，别人是很难替他拿主意的，也不是都要求鲜活，比如买淡水鱼，冯教授不买活的，说是有"不忍之心"，当然也不愿意要眼球都瘪了的死鱼，他专买那刚死去眼球还鼓鼓的。冯教授顺口说"你去挑只大的咱们明天晚饭后杀了吃"，这本是他们老家的俗语，都把切瓜说成杀瓜，小韩就笑，说："冯老您怎么也杀杀杀的？这话可吓了我一跳！"

冯老就故意叉腰挺胸,装出很凶煞的模样说:"晓得么,人性都是复杂的呢,我在某些特定的情况下,也有过拼掉一条命的念头哩!"说着就又把小韩留下来继续聊一阵。

冯教授就讲起了三十多年前的事情,被诬陷,被批斗,被侮辱,有个"中央文革"的宠儿,除了"反动学术权威"的罪名,居然又当众宣布他是"证据确凿的苏修特务",那一刻他真是生出了挣脱束缚冲过去跟那家伙同归于尽的想法:

——当时那家伙就离他几步远,他都设计好了怎么利用现场的东西杀那人然后自杀的方案,真差一点就发生那么一场惊心动魄的活剧……小韩听不懂"中央文革""学术权威""苏修""活剧"什么的,只是说:"亏得您老没杀成,要不,我今天怎么能有机会跟您这么聊天,长见识呢!"

冯教授兴致更炽,就说:"我把这么隐秘的内心活动都讲出来了,那你也得跟我公布你内心的隐秘杀机,你一定有过的!"

人与人沟通,能一直深入触动到心灵的暗室吗?就不怕如此过分地冒险挺进,会引发出危险的后果吗?

小韩就公布,自己流浪街头,饿得不行的情况下,曾经想打劫一个小商店的店主,那人是个干瘪老头,他看清那老头把收来的钱放在里面哪个抽屉,他想趁晚上关门前,周围没人的时候,去劫那抽屉里的钱,倘若那老头反抗,他就不惜把他杀了……小韩这回眼里的凶光绿闪闪的,走火入魔地只管往下讲:"我设计了这样的攻击方案,双手举着拣来的晚报,遮住我的脸,装作过路,顺便要买东西,走到他面前,趁他没防备,就猛地把报纸往他脸上一盖……底下我再怎么干就容易了!……"

5

每天已成定规,16:37分许,冯教授家的对讲机会鸣笛,这必是小韩按了楼寓大门外的密码,冯教授回应、揿键放他进楼后,在小韩乘电梯到达前,也就把单元的防盗门打开虚掩,使小韩不用费事就能长驱直入。

这天冯教授去开放防盗门的时候,有一秒来钟的犹豫,心里飘过的念头是,今后小韩到达门外，按响电铃再给他开门也未为不可嘛……

16：40，非常准时。小韩走了进来，冯教授倏地心紧……怎么没拿哈蜜瓜，而是双手握住晚报，遮住脸，在向他走过来？冯教授本能地在沙发上挪了一下位置……

小韩放下报纸，跟冯教授报告完一条市井新闻，才告诉他超市哈密瓜卖完了，没买来，问他要不要再下楼去远点的地方找找。晓得啰，不用去，不……本想说"不杀也罢"，改说"不吃也罢"。

那天很沉闷。小韩问冯老是不是不舒服，要不要陪他去医院。答没有什么，但进晚餐时胃口很不好，吃完了也无心聊天。小韩琢磨出了点什么，敏感地注意到从来没对他关闭过的卧室门扇，这天紧紧地关闭了。

那天 20：00 不到冯老就让小韩回去，小韩刚走，他就想给超市打电话问究竟还有没有哈密瓜，只是没找到电话号码，才作罢。

6

曹院士来电话，顺便问那小韩，冯教授说辞掉了。曹院士问为什么。冯教授含糊其辞，忽然问起曹院士家是不是还留着那盆变叶木。叶片长长的变叶木，色泽多变，还有美丽的点状斑纹，又名洒金榕，曾是许多人家喜爱的室内盆栽，前二年报纸上忽然有文章宣布，变叶木分泌致癌物质，于是人们纷纷将其抛到垃圾桶里。曹院士说哪里有那些文章说的那么邪乎，只要别让它沾到皮肤，搁在阳台上观赏还是挺提神的，冯教授就说："提神的东西，你就容易喜欢，太喜欢了，有一天就免不了去深度接触，结果呢……不如远离。"曹院士也没在意他的这些议论，至今阳台上还保留着一盆变叶木。

2004 年 6 月 6 日温榆斋

草　葬

阿姐，你深夜打来电话。

阿姐，你那回从电话里告诉我，你看了电视台给我录的那个节目，我说北京是自己的故乡，抒发出那么多的感慨，你理解我的讲述，我自从 8 岁被父母带到北京，从此再未迁徙过，北京虽非落生地，却堪称实实在在的故乡，但是，你说，你却是一个没有故乡的人……

阿姐落生在广西梧州。父亲那时是海关的职员，每三年便要调动一次。阿姐没有留下梧州的记忆，便随调动的父亲到了重庆，刚对重庆有了模糊的印象，抗日战争爆发了，重庆时常被轰炸，父亲便让母亲带着子女先躲避到成都郊区，后来又回到偏僻的祖籍安岳县，等到抗战胜利，一家人才终于团圆在重庆，但几年后新中国成立，父亲被人民海关留用，并被调往北京海关总署任职，阿姐和我随父母到了北京，那时阿姐已上了中学，没几年就考大学，因为看了一部苏联电影，《幸福生活》，被里面所展现的集体农庄的机械化场面所魅惑，积极报考农机专业，被东北农学院录取，于是去了哈尔滨，在那里一直念到研究生毕业，分配到山东德州一所专科学校任教……阿姐说，一个人总得连续在一个地方住过十年，才能认那地方为故乡吧，偏这些地方她都没住满十年，都是客居暂住的性质啊。

1960 年阿姐嫁到北京。我真高兴。那时虽然父母已经不在北京，有阿姐在，她的家也就是我的家啊。我以为阿姐就此长在北京了。不。最大的一场运动来了，阿姐先去他们单位设在湖北的"五七干校"，在那里因重体力劳动流产，回到北京，还没养好，又随夫君下放海南岛，几年后好不容易调动到肇庆，好，最大的一场运动结束了，有机会回北京了，那是 26 年前。

阿姐，你这回在北京住了 26 年了，难道对北京还没产生故乡的情感吗？阿姐曾跟我吐露心曲，她说，居者应有其屋，在北京，差不多有 24 年为住房的事情困扰。不能安居，怎能认土为乡？先是随夫君住，两个儿子越长越大，房间不够用；后来评上了副教授，可以由学院分较大住房了，偏那时夫君溘然而逝，根据学院分房的规定，是按人口计算分配面积，少一口人，就分不到大单元了，结果只是迁往了一个较好的地点，居住面积甚至比原来还略小了些。阿姐为此心情一直抑郁。两个儿子远走高飞，奔前程是大理由，居住不畅也不是小理由。阿姐十几年前就成了空巢老人。

为阿姐寂寞，我和妻给阿姐送去一只猫咪，雪白的波斯猫，一双湛蓝的大眼睛，阿姐给他取名瑰瑰。在空巢里，阿姐抚着瑰瑰雪白的长毛，絮絮地给它诉说了些什么？瑰瑰睁大一双湛蓝湛蓝的大眼睛，痴痴地望着阿姐，又表达了些什么？不知道。只记得，有一天阿姐来电话，说后悔得不行，在给瑰瑰洗澡的时候，实在觉得瑰瑰乖得不行，逗它玩，张开嘴巴假装要咬它那粉白的耳朵，瑰瑰也配合她一起玩耍，溅了一地的水，但乐极生悲，一不小心，竟真把瑰瑰耳朵咬了一口，顿时流出了血来，那瑰瑰竟不伸爪抓她，她把瑰瑰心疼地搂在怀里，瑰瑰只瞪圆了双眼望着她，眼神里满溢着无辜……

阿姐给瑰瑰精心治耳伤，外敷内服，一天观察数次。那回我去看望阿姐，她问我：还看得出来吗？我说实话：两耳不怎么对称了。阿姐说：为这事，我打了自己两次。

两年前，已经退休的阿姐终于享受到了高教系统的政策房，那政策就是按你的职称、工作年限等等因素减免房价，最后以很低廉的价格把房卖给你。阿姐终于带着瑰瑰去安居享福。那楼盘质量很好，整个小区设计得相当合理，绿化程度很高，配套设施也很完善。阿姐和许许多多普通人一样，并不心负沉重的历史记忆，善于在流年时光里咀嚼琐屑的生命乐趣。她会打电话给我，报告他们小区围栏上的蔷薇开满粉红的花朵，或甬路边的马缨花树上的丝状花那气味是一种怪香，又或告诉我中庭的喷泉在喷水，而她刚在园林中专为脚底按摩铺敷的卵石道上锻炼回来……

我的两个外甥都回来看望过他们母亲。阿姐说他们能独立很好，她一个人过惯了，现在房子虽然宽敞了，也并不希望别人来一起长住，说着她又改口，说现在她跟瑰瑰两个人过得很好，别的人偶尔来看看他们，就很高兴。

阿姐半夜忽然来电话，这是从未有过的事。

她告诉我瑰瑰去了。

瑰瑰已经活过了13年，据说要乘7，才能衡量出相当于人的寿数，那么，已经是90过头的生命了。瑰瑰算寿终正寝，是白喜事，我这样安慰阿姐。阿姐说她早有精神准备，实际上瑰瑰已经有半个多月拒绝进食了，用针管灌它牛奶，它先忍受，但你一离开，它就呕出来。瑰瑰真懂事啊，身体那么衰弱了，还总是要挣扎着，自己走到它那厕盆里去撒尿。阿姐总想让瑰瑰还像往常那样，在她床尾睡觉，给她暖脚，瑰瑰却自知身体已经有了难消的不雅气息，坚持走到客厅一角的垫子上，头朝墙壁趴着昏睡。瑰瑰在那天下午忽然走来朝阿姐喵喵叫，似乎想吃东西了，阿姐马上给它煮出以往最喜欢的鱼汤，拌了饭，瑰瑰吃了，还吃了几口从法国进口专为老龄猫生产的猫粮，又任阿姐坐在沙发上抱着它，梳了半天毛。阿姐告诉我，她很快意识到这是回光返照。夜里她一直睡不塌实。后来，大约晚上十点多，她发现瑰瑰正从睡觉的垫子上，吃力地朝她床前走来，还没等她坐起来，瑰瑰就倒下，再也起不来了……

　　阿姐早有准备。她为瑰瑰净了身，系上金色的小铃铛，用一大块玫瑰色的红绸将其装裹起来。但正逢溽热的夏季，即使有空调，瑰瑰的身体很快僵硬，恐怕等不到天明就会开始腐烂。儿子们或在异国或在他乡，我这个弟弟也已逾花甲，她能靠谁安排瑰瑰后事？她早已勘察好，就在他们小区最西南隅，有株罕见的古槐，树干比水桶粗，树冠极大，显然，那是园林部门登记在册的古树，早安置了一圈铁栅将其围护。从阿姐家的大阳台上，就可以望见那株古槐，而且能清楚地看出，那铁栅所围的树根部分，形成一个颇大的凹坑，坑里蹿出茂密的野生植物，大多是些叫不出名字的杂草。那里很少有人过去，也没有现成的甬路可通，走过去，必须踩过一片半野生的植被。阿姐早形成一个念头，就是瑰瑰一旦去世，就将包裹好的尸体抛进那草丛，让它静静地化解到树根下的土壤中，成为古槐的新滋养。不会有人专门跑过去观看那古槐下的茂草，更不可能有人越过那围栅到树根底下去，而她呢，却可以每天从自家阳台上，眺望那古槐茂草，与瑰瑰的精灵仍保持一份隐秘的交流。

　　阿姐的这个想法真不错。那晚她也就那样去实施了。本来，她并不想把草葬瑰瑰的事告诉我。

　　但是阿姐午夜打来电话。她把情况讲给我听。她说无法上床睡觉。她拿着手提电话，一边痴痴地望着古槐那边，一边告诉我她没把事情办妥。这些天傍晚总有阵雨，通向古槐的路径很湿很滑，到了没有路径的地方，往草丛里蹚过去时，就更举步艰难了。那一隅又没有夜灯，她跌跌绊绊终于感觉走到那古槐跟前了，就亲了一下玫瑰色绸子包裹的瑰瑰，然后拼力将其一抛。回到屋里后，她从阳台上也看不清古槐那边的景象，但她越想越觉得是没把瑰瑰抛进那铁栅里面，瑰瑰可能是被抛在铁栅外面了！野狗，甚至黄鼠狼，会不会去叼食它？天不亮，也许就有拾破烂的发现了那鲜艳的绸包，拾取打开后会是怎样的反应、作何处理，不堪设想！痛苦与无奈中，只好打电话给我，希望这紧急时刻助她一臂之力！

阿姐，我70岁的阿姐，你62岁的弟弟带着手电出发了，他是地道的北京人，知道深夜怎样找到出租车，知道怎样及时赶到你那个小区，知道怎样跟守门的保安说话，知道怎样保护姐姐的私密，在谁都不惊动的前提下，帮助你完成这神圣的草葬。

阿姐，我相信，在今后某一天，你眺望那古槐时，一个念头会油然浮升你的胸臆，那就是，你的故乡，就是这个地方。

2004 年 7 月 24 日写于北京温榆斋

大公务员之死

那是个美妙的夜晚。某大公务员，单位、职衔从略，用牙签剔着牙缝，大摇大摆地进入该市建造得最好的剧场，径往前排就座。舞台上，戏已演了二十多分钟。某大公务员，还有另一位外市来的大公务员，以及陪同他们的三位小公务员，心安理得地与别人的膝盖相摩擦，挤到了第六排当中的那五个居于正中的座位，坐下观剧。贴身的一位小公务员附着大公务员的耳朵，向他介绍剧情，并告诉他那位正在拔着高腔的女演员乃什么流派的传人……但他并不打算把剧情闹明白，而且对那什么流派的传人也了无兴趣，他只是瞪眼望着舞台一隅的配角，那是个鼻子上敷粉的武丑，由一位矮胖的老演员饰演……忽然他嘿嘿地笑了起来，喃喃自语道："大闸蟹！好个大闸蟹吆……"原来，他是由那舞台一隅的小丑，联想到了餐桌上的东西……外市来的那位，与他同级的大公务员，倒还能欣赏那位什么流派传人的尖厉啼鸣，跟他说了句："……不赖啊！"他的思路还没从刚才的盛宴上移过来，便谦虚道："哪里啊！……龙虾三吃，那最后的粥，赖透啦！以后，咱们换一家……"

坐在他们后面一排，正对着本市这位大公务员的，是本市的一位小公务员，不过，他们不在同一机构，当然互不认识。说来也巧，这种巧事，起码一百多年前，在世界上别的地方，就一度出现过——后排的小公务员，正当那什么流派的传人唱罢一段，台下有人鼓掌叫好时，突然鼻中怪痒，还没来得及掏出手帕，"阿——嚏！"打出了一个大喷嚏，溅出了很不老少的吐沫星子，那些大大小小的吐沫星子，起码有百分之八十以上，以迅雷急雨之势，落在了前排本市大公务员裸露的脖颈上。

那是相当肥阔，而又相当敏感的一个脖颈，遭到这突如其来的袭击，自然反应强烈。大公务员猛回头，后排的小公务员这时已掏出了手帕，忙连连点头道歉："对不起对不起……"并赶忙用手帕擤鼻子。大公务员对他怒目而视后，也便扭转脖颈，掏出自己的手帕擦干那些黏糊糊的吐沫星子。台上锣鼓喧天，演变成一个火暴的武打场面……

戏还没演完，台上的悲离尚未以欢合结束，大公务员一行便起立，摩擦着许多同排观众的膝盖，走了出去……

在剧场门口，本市的大公务员与外市来的大公务员握别。这只是暂时的告别。外市来的公务员回下榻的宾馆，本市的大公务员回家。他们明天还要再见。

本市的大公务员坐在奥迪车里，开头情绪还挺不错。给他开车的是一位老司机。他有意挑选了这位老司机给他开车。老司机不仅经验丰富，开车安全可靠，而且决不调皮捣蛋，尤其是嘴严，不会乱传他在车上的只言半语。

奥迪车从容地在大街上行驶。一位小公务员坐在司机旁边。他既算是送大公务员回家，也是"蹭油"顺路回自己家。

汽车驶过的街面上，有一家新开张的饭馆，门面装修成茅蓬竹舍的模样，其实里面相当豪华，闪亮的霓虹灯勾勒出它的店名："村味居"。小公务员望见便说："好时髦呀！咱们明后天宴请，来这儿吧！"

大公务员便在后座上说："时髦个鬼！卖些个窝窝头贴饼子，野菜倭瓜什么的，还有干炸大蝗虫、红烩粗粉条……吃那个！……嘿嘿，就是在三十多年前，叫做'三年困难时期'的时候，我也不吃这些个玩意儿！……跟你们说吧，吉人自有天相，我那时候还是个中学生，就有福气天天吃'富强粉'！知道什么是'三年困难时期'，什么叫'富强粉'么？……"

三十啷当岁的小公务员明明知道，"三年困难时期"，指的是 1958 年"大跃进"

失败后，紧接着的那三年，城市里实行粮食配给，发粮票，而且所配给的粮食里，绝大部分是糙粮，只有少数幸运的人，才能经常吃到白面，而"富强粉"，便是当年进口精制面粉的一种称谓，以纯白细腻为其特征……可他在大公务员跟前却佯作不知……只是说："……不过，现在咱们吃油腻的东西多了，到'村味居'这种地方换换口味，刮刮肚肠里的油，倒也必要！……"

大公务员很不以为然："你才跟我上了几回海鲜馆呀？……就油腻了！哼，真正油腻的，像火腿烧腊什么的，你吃过多少？……"

小公务员没想到，大公务员并无刮去肚肠肥油的想法，竟遭到如此抢白；但既决心讨好，便需讨好到底，建议刮油没讨得了好，遂灵机一动，说："是哇是哇，最近报上有报道，国外的营养学专家最新的研究结果证明，多摄取些动物脂肪，对身体不但无害，反有增强抵抗力的作用……肥胖者的平均寿命，超过清瘦者好几个百分点哩！……"

这时，老司机插了句话："这些个专家！瞎研究些个啥啊！有那么些个闲工夫，不先把癌症、艾滋病什么的，给先研究出个灭了的办法来！"

这是句无所谓的插话，本不值得描补，谁知那小公务员偏顺着往下发挥："是哇是哇，现在癌症猖獗……艾滋病也蔓延得厉害啊！……原来以为，只有干那号事儿，还有血液什么的，才传染艾滋病，现在不又研究出来，连唾液，也能传染么！……"

小公务员本是没话找话，凑趣，贫嘴，万没想到，这话一出口，大公务员忽然一下子，感觉到脖子后头不对劲儿。他一时无话，但闷然不乐，满脸愁云，也没去再听小公务员在继续说些什么，移时，忽然大声地问："咱们后头那排，坐着些什么人？！"

小公务员先是莫名其妙……等终于明白其所问，心想：这可怎么追查？但嘴里不敢松懈，忙说："……这前几排，大多是单位定票……不难问出来……我明天去办！……"

当晚回到家，大公务员洗澡时，把脖颈后面，当做了重点……但越搓洗，越觉得不怎么对头；他把老婆叫过来，让老婆给他细看，老婆不知是因为什么，定神看了半天，说："有些个发红……"发红？那还了得！他急了，命令老婆："快！快打电话！"老婆更不明白，给谁打电话？……他把老婆推开，竟光着身子，奔出去打电话……

司机刚回到家，便接到他的电话，只好叹口气，再下楼去启动汽车。那位多嘴多舌的小公务员，在自家洗澡时，也接到召唤电话，虽满心的不乐意，却把接电话的口气装得活像喜从天降："……哪儿呀哪儿呀……没关系没关系……应该的应该的……我马上下楼……"

小公务员下楼，等司机把奥迪车开过来先接他。大公务员只吩咐他有重要的事情要急办，让他下楼等车；直到车到，上了车，才知大公务员是要去医院急诊……于是小公务员埋怨司机前头那会儿不该提什么艾滋病，而司机也埋怨小公务员不该说什么吐沫星子能传染上艾滋病……当然，开到大公务员楼下，他们也便都偃旗息鼓。

奥迪车把大公务员送到了该市最好的医院。医生听了他的自述，给他检查了脖颈以后，告诉他没有事儿。但为了万无一失，还是给他验了血，结果么，请他明天再来看。

出了医院，三个人在奥迪车上都松了一口气。司机把车往大公务员家的方向开，谁知大公务员建议道："这么好个夜晚，为什么不吃吃夜宵、唱唱卡拉OK呢？"

司机不做声，因为想回家。小公务员不做声，因为不知道这话是真是假。本市的这位大公务员虽然胃口超常地好，却从未自费消费过，并且，似乎也没有在并无接待任务的情况下，去饭馆吃喝而回单位报销过。他本人常说的一句话是："我又没往家里拿！"这话基本属实。可是这个夜晚，倘若他们三个去吃夜宵，而最后是拿发票到单位报了销，算不算"往家里拿"呢？……

司机放慢车速，小公务员佯装轻轻咳嗽，而这时本市的大公务员用手机给外地来的那位大公务员挂通了电话："……傻看什么电视啊！……这就接你去！……一边吃夜宵，一边谈工作嘛！……我这人总是晚上比白天脑子好使……好！你到大堂等着！……"司机听得明白，便不再问，也不等吩咐，将汽车很快调换到去往外地大公务员下榻的那个宾馆的方向；小公务员也便不再假咳嗽，他心中有数了：这顿夜宵的报销不成问题啦……

市里现在有那样的饭馆，通宵营业，而且，夜宵，或称宵夜，也并非只有茶点小吃，什么大菜，都可以随点随供。他们到了一处这样的饭馆，要了个单间。外地来的大公务员，说是要吃些个素淡点的菜式，本地的大公务员尖起喉咙嚷："素个什么蛋啊！我活了半个多世纪了，连'十年浩劫'里头，嘴里都没素过淡过，一路这么荤下来，不是——样样都好好的嘛！"外地的大公务员说："你就那么顺遂？那时候起码下过'五七干校'么！……"他嘀嘀地笑着说："下过，下过……不过，我在干校里，是炊事班班长……"确也是，在这么多年的世事诡变中，他的顺遂，最朴素的证明，便是"从来没委屈过肚肠"；近十来年，托社会发展的鸿福，他几乎天天有"工作餐"可吃，而且随着他这公务员的身份由小而中、而大，他的口福，严格来说，已不能以一个"荤"字概括，因为，红肉类，从西餐的法式牛排，到中式的东坡肘子，他早都十分厌饫，他现在所钟情的，是海鲜，举凡龙虾、鲍鱼、大翅、鲜贝、牡蛎、海蟹、蛏子、响螺、基围虾、石斑鱼……都百吃不厌，且极能品评优劣。

不过那晚除了纯粹的海鲜，他也点了海鲜与诸种红肉合炖的"佛跳墙"，旱龟洋参枸杞汤，等等。唱卡拉OK的时候，除了大果盘，还叫了一钵猪油糯米八宝饭，说是权当冰激凌吃。直到零点左右，他才又回到家里。

一夜无事。

但第二天早起坐马桶，坏了！不是拉稀，而是便中带血；不是带血丝，而是鲜血几乎染红了排泄物的一多半！

这一惊非同小可。忙打电话，把接待外地大公务员的事宜转给了同僚；司机来接，老婆陪同，直奔医院。先取头晚验血的化验结果，血相竟有问题！……

住进了病房。接受全面检查。三天后得出结论，没直接告诉他，告诉了他老婆。

老婆坐在他病床前，眼圈发红，他问："究竟什么毛病？"老婆说："不算太要紧，直肠有息肉……"他颓丧地往枕头上一仰，闭眼良久……老婆正发愣，他突然一个鲤鱼打挺，蹦坐起来，冲老婆怒吼："瞒什么瞒？！……是不是……艾滋？！"

老婆吓得瑟瑟发抖。瞒是瞒了他的，可……他怎么会想到什么艾滋病？

老婆只好把医生请来，建议跟他明说，得的是什么病。

医生来跟他谈。对他说，是直肠癌。看来还没扩散，恐怕要做手术，割掉癌变部分。"直肠癌？！……不会不会！……我从来不乱吃东西……！"

医生只好耐心跟他解释："……恐怕是，多年来，你吃的东西，都太精细，太油腻了，尤其是，高密度的蛋白质吃得过多……你要是早些注意，多吃点粗粮，吃些个纤维素多的食物，也许情形就不一样了！……"

他不服。他左思右想，终于形成了一个固执的思路：是那晚看戏时，后面的那个家伙，打喷嚏溅了他一脖子的吐沫星子，造成了他的病变……他甚至回想起来，在那晚以前，有一天洗桑拿时，他的后脖颈子，在他伸手去挠痒痒时，就被用牛皮筋箍在手腕子上的钥匙——那是存衣柜的钥匙——不小心给划出了个浅浅的小口子，口子虽小，可别人的唾沫星子溅了上去，那里头的病毒，足以侵入，使他受害！……

单位的同僚来看望他，他郑重其事地让他们立案调查：那晚看戏时坐在他后面的，究竟是谁？那人偏偏把吐沫星子溅到他脖颈上，难道只是一个偶然的行为？……

对这样的病人一要多加抚慰，二要尽量满足他的诸种要求。同僚答应派人调查，所派的正是那晚跟他提及唾液可传播艾滋病的小公务员。那小公务员来看过他，提了一兜街边上买的鸭梨，个个都小得寒酸，显然是敷衍他罢了。嘴里说一定要查出那个打喷嚏的人来，心里想实在好笑，哪儿找去？纵使找到，又能怎么样？……他觉得这小公务员忽然显得面生了，眉眼儿似乎有些个错位。其实他早该想到，他既然被宣布得了这样的病，恐怕是难以回去行权了，既如此，那小公务员又何必再对他低眉顺眼、小心伺候呢？

倒是老司机对他依然如故，给他提来的，是一大兜正经的天津鸭梨，个个都显得硕大饱满。司机跟他说："听大夫的。能动手术，别耽搁了，越早越好。"

　　他本来坚持要等到查出那个打喷嚏的人，给那人作了全面审查——政治性的、病理性的——之后，彻底排除了其具有恶性动机，及艾滋病毒携带者这两方面的可能，再考虑接受直肠癌的诊断，以及手术切除；但终于没有坚持到底，他同意手术。

　　手术前，他常喃喃自语："我这人……除了贪个口福，一辈子活到这么大，没做过坏事啊……我怎么会得癌呢？……"

　　这逻辑当然不能成立。其实，按这个逻辑，他若得上了艾滋病，岂不是更难成立？

　　给他动手术，发现癌细胞已然有所转移。

　　术后一个月，他……死了。

科林斯柱

　　他居住了半辈子的胡同杂院，拆除了，用拆迁款购置了一个两居室的楼房单元，住进去以后，真是惬意舒心。

　　住进没多久，就有一次老同学大聚会，忆旧之余，免不了询新，其中一问必是："换住处了没有？"这些年几乎人人都有搬家、装修、配置家用电器等烦难然而又欢欣的经历，他也兴致勃勃地告诉同窗搬进了新居，报出地址后，当年同桌的崔洪亮马上说："啊，知道，那片楼都是经济适用房。"回到家里，整理部分同学递给的名片，这个是总经理，那个是副局长，还有研究员、室主任什么的，上面的地址虽然只是单位的，但这个是什么大厦，那个是什么中心，可见每天出入的都非寒酸之地，家里住的么，可想而知，大概也都跟他不属同类，比如崔洪亮就在名片上印出了办公地点是在恒基中心，又手写出住宅地址是天鹅湖别墅，那样的住房当然既非"经济"型，也绝不仅仅是"适用"而已。

　　同窗聚会之后，不知怎么搞的，住在那新楼里，他竟不大自在了。总觉得房间扁、厨卫小、楼道窄、绿地陋，暗中就去想象那天鹅湖别墅，动用了许多影视里的资源，却还是不能形成个明晰鲜丽的图像。

　　好在时间的流逝，特别是眼前的日常景象，最能消磨掉偶然的刺激。他也曾进城去故地重游，故居那片虽然已面貌大变，但不远处的胡同杂院仍是那么破旧凋敝，看到那些从院里走出来到胡同公共厕所去蹲坑的居民，他就顿时觉得自己那有抽水马桶的卫生间简直就是一只华贵的白天鹅。他也不时地到他那经济适用楼附近的地面去遛弯儿，结果就发现一里外紧贴旧楼搭建的一些小屋里，租住着一些外地人，煤气罐和灶台就那么搁在露天里，一到傍晚煮饭烧菜，杂七杂八的气息拌着扬尘扑鼻而来，虽然那些外地的大人小孩似乎其乐融融，他却为他们一叹，并暗自庆幸自家有墙贴白瓷砖、配有抽油烟机的厨房，锅里绝不会落进街巷的尘埃。

更让他心理复归于平衡的，是认识了同楼的一位邻居。他们同龄，也都属于提前退休的那个群体。这位芳邻大个头，络腮胡子，常常在下午三四点钟出现于庭院，坐在绿地中的长椅上，而且一定不会是单独待在那里，他身旁，一定会坐着他的老母，那妇人如果不是全盲也是半盲，坐着也还挂着拐杖，双手都搁在那拐杖头上，脸上总漾着一个满足的微笑。芳邻姓祝，比他大月份，他唤为祝大哥。祝大哥显然是个大孝子，搀扶老母遛弯和并坐晒太阳的形象，也不仅深嵌在他一个人的眼中心里。当然他观察得更细致些，他发现，每当祝大哥把老母在那长椅上安排稳当，自己就会去那边小卖部要来一瓶啤酒，待自己坐定母亲身边后，就把那啤酒瓶往脚侧一放，时不时地拿起来对着瓶嘴喝一口。

他头一回跟祝大哥搭话时，对方曾站起来，还请他就坐，但那长椅坐不下三个人，后来双方都不计较，祝大哥就那么坐着，他就把双臂抱在胸前，稍息姿势，很随意地跟祝大哥闲聊一阵。说是聊，其实开头基本上是他问，祝大哥简答，后来就基本上是他侃，祝大哥听。他很喜欢那样跟祝大哥一起消磨时间。通过询问，他知道祝大哥家况比他家艰难，而且祝大哥半辈子当建筑工人，活动范围就在这座城里，最远只坐火车去过太原，没坐过飞机，没碰过电脑。他从与一个诸多方面比他不足的同龄人接触中，通过表达同情、代为喟叹，获得了一种心理满足。

那天他在家里摆弄老同学赠与的名片，爱人嗔怪他："那又不是扑克牌，洗来洗去地干什么？"他说："你懂什么，一张名片一条路哩！"爱人撇嘴："哪条路你蹚得通呢？"他赌气："那怎么着！我就蹚一条试试！"他按崔洪亮手写的手机号拨了过去，居然一拨就通，而且，老同桌问他有没有工夫。若肯赏光，一起吃晚饭！他应邀前往，离家前得意地跟爱人说："我们那时候是男校，你放心，不是老狼唱的那种'同桌的你'！"

崔洪亮开着辆宝蓝色的宝马车，到他那楼盘外的一家餐馆外等他，相互老远就都望见，招手；他都顾不得走斑马线，越过马路往那地方跑去，两人握手后，崔洪亮就让他上车，原来并不是在那家餐馆请他，只不过是暂借那停车位而已。

嗳，那天的经历，怎么说呢，真叫眼界大开，这才知道什么叫先富起来，什么叫成功人士，什么叫豪华生活，什么叫一掷千金，什么叫贵族气派，什么叫梦想成真……原来，富人阶层的生活，已经开化到了那样的程度！

几乎是第二天中午，崔洪亮才又开车把他送到接他的那个地方。当他越过马路回到自己住的那个楼盘，他觉得自己的眼珠子仿佛被人调换了，映入眼帘的每一个细节都令他触目惊心，真的真的，他对自己说：只不过是"经济"罢了，只不过"适用"而已……

爱人自然追问他究竟是到哪儿荒唐去了，他也斜着眼睛，一边往长沙发上躺，一边倨傲地说："你见识过什么，昨晚我睡的是总统套房，你知道那里头的马桶盖上镶着什么吗？"爱人恨恨地说："喝昏了酒，找小姐去了吧？"他就嘴里嘤嘤嘤地发出怪声，伸直右胳臂，用右手食指朝爱人频频点着……爱人且不理他，管自走开了，他这才多少表达出了点心里头拥挤着要喷溢出来的意思："你们呀，懂什么呀，只当进个发廊找个小姐就算那个了……唉，真正的富人跟那些个全不相干啊！"

酒醒后，爱人也不再抱怨他，生活似乎回归于以前，但那次从傍晚到第二天午前的经历，令他回味无穷，他总想逮个由头跟爱人念叨念叨：鱼翅、鲍鱼、燕窝虚有其名，贵成那样，却并不可口，倒是西餐的法式红酒牛肉，真乃一绝！还有那个洗浴中心，进到里头真以为是到了天方夜谭的幻境里！浴后去那完全是蔚蓝色情调的咖啡厅，才知道人家那些人真用不着找小姐什么的，哪儿会那么下作！有的是大学本科学历以上的白领女郎，个个有影视明星的美貌，个个影视明星却没有她们那个风度,交谈时往往夹杂外语,幽默全在骨子里头……人家讲究的是情感的完全自主,坚决鄙弃含有硬威胁与软利诱的非自愿行为……人家把珍视家庭稳定与享受婚外情缘处理得那么得体……当然,他也就因此知道,这就是崔洪亮那种人的日常生活,"同桌的你"每天也就是在这样一些场合里,磨合出他的生意,那天不过是捎带脚地把他叫上随喜随喜,也不把他仔细介绍给那些不断变换的人士,更不把那些出将入相的角色向他介绍清楚,其实那些男男女女也懒得把他搞清楚,倒是他冷眼旁观中窥破了若干微妙之处,自然也不去点破……嗳,住进总统套房可是真的啊,其实只不过是宝马车驶过那家五星级饭店时,他问了句"那顶上有总统套房吧?"崔洪亮就顺势把车拐到那饭店去了……

"事如春梦了无痕",有这么句古诗吧?但他的这场春梦却不仅留痕深重,还弄得他不找个听他细说端详的角色就浑身痒痒。终于,他锁定了祝大哥,接连几天下午,他站在祝大哥面前,滔滔不绝地讲述他的见闻,祝大哥老母不但目瞽,耳也聋,但也仿佛从他的讲述里获得了快乐,脸上的笑纹涟漪般抖动着;祝大哥听得专心,不时提起啤酒瓶喝上一大口,再抹抹被胡子围住的厚嘴唇;每当他点题说到:"咱们至多算个小康,人家那可是大富呀!咱们能见识到的,也就井蛙那么多,人家可真是泱泱海阔凭鱼跃、朗朗天高任鸟飞啊!"祝大哥就似乎在微微点头,但那双鱼尾深刻的眼睛里,却并没有放射出如他双眼里那样的燃烧着的艳羡之光。

那天他重点给祝大哥描绘那总统套房的种种细节,他发现祝大哥听着似乎有点心不在焉,他就说:"也是,你哪儿想象得出那里头的模样,离你的生活实在太远太远了啊!那里头光客厅就有三个,每个厅的大理石柱子样式都不一样,你瞧,那天我拼命想记住,到底还是没记真……那中客厅的柱子我觉得最棒,嗳,怎么跟你形容呢?那柱顶上的花样,真绝透了,那叫什么……莫斯科柱?不对,唔,反正是什么科……"

祝大哥听他神侃,绝少插嘴,这回却忽然接上去说:"是科林斯柱。"

这淡淡的一句,仿佛炸雷响在耳边。他愣住了。待祝大哥喝完一口啤酒,他才问:

"你怎么会知道？"

祝大哥依然语气平淡地说："那大客厅里的柱子，是爱奥尼亚式；小客厅里的，是多立克式。"

他几乎是喊着问："你去住过？！"

祝大哥说："哪能呢，没住过。"

这天他回到家里，忍不住对爱人说："爆大冷门了！咄咄怪事！"

爱人问那"冷门"以前先讽刺他："你要能从那富贵梦里醒过来，才叫爆冷门哩！"遂问他究竟爆了个什么样的冷门。他就说祝大哥居然知道那总统套房里的三种希腊古典柱式，把所在位置和名称报得那么精确！

爱人乍听也觉得奇怪。但把炸酱面弄好，俩人对坐要吃的时候，忽然恍然大悟地对他说："对啦，听物业公司的人说过，祝大哥原是建筑行里少有的高级技工，这城里好多豪华建筑他都参与过施工，要不是为照顾他妈，他也不会提前退休啊，饶这么着，有的建筑公司还打着灯笼火把找到咱们这小区，求他去当施工指导哩！那总统套间的柱子不得有工人去造，他造的怕还不止那些柱子哩！那'同桌的你'他们整天享受的那些个房子，哪座不是祝大哥那样的人造的！祝大哥他们就是造完了自己不用而已，好比母鸡下的蛋，母鸡不吃罢了，你跑去跟母鸡显摆那蛋，母鸡没咯咯咯笑你眼皮薄心眼俗，算是对你客气！"

也怪，先吃了爱人一番话，再吃那炸酱面，意外地香。那晚他竟破例地连吃了两大碗。

蓝玫瑰

阿芬敲击着"三星餐厅"的后门，门开了一条缝，露出的那张脸是她最不愿看见的。

那张刀把似的脸上，两只小眼睛像两只钉螺，毛蚶似的嘴巴里吐出她最不愿听见的话："又找阿胖！人家懒得见你！"

可是刀把脸立刻就被从背后薅开了，这回露出的是阿胖本人。其实阿胖并不算胖。他和阿芬来自几千里外的同一村子，在乡村小学里互为"同桌的你"。村里都把阿胖叫做阿壮。自从阿胖进城谋事，一步步发展到在这"三星餐厅"打荷——打荷是行话，就是给大厨配菜——认识他的人就把他叫做阿胖了。这听来是个挺吉祥的称呼，因为阿壮的奋斗目标就是上灶当大厨，十厨九胖嘛，他倒希望自己早些个发起福来。

阿胖见是阿芬，问："什么事？"

阿芬便给他使眼色，阿胖于是走了出来，餐厅后门安有弹簧，砰地自动关上了。阿胖回头望望，凑近阿芬，再问："什么事？"

阿芬说："帮个忙……"一边说，一边把眼睛晃到餐厅后墙边。阿胖眼光随之游动，于是看见了一个大纸箱，纸箱表皮上印着"富士苹果"字样，阿胖估计那里头必不是苹果，他问："什么东西？"

阿芬说："是花，玫瑰花。"

阿胖"啊"了一声，问："怎么又卖上花了？钟点工不做啦？"

阿芬也不细解释，只是说："你给我保管一下！"

阿胖心上仿佛被阿芬的手指尖挠了一下。当年他们在一起时，阿芬常对他用这种命令的口吻说话，"阿壮，你的铅笔呢？给我！""阿壮，帮我家摘花椒去！"……村里孩子们做娶媳妇的游戏，大家公推阿芳扮新娘子，谁扮新郎官呢？正讨论或者说正竞争中，阿芬大声命令："阿壮，你当新郎！"……

可是，他们近来的关系嘛，有点儿那个……阿胖家在村里从比较穷的变成了比较富的，阿胖本身在城里也算有了门技术，立住了足，可是阿芬家因为种种原因，成了比较困难的人家了，阿芬在城里也总没能找着个可心可意的，能较稳定地挣钱的事儿，今年过春节时，他们都回了家，阿壮家里，给他说了一门亲事，那也是当年他们的同学、玩伴，是村民委员会主任——也就是村长——的闺女；初六时，阿壮家摆了几桌酒，鞭炮放得满村的鸟儿散尽后三天不敢再进村……回城时，在长途汽车站，阿芬和阿壮遇上了，阿芬命令阿壮："给我拎着包儿！"阿壮赶紧接过去，脸红得像喝醉了酒，讪讪地说："我……我们，没扯结婚证呢……"阿芬白了他一眼："谁问你来？！"

回到城里，他们再没见过。阿壮以为阿芬再不会主动找他来了，没想到现在阿芬活生生地站在了他的面前，要他代为保管那一纸箱的东西。

阿胖白天在餐厅厨房里干活，晚上食客散尽，把餐桌拼起来，就成为他和另外几个雇工的眠床；厨房，还有储藏间里，本来就堆放着许多杂物，特别是这类纸箱，很多，所以，替阿芬存放这么一个纸箱，没多大的困难。

只是阿胖不明白，玫瑰花应该赶紧卖掉啊，怎么要在他这儿存放呢？他问，阿芬反问他："哪天是情人节？"

阿胖还真答不出来。别看他混成了打荷的技术工，下一步就要上灶当厨，挣得挺不老少，可他没阿芬见识多。阿芬在不同的家庭里做过钟点工，其中很多雇主是知识分子，属于新派家庭，不用专门求教，耳濡目染之间，便积累了不少阿胖未能掌握的知识和讲究，比如，五天以后，也就是 2 月 14 号，是情人节，过这个节，最大的讲究，就是情人之间，一般是男士向女士，赠送玫瑰花，到那一天，品种最好的玫瑰花，能卖到六十块一枝，就是最一般的，常见的红玫瑰，也要十块钱一枝……所以，阿芬趁今天红玫瑰的批发价还是一百枝四十块，赶紧批出了这一纸箱——整一百枝；据说到明天再批，就要一百枝五十块了，后天则会涨到八十块，到情人节那天早晨，会涨到三百块，甚至五百块，而且还不一定能拿到货！……

"连这都不懂！"阿芬解释完，斜睨着阿胖，鄙夷地说："你还打荷呢！"

阿胖顿时惭愧得脖颈痒痒。他迈步到那纸箱前，掀开盖头望里看，一百枝红玫瑰，大概每二十枝包成了一扎，体积只占了半纸箱，一点不显得多，不禁咂舌说："呀，到过那个节那天，这四十块就要变成一千块啦！……这么有赚头，你怎么不多批出些来？"

阿芬训斥他说："赚是要赚，不能往钱眼里钻！钻也要会钻，批多了，怎么保管？一个人在街上卖，又没有店，卖足这一百枝也就不容易，再多，当天卖不出，第二天只好三毛钱一枝处理掉——都怕没人要了！"

阿胖抱起那纸箱，"好轻！我往储藏室一放，人不知鬼不觉的……你14号一早来取吧！"

阿芬急了："什么？放储藏室？那我用得着找你！……憨胖！……你要给我放冰箱里头，别放冷冻室，放最底下，平时你们放鲜菜的地方……懂吗？"

阿胖愣住了。实施这一任务顿时显得相当艰难……

"怎么，你不愿意？"阿芬问他。

阿胖忙说："我……怎么都愿意……你放心吧！……"

阿芬忽然低下头，两只手攥住垂在胸前的围巾头上的流苏……她对阿胖发命令轻而易举，想说出句道谢的话来却仿佛力不胜任，"阿胖……"她竟嗫嚅着，造不成句子了……阿胖抱着纸箱，站在她跟前，呆呆地望着她，等她把句子造出来……

阿芬抬起头，正视着阿胖，终于造出了句子："……等我有了自己的小花店……那时候，买个花卉保鲜柜……我们就不用……"

阿胖心里滚过一道暖流，忙接上去说："……就不用这么……小打小闹地……光是一百枝了……冰柜我来投资！……"

阿芬一惊，瞪了阿胖一眼："你！谁要你来？"

阿胖委屈地说："你刚刚说过么……我们……"

阿芬心旌摇荡起来："我说过……么？……你！……"

两个人都不记得是怎么分的手。

当天晚上，阿胖请刀把脸去附近康乐城打保龄球。刀把脸是餐厅的杂工，负责洗碗盘还兼搞厅堂卫生。他干活倒不惜力，也不嫌工资低，可是老板一直想炒他的鱿鱼，不为别的，就为他总是懒得搞个人卫生，一双小眼睛总是挂着眵目糊，一星期刷不了一回牙。老板最怕顾客看见他，逢到卫生检查，便把他提前轰出去，由他闲逛一时。刀把脸爱管闲事，说闲话，阿胖把阿芬的那些玫瑰花搁进冰箱后，别的同事都不会多嘴多舌，这几天估计老板来了也不至于遍查冰箱，所以重点是防范刀把脸。阿胖请刀把脸打了一小时保龄球，末后又请他坐到吧厅，让他点饮品，刀把脸点了一客名叫"红粉佳人"的鸡尾酒，没等酒来，更没等阿胖发话，他便主动拍着阿胖的肩膀说："老弟，哥哥明白……我一朵花也没看见过吽！"

接下来的几个晚上，阿胖临睡前，总要打开冰箱，查看那些玫瑰花，并给各束花调换一下位置。到了13号晚上，那一百枝红玫瑰大体还都完好，只是有一二十枝花瓣边缘似乎有些个蔫卷发乌，这一二十朵明天或者把它们卖得便宜点儿，按一千元算下来，损失的那部分钱他心甘情愿给阿芬补上，当然啦，阿芬是不会接受他的补偿的，不过，就是听阿芬拒绝时的那几句横话，似乎也成了一种甜蜜的期待……

那个节，那个他原来不甚清楚的节，终于随着天边一缕缕的朝霞来临了，那天一早，他蹬着三轮车去蔬菜批发市场为餐厅备鲜菜，朝霞用红玫瑰般的亮光罩住他，使他心里头仿佛也开放了许多艳红的玫瑰。他尽量地早去早回，并且嘱咐了工友们，倘若他还没回来时阿芬就来了，就请他们把那些寄存的红玫瑰交给她，并问清楚她将在什么地方卖那些花……

阿胖急蹬如飞地返往餐厅后门，一路上他注意观察，没什么情人成对成双地出动呢，这样早取出花去，是没必要的啊……他估计阿芬不至于已经来过并取走了花，想到会有跟阿芬见面的机会，能亲自把花交付给她，以及可以为有的花瓣边缘有些个蔫卷发乌而向她道歉，甚至当场兑现赔偿，他竟哼起了"爱江山更爱美人"的流行曲来……

可是刚拐到餐厅后门外，赫然映入眼中的，是老板的那辆黑色桑塔纳 2000……老板今天怎么会一早就来视察？他心里咯噔一下，仿佛卡上了一根骨头……

阿胖从后门一进入厨房间，立刻看到案板上搁放着几束玫瑰花，老板站在一边，大厨和刀把脸几个人站在另一边，刀把脸正说着什么，一见他进来马上闭上嘴，老板则以一副心平气和的神态把目光迎向了他……

阿胖只觉得心里猛搁上了一客铁板烧，他两眼死盯着那些玫瑰花，惶急中，大声说："不许动！……花是我的……都不许动！……"

老板微笑着，客客气气地问他："阿胖，这算怎么回事？怎么可以在冰箱菜柜里存放你私人的玫瑰花？你这不是公然违反纪律么？"

阿胖只觉得阿芬随时都会来敲门领花，不，他甚至觉得那敲门声已然响起来了，他伸手去归拢那些花，老板制止他，"这是要说清楚的，究竟是怎么一回事？"

阿胖大喘气。

老板讲起了道理："冰箱里的菜，是要给客人吃的，我们要对顾客的健康负责，这是政府所要求的，也是我们应当自觉遵守的职业道德。这玫瑰花看上去挺漂亮，其实，它上面恐怕携带了许多的微生物，还有细菌，只是我们肉眼看不见罢了，它会污染我们的鲜菜，当然啦，鲜菜在制作前，我们会用水漂洗，可那玫瑰花上所带来的有害的东西，沾染到鲜菜上以后，有的恐怕是冲洗不掉，甚至高温下也杀灭不尽的！最近有关部门还跟我们一再地强调……"

阿胖哪儿听得下去，他也不再说什么，转身搬过阿芬拿来的那只纸箱，要把案板上的花搁进去。老板再一次阻止他，脸色变得严肃起来："这不可以！刚才他反映，这些花是别人拿来给你寄存的，这就更成问题了！……"

老板说的反映者，便是刀把脸，阿胖朝他恨视，刀把脸把两只钉螺般的小眼睛斜向灶台。

阿胖终于从火烧火燎的心窝里吐出了一串话来："反正这花我要还给我老乡……这花好得很，比人干净是真的……违反纪律，你扣我工资好啦！……这有什么了不起的！你干什么跟我过不去？……"

老板倏地拉下脸来，宣布："这餐厅是我的，餐厅的一切设备，包括冰箱，当然都是我的……这里我说了算！谁违反了纪律，我都不能姑息！这花未经我允许，搁进我这儿冰箱达数天之久，是严重的违纪行为！这花，我没收了！先搁我办公室去！"说着朝刀把脸一甩下巴，刀把脸朝阿胖看看，再朝老板看看，稍犹豫了一下，便动手把那些花敛作一处，阿胖一看急了，冲过去要抢，被身边大厨死死地抱住了……

阿胖在大厨胳膊里挣蹦着，直着脖颈嚷起来："好！那我不干了！我走！可花还得给我！"

老板却又面现和善，规劝地说："阿胖！我可并没有炒你鱿鱼的意思啊，你来我这儿以后，一直干得不错嘛！我只是不能不严肃纪律罢了……"

这时刀把脸已经把玫瑰花统统敛进了老板那间小小的办公室。阿胖痛不欲生，看样子简直要跟老板拼命，老板心下不免疑惑，这是怎么回事呢？平时没发觉这个阿胖如此富于反抗性啊！他摆摆手，进了他那办公室，把门反锁起来。

……

晨光明艳时，阿芬从公共汽车上下来，欲往"三星餐厅"去取她寄存的玫瑰花，那个汽车站人很多，已然有情侣模样的人双双出现，阿芬一早因为跟她合租房屋的那个也是来自农村的姑娘病了，替她去药房买了一盒药，所以动身来这儿晚了。她正埋头往"三星餐厅"那个方向快步走，忽听有人唤她："阿芬！"她煞住脚，扭头一看，是阿胖。

"阿胖！你吓我一跳！你在这儿捣什么鬼？怪我总不露面，是吧？"

阿胖说:"……我们……去银行吧!……"

阿芬听不懂:"什么?去哪儿?……我的花呢?玫瑰花?……"她朝阿胖身旁身后看,没看到那个原来装富士苹果的纸箱,这倒没什么,也许还需要到那餐厅去拿……可那是什么?阿胖身后怎么有那么大两包东西?……

阿胖说:"阿芬,我对不住你,你的花我没能保住……我赔你一千块!走,我们去银行,我有折子,我取给你!再多赔我也愿意!……"

阿芬觉得情形很不对头,她先问:"你身后是什么?铺盖卷儿?旅行袋?……你怎么回事,老板炒你鱿鱼了?"

阿胖说:"不,我炒了他鱿鱼!……"于是把一早发生的事,详细讲给她听。

阿芬听着,先是怨怪阿胖太笨,听着听着,忽然觉得心里头有团什么东西,原来硬硬的,此时却渐渐化开了,丝丝缕缕地,渗出些复杂的滋味来……

一个还没发育充分的小姑娘,显然是刚进城来没多久的,端着小小一个纸匣,里头是一枝枝已经用玻璃纸分包好的红玫瑰,恰好游动到他们身边,顺便向他们兜售那玫瑰花:"哎,情人节红玫瑰,十块钱一大枝!"

阿芬条件反射似的问她:"你多少钱批出来的?"

那小姑娘望望他们,恍然大悟似的说:"哼,原来……你们是买不……"说到最后她把"起"字吞了进去,转身要走。

阿胖唤住了她:"别走!我都要!"

小姑娘回过身,半信半疑地望着阿胖。

阿芬拈出一枝,望了望,掷回去,鄙夷地说:"这是最差的品种!我们不想买这样的!我们要买蓝玫瑰,听说过吗?法国人最会过这个节,他们把蓝玫瑰当成最珍贵的礼品送人……你有蓝玫瑰吗?……没有!哼,恐怕这满城里,也找不到十来枝呢!……"

小姑娘白了阿芬一眼,转身便走,阿芬在她耳后喊:"你别在这儿卖啦!告诉你吧,这儿是孙大姐的地盘!……看她一会儿瞧见你怎么收拾你!"小姑娘在人群中一溜

刘 心 武 文 存 14

烟跑没影儿了。

阿胖问："那……蓝玫瑰……真有那么回事儿？"

阿芬眉头一扬："怎么？你以为都像你，要么什么也不懂，要么就撒谎骗人？"

阿胖挨了她的训，心头才出现了一丝欢喜，嘿嘿地笑了。

阿芬叹了口气："算我倒霉！"下死眼望望低头憨笑的阿胖，问他，"你这可怎么办？其实我损失的，不过是四十块钱，你呢？可好，饭碗砸了！……原来听你说，你们那个老板，好像还过得去嘛……也难怪人家，都是我惹出的事……要去银行，那该从我折子上取，你说，提多少才赔得上你？……"

听了这些话，阿胖竟身心大畅，嘿嘿地笑个没完了。

阿芬跺了一脚："胖傻！你没心没肺啦？光笑，笑个什么？你打算怎么办？背着铺盖卷，提着旅行袋，你哪儿讨饭去？"

阿胖这才抬起头，望望太阳的位置，说："也没什么了不起的！哪儿讨不了碗饭吃！想起来了，我远房五叔在东郊大馆子里当二厨，先投奔他那儿，再说！"

……阿芬送阿胖去开往东郊的那路公共汽车的车站，去那车站必须经过"三星餐厅"的正门，刀把脸正把一个临时广告牌支在餐厅门外，瞥见他们移动过来的身影，慌忙龟缩到店内。阿胖肩上扛着铺盖卷，旅行袋他提一只耳朵，阿芬提另一只耳朵，并排说笑着前行，竟没去注意那支在餐厅外的临时广告牌，那牌子上写着：本餐厅今日特别供应情人节双人套餐，物美价廉，超值享受，凡双人情侣就餐者，特奉送新鲜荷兰红玫瑰一枝……

……到了那车站。阿胖要上车了，阿芬问他："憨胖，你那五叔……究竟在东郊什么鬼地方？"阿胖想了想说："你把手掌摊给我……"阿芬嘴里说着："捣什么鬼吆？"却乖乖地把手伸给了他。阿胖用左手抓住阿芬右手掌的指头，右手掏出一管蓝色圆珠笔，在阿芬掌上写下了一个电话号码，写完号码，居然不停笔，先在阿芬掌心画了一个正方形，又在那正方形里斜着画了一个正方形，又在里头那正方形里画了个三角形，再在那三角形里斜着画了一个三角形……随着那笔触，阿芬心里开出了一朵硕大的蓝玫瑰……她抽出手来，尖叫："轻点！我好痛！……"

　　阿胖携行李上了车。他没朝车外望，更没招手。阿芬则没等车开走，已然转过了身……阿芬把蜷成空心拳的右手，轻轻贴在胸前……

1998.3.6 绿叶居

人面鱼

　　她一眼认出来，是他。

　　他也一定认出了她，在一瞥之间。

　　那是在昆仑饭店大堂外的风雨廊中。出租车排着队，等待饭店门口行李生的召唤。他的那辆旧丰田平稳地滑了过来。行李生帮她把旅行拉箱装进了自动弹开厢盖的后背厢里，盖好，又忙给她打开后车门，她坐了进去；就在她一弯腰坐进车里时，司机很自然地扭头朝她瞥了一眼，那大约不足一秒钟，然而足够了……

　　她告诉他，去机场。

　　他把车开动起来，不一会儿，车子已经驶上了通往机场的高速公路。

　　会不会是……一种错误联想？

　　她仔细推敲他的侧影。不会错。二十几年过去……他的脖颈还那么强劲有力，那从衣领里傲然挺拔的脖颈，略显粗糙的皮肤上，还显现着那几条让她难忘的纹路……那肥厚的耳廓，线条刚硬的腭骨，特别是，那右颊上的一粒绿豆大的扁痣……当然是他！……头发还是那么浓密蓬乱，鬓角长长的……并没有发胖，肩膀还是那么宽阔厚实……

　　他也在后视镜里，偷窥自己么？

也许，他认不出自己了。毕竟，自己有时对镜，思绪里猛然掠过往昔的雨丝风片，只觉得如梦如幻，连自己都会望着镜中人发愣：那是我吗？……是谁？哪一位？……

她要不要开口？……不一定马上唐突地发问，可以闲闲引入，谨慎试探……现在北京的出租汽车司机一般都很愿意跟搭客聊天……她从哪儿跟他聊起？今天的天气？这机场路的国际水平？……可他为什么一声不吭呢？仅仅因为她是一位女客，还是因为……他知道她是谁了，因而，在等待她首先开口？……

她的身上，氤氲出丝丝缕缕法国香水的气息……她自己本是对之已无嗅感的了，此时却忽然觉得有大量的气味回送过来，刺鼻，令她难堪，甚至于心中惶悚，仿佛犯了什么错误……她下意识地并拢双腿，抚平紧绷在腿上的短裙，那是一条价格不菲的意大利名牌短裙，与她上面的无领长袖外套同属当季的最新款式……她又下意识地看了一下腕上的手表，那是一块外表古朴，却属于极品级的英国百达翡丽表……表盘为她显示的似乎并不是此刻的时间，而是一种钻心镂肺的荒谬感……

是的，也许，他的不敢确认，恰恰就是这香水的气息，以及这一身包装……然而，我依然是我呀，我也不仅并没有发胖，而且，难道我显老了吗？……是的，女人一过四十，那就连那曾经跟她那么样那么样亲近过的人，都会认不出来了！……天哪！……

……那是个多么古怪的傍晚啊！……人们都说夕阳是玫瑰色，或类似那一类的颜色，然而那个傍晚的夕阳却分明是绿色的，淡绿色，嫩嫩的淡绿，就像初春从树皮里蹿出来，并且颤巍巍地绽开的小叶芽儿，充满着透明感的那么一种淡绿色……

他们去插队的那个村子，在那个深秋，本来已然整个儿没有了绿颜色，庄稼地里是一派深褐，稀稀拉拉的树木上，要么已然只剩枝桠，要么那些没落下的叶片都仿佛是薄薄的铜片，风一吹过，便发出令人心里只有黑灰两色的寒音……

……她朝村边那座茅屋走去，那一刻，她觉得夕阳是绿色的，它给万事万物，都沐浴着淡绿，不，嫩绿，不，像透明的叶芽儿似的，那么一种绿雾，绿霭……

　　……那是一个猪场。茅屋是猪倌熬猪食的地方。老远，从那茅屋里就发散出浓烈的猪食气味，那气味无法形容，全凭每一个吸入者的主观感受，而大体上可以归纳为，比如说催人呕吐的秽气，比如说令人觉得是正常发酵的气味，再比如说是联想到圈满年丰的愉悦气息……那一晚，那扑鼻的猪食气味，于她而言，仿佛是树上无数新芽溢出的，绿色汁液的味道……

　　……他被派作猪倌。他在那茅屋里，站在土灶边，面对着奇大无比的一口边沿有裂缺的铁锅，用一把大铁锹，搅拌着锅里的猪食……

　　……她走进去，他一时没看见她。她在门边望着他，他赤裸着上身，把本来穿在身上的一件又旧又破的枣红色绒衣，两条袖子紧紧地系在腰上，起劲地，甚至于可以说是极其快乐地，两只脚一颠一颠地，用大铁锹在锅里搅和着……灶眼里，发射出夕阳般的光芒，然而，奇怪吗？那一晚，连那灶眼里的光芒，竟也是绿色的！浓稠，鲜嫩，透明而抖动的淡绿色啊！……

　　……他发现了她。两眼闪出惊奇的强光："你没去？！"

　　她没有去。几乎是，村里所有走得动的人，当然首先是他们"知青户"的其他成员们，都赶到镇上去了，那里晚上有县里"样板团"的演出，而且演出后还要放映电影，是关于西哈努克访问的彩色纪录片……她知道他任务在身，今晚不去，于是，她推说实在不舒服，发烧了，也没去……她的确发烧，她自己能感觉到，她鬓前的发绺在走动中撞击着她的面颊，不知是发绺的感觉还是面颊的感觉，总之，那感觉传递到她心尖上，有些个烫……

　　……其间的过程很简捷……为什么会那样简捷？……真不可思议，却又值得在整整一生中时不时地反刍，不断苦苦地，不，甜甜地，思之，议之……

　　……是的，那是千真万确的，是她，而不是他，十二万分地主动……她一下子扑到他身上，紧紧地搂住了他……她能够非常精确地，把正在沸腾的猪食的气息，与他的体臭，严格地区别开来……那是一种她渴望已久的气息，她把自己的脸庞拼命地挤靠在他那似乎失去边际的强韧而汗渍的胸膛上，摩擦着，同时感觉到他的双臂，如同巨藤般缠箍住她的脊背，并且一次次地收紧，使她体验到一种新奇的痛楚……

　　……他把她抱到了茅屋中的大炕上。那是滚烫的一张炕。满屋弥漫着嫩绿……他们无师自通。为什么无师自通？……其实，有许许多多隐蔽的"师"，比如人们的脏骂中，比如"破四旧"没破尽的那些缺皮少页的卷角旧书的文字中，比如《赤脚医生手册》里的插图，比如拷贝已然放烂的《列宁在1918》里的某几个一闪即逝的过渡性镜头里……而最好的老师，是他们自己身体上那逐渐膨胀的部分，是他们在开始时可以说只是不经意地朝对方一瞥，后来是说不清有心还是无心，在远处，或稍近一点的地方，对方没跟自己对眼，甚或全然没有注意到自己时，自己却下死眼把对方的一脱衣、一挽袖、一弯腰、一扭身……乃至于做某件事的全过程，呆呆地看了好一阵子……再后来，便是双方眼波的撞击，从一撞即移，到撞而移后复撞，到撞后竟胶着在那里，难解难摘……生而为人的那个位居首席的"师"，正在自己的肉中灵内啊……

　　车过四元桥了。她定神再往前左方细加端详……当然，绝不会错，是他。
　　她都几乎要呼出他的名字了……却终于还是没有呼出。

　　……在那个淡绿色的傍晚，以及紧随之的那个充满叶汁气息的夜晚过后，第二天一大早，忽然村里响起了不寻常的声音，那是一辆小轿车，具体来说，是一辆奶白色的苏产伏尔加牌小轿车，开进村来的喇叭声，以及驶过坑洼不平的村道时车轮摩擦出的怪声，还有村里孩子们跟着那车后面乱跑的叫嚷声……

　　事情可谓"意料之外，情理之中"……她披着衣服从宿舍里跑出来，脸还没洗，头还没拢，脑子里还储留着斑斑绿影……妈妈从那车里出来，犹如一粒豌豆从熟透的豆荚里迫不及待地跳出……她听见妈妈大声地跟她，同时也跟拥簇在她身边的村干部和"插友"们朗声宣布:"你爸解放啦,结合啦!……我们昨天下午就出发了,往这儿赶,通宵'马不停蹄'……走,跟我回城!……"

"插友"们的反应是多种多样的,或含蓄或强烈,她却一律顾不得观察回应,她只是倏地一下感到,有一种东西飞走了……啊,是飞走了绿色,一丁点绿色也没有了,深秋的太阳从东边送来一片光芒,是啊,可以说是玫瑰色的,然而为什么是这种颜色?难道该是这么样的一种颜色么?那心爱的颜色,那些本来布满心臆的嫩绿,透明,并且流动着的,青芽汁液般的可以抓挠的活生生的存在,怎么一下子荡然无存?……

她慌乱。一定是有许多幼稚可笑的肢体语言,"文法不通","佶屈聱牙",因此引得"插友"们窃笑……她听见妈妈用亲昵的语气在斥责自己:"还收拾什么!都留下、留下……你爸爸这一结合,什么又都会有的!走,跟我走……"

她稀里糊涂地已经坐进了车里,妈妈紧紧抓住她的手,仿佛她还是个上幼儿园的小姑娘……汽车开始移动,车窗外晃过一些各不相同的目光……她不在乎任何目光,只是,她的心紧缩起来,他,他呢?……她对司机说:"往那边,那边……"她心里指的是那座茅屋,村边那个小湖边上的茅屋,那儿有个猪场,茅屋是猪倌住的地方……司机不明所以,妈妈问她:"你说什么?你还有什么事要办?"她嗓音干涩地说:"那边,那边……湖那边,猪场……"她给司机指点着,司机便把车往那边开,车外有人在大声地说:"错啦错啦,反啦反啦……"司机还是把车开到了湖边,离茅屋和猪场很近的地方,她紧张地朝茅屋望去,那门根本没有关紧,露着一条明显的缝,然而,门没被拉开,里头没人出来……她有一种要下车去的冲动,妈妈把她抓得紧紧的,她听见妈妈在跟司机解释:"……孩子锻炼得不错,对这劳动过的猪场恋恋不舍呢……好,再看一眼吧……"前面没有路了,司机倒车,离开了那湖边……她没有再回头张望,只是忽然掩面而泣,妈妈赶忙把她往怀里揽,她挣脱了……车子又开过知青们的宿舍,朝村外的公路驶去,有小石子打在小轿车的后玻璃窗上,不知是小孩子们扔的,还是从车轱辘下蹦溅起来的……

……后来，大家都回城了，她得知，他也终于回城。

又是一个傍晚，一个有些绿意的傍晚，她往他家住的地方去，找他。

他家住在这个城市的西北角。那里有一条比一般大街窄、比一般胡同宽的穷街。他家住的地方，院子不是院子，排房不是排房，在她眼中，那是很古怪的，具体来说，是街边有一个简陋的公厕，公厕一侧，有一个歪歪扭扭的通道，往那通道里走，两边是些歪歪扭扭的古旧平房，那些平房里，密密匝匝地住着些芸芸众生。

她走近那地方时，恰巧他从通道里走出来，上厕所。他没有看见她。她移到街对面一个小商店门外的布蓬下，呆立着。尽管他是去往一个不雅的地方，可是，他的身姿步履，依然令她心醉，陡然间，天光绿润润的了……后来，她看见他走出厕所，回到那通道深处去了……

……移时，她鼓起勇气，过马路，走进那通道……她四顾着，不知他该在哪扇门里……忽然，她惊喜不已，因为她隔着一扇镶着死玻璃的老式平房窗户，看到他就坐在窗边，侧着身子……啊，他是在看电视……在屋子尽里边的柜子上，有个黑白电视机，正放映着某种节目……依稀可以看到另外几个人的身影，是他家什么人？……

她找不准那屋子的门，于是她呼唤他的名字，呼到第二遍时，他在窗里扭过了脖颈，满目惊奇……她还没定住神，他已经出现在她身前，并且立即把她引开……

他们来到那条给排水系统都还很不完善的穷街上。

她问："你干吗不让我……进你们家？"

他说："那不是我家。"

她问："那么，是谁家呢？"

他说："邻居家。"不等她再问，又补充说，"我家没电视。"

停了停，她说："带我去你家吧。"

他想了想说："以后吧。"又反过来问，"你找我干吗？"

她抬眼，责备地望着他。

于是他说："我猜过，你也许要来。"

她移得离得更近些。

"咱们走走吧。"他说。

于是她跟着他走。

他们走到一处僻静的地方。那里有一个杂乱的小树林，还有一个早该清除，却一直没人来清除的垃圾堆。

天光暗了下来。她心里漾着绿。她主动。她移得离他只差一指。他们的体臭互相准确无误地进入了对方的鼻腔。

她责备他说："你都忘了。"

他回答："那怎么会？"

她问："我走那天，你怎么不出来？"

他坦白："我睡得死死的，没醒呢。"

她再问："为什么不给我回信？"

他说："回过……"

她问："回过？！我怎么没收到过？"

他说："写了，没寄……"不等她歙动的唇里再吐追问，忙补充，"也都没留……都扯了，扔那湖里……让人面鱼吃啦……"

人面鱼！……

汽车开过温榆河了。温榆河里泛着的波光，令人想起那个小湖……

他写过信，没有寄，大概自己反复地读过，然后扯碎，扯得很碎很碎吧，扔进那个小湖，像一片银闪闪的浮萍，然后，陆陆续续地沉落下去……那条人面鱼，真的会吞咽那些浮萍般的纸屑吗？……

……还记得，那个晚上，在那个小树林里，离那个垃圾堆不远的地方，当他们又紧紧地拥在一起的时候，他忽然说："……插队的时候，我们毕竟是平等的……"

她试图反驳他。然而十分无力。实际上，无法反驳。

……后来，出了小树林，他终于带她去了他家。在那个公厕后面，那个歪歪扭扭的通道的顶头上，一间只有十来平方米的小屋里……他父亲，一个拉排子车的搬运工，为了他"顶替"，提前退休了；确实说什么也该提前退休了，因为患着肺气肿，不仅说话，连喘气都透着痛苦；他母亲，年岁并不算太老，脸部却已然皱缩成了核桃般模样……真是家徒四壁，竟看不到一件稍微亮堂点的器物……这还都算不得什么，最令她震惊的是，因为屋子太小，只能放一张大床父母来睡，他呢，每晚便只能在屋尽头的一个农村式的大躺柜上，挪开了什物，铺上褥子睡……

把她送出来，往公共汽车站走的时候，他对她说："对你们家来说，文化大革命是一场大灾；对我们家来说，却并无所谓……你下乡，是受苦；回城，是苦尽甘来；我回城，是随大流；其实，我下乡，倒是给家里减轻了负担……对于我来说，下乡起码有了自己的一个固定的铺位……现在你该明白，我为什么要主动当猪倌了吧？那座茅屋里，我一个人霸占着好大的一铺火炕啊！在那上头滚来滚去，多痛快！……"

是啊……滚来滚去……那一晚，他们曾尽情尽兴、尽力尽时地在那铺大火炕上滚来滚去！……

那是美好的，极其美好的，因为都是发自内心的，偏又极和谐，极默契，极自然，极圆满……高潮渐来，层叠起伏……终于波涛汹涌，天摇地撼……并不是每个生命个体，都能有这样的一次初夜……

……可是，当她在快到车站时，逼问他："……难道你……不想……再……吗？"

他满脸的痛苦，那是一目了然的，但嘴里吐出的话语，却坚硬而冰冷："……地方呢？我们现在能在哪儿？……"

是的，在哪儿？在他家？……那么，在自己家？自己家现在虽然占有一个独门小院，有十多间屋子，可哪间也不可能像那座猪场前的茅屋般，令他们可以便宜行事……那还是二十几年前，到饭店宾馆开房间，或租买房屋，是连其概念也没有的……

小树林里么？怎能冒那个险？……其实，就连靠得那么样近地走到公共汽车站，也足够让人指斥为"臭流氓"的了……

"我们……结婚以后……总有地方了吧？"她说。

"我们？……结婚？……"他停住脚步，惊异地望着她。

她忽然觉得消失了所有的绿色。一下子心里堵满沉甸甸而搬移不开的，晦暗东西。她无言以对。不要往任何别的人别的因素上去推诿。最最要命的是，她明白自己，到头来，她是不会坚定这个信念——跟他结婚的。

……他们在那个车站分手。

她告诉他，恢复高考了，正复习，准备考北大西语系。他为什么不考？

他说他不考。他要做的是，捡些砖头、木料，或者说偷些砖头、木料，紧贴着他家的小屋，再盖出一间小屋来。那必要性和紧迫性是不言而喻的。当然，这是违章的。居委会的老娘儿们几回到他家来，威胁他父母，说是盖起来也得给拆了，并且还要罚款。可是居委会的娘儿们却不敢当面跟他说。这就说明，只要他坚持盖，居委会，乃至派出所，谁也不能把他家怎么样。他盖那间小屋，会很省料；因为有一面可以借那公共厕所的后墙……

她想问他，他父母可还健在？那条穷街的住户，应该早已都拆迁了吧？他现在迁住何处了？他该早已经结婚，并且有孩子了吧？男孩女孩？上中学了吧？说不定都已经上大学了！……

可是，想到一直会有另外的女人，特别是作为他妻子的女人，合法地享受着他那……确实非常……怎么说呢……为什么说不出口？有什么说不出口？……起码，说不出，可以想象出……那并不一定是每个男人，每个丈夫，都能具有，并焕发出的……她竟油然生妒。她愣愣地望着前排司机座上的他。这辆车虽然像北京市许多的出租车那样，前后排之间也装了隔离栅，然而今天他却偏偏把那隔离栅取掉了，也许他很多天前便取掉了……确实，像他这样的一个男子汉，一望而知是勇武有力，并且饱经锤炼的，何需用一道金属栅来防范不轨之徒……拆掉了隔离栅，她在后排把他看得很清楚，不仅他的右侧面历历在目，从前窗内上方的后视镜中，也能看清他的眉与目……这样一个男人，曾与她在那个湖边，那个猪场的茅屋里，那铺大火炕上，那样销魂地互相享用过……而现在，比如今晚，当她在所乘坐的美国西北航空公司的班机上迷迷糊糊时，他呢，却会在北京某处的一张床上，与另一个女人，他的妻子，合理合法地，如此那般……他能得到畅快的满足么？……

现在她是一个美国公民。

那是一条可以说相当顺遂，却也堪称艰辛的路途。一路披荆斩棘、过关降将，常常是峰回路转，也往往柳暗花明，既殚精竭虑，也担惊受怕，不过总算天道酬勤，也真是吉人天相……从踏进未名湖畔，到接着来自美国常春藤学院的录取通知；从找定经济担保，到在秀水东街的领事馆拿到赴美签证；从在纽约肯尼迪国际机场受困，到终于开着二手车在高速公路上急驶；从面试败退后一筹莫展，到加盟大公司后步步高升；从接到汤尼的第一枝红玫瑰，到终于跟他到祖传的别墅中共度良宵……在时间的流逝中，那村落，那茅屋，那小湖，那些曾充盈着嫩绿色，仿佛初春枝条上叶芽的那种近乎纯透明的淡绿色，那样的空间，仿佛被推到了极远极远的地方，成为一个缥缈的存在，或简直并不曾存在过……

……那个傍晚，她和汤尼建立了那样至为密切的关系后，汤尼请她坐上一辆豪华的加长林肯，把她带到了那个有名的湖边，湖边有个格调极其优雅的俱乐部，他们并坐在一把油红色的日本式大伞下的座席上，每个座席都离得颇远，他们点了不同的鸡尾酒，先是默默地啜着杯中酒，把肩膀靠得越来越紧，聆听湖边的一个小乐队奏着弦律美如珠帘徐垂的乐曲……后来，汤尼搂住她的裸膊，轻轻吻着她的香鬓，对她说："……本来，那是你个人的隐私，我不该问的……可是，亲爱的，我既然决定向你正式求婚，那么……可以告诉我吗？……你……那先于我的……第一个……在什么时候？他是谁？……"

这是她早料到的。也早准备了答辞。然而……她虽然自以为已经极其地西方化了，事到临头，却还是有些个慌乱……她被一口酒噎住了……略咳了几下，她想妩媚地一笑，却不曾想鼻子一酸，眼圈儿发热；汤尼即刻怜惜地将她搂紧，吻过她的两个眼窝后，试探地，也很自信地，在她耳边说："是……文化大革命？……下乡插队的时候？……理解，可以理解的……好好好，你不要说了，我不要你说了……好，让我们说些别的、别的……"

竟如此轻松地渡过了那一关。她曾在常春藤学院里，读过原文的《苔丝姑娘》，托马斯·哈代笔下那位英国姑娘的遭遇，曾令她心中发紧……一般中国人总以为美国人人都钟情于"性解放"，其实，像汤尼这样的家族，他们在婚外性关系上是持保守观点的，倘是考虑到结婚，那么，他们更极慎重，一般来说，新娘子是必得为处女的！……

那个有小乐队伴奏的夏夜，星星在夜空闪烁，而且也在湖水里闪烁，汤尼不仅没有对她紧追穷问，还柔柔地说："我的……受了苦的小姑娘……好，跟我讲讲你那苦难历程里，比较不那么沉重的故事吧……甚至于，趣事，对，趣事……你知道，即使在莎士比亚的悲剧里，也穿插着一串串的趣事呢！……"

她便给他讲趣事。是的，趣事是有的。即使在最荒芜的岁月、最贫困的地方，也有趣事呢。她告诉汤尼，在当年他们插队的那个村子旁，有一个小湖，湖里有很多的鱼，真的很多，你往湖边一站，鱼儿便往你脚底下游过来，它们不怕人，不怕人的倒影。那个村子很穷，人们"糠菜半年粮"，平时根本吃不上荤的东西。那他们为什么不捞鱼吃？那是因为，在那个小湖里，在那些鱼当中，有一条最大的鱼，一条年龄据说比村里的寿星还要大的鱼，是人面鱼。怎么讲？人面鱼？什么意思？那是因为，那条鱼如果游过来，你可以清清楚楚地看到，它长着一张人脸。也就是说，你能从它的头部，看出来那上面有人一样的眉眼、鼻子和嘴巴！这很奇怪，是吧？它怎么会是这样？按你们西方科学的分析，这也许是一种遗传变异中产生的怪胎，是一条畸形鱼罢了。可是那村里的人，把那条人面鱼看成是一条仙鱼。他们崇拜它，惧怕它，因此不但不敢捞上它来，把它吃掉，也连带不敢捞那湖里别的鱼吃。据说曾有人偷偷地捞那湖里的鱼吃，结果，吃了肚子剧疼，疼得在地上打滚，滚了一阵，很快地，就死掉了。按说，"文化大革命"要"破四旧"，"四旧"之一便是"旧风俗"，插队的"知识青年"们刚进村时，也有人试图破这个"旧风俗"，从那湖里捞鱼吃，结果有一个"插友"就在捞鱼时滑进了湖里，差一点给淹死……后来也就都不再去惹那些鱼了，当然，更不敢惹那条人面鱼。湖里那么多鱼，总没人捞，它们岂不是越长越多，淤得满满的，那还了得么？可是，很奇怪的是，那湖里的鱼，仿佛总是固定的那么个数目，从来没觉得太多，当然也从来没觉得减少……

是的，这真有趣。汤尼听了，非常开心。汤尼把她搂得很紧，仿佛她便是那条人面鱼，生怕她会从他胳膊里滑出去，游走似的……

教堂的管风琴发出婚礼进行曲的轰鸣，她身披白婚纱，那裙裾拖在身后，在通向祭坛的台阶上，铺伸了好几级……汤尼把结婚戒指轻轻地套入她左手的无名指……在那大得令她感到有些个恐怖的宫殿式卧室里，特别是在那张大得惊人的、有古典式幕罩的婚床上，她与汤尼的新婚之夜，并没能使她感到满足，其快感远小于她抛出关于人面鱼的故事的那个傍晚，在那个别墅中的那次尝试……

那实在不是偶然的。汤尼比她小三岁，属于苗条、白皙型的绅士。汤尼绝对没有毛病，然而汤尼却注定不能令她销魂。这也许并不是什么糟糕的事。中国俗谚："女大三，抱金砖。"这话应在了她的身上，不过，不是因为有了她，汤尼抱了金砖，而是她因为有了汤尼，而抱上了金砖……他们过得富足、体面，先有了汉克，后有了露茜……

汤尼没有绯闻，她也确信他没有外遇，然而汤尼越来越多地出差，越来越多地一个人在书房里睡……

婚后不久，甚至在与汤尼同床共枕时，她的思绪里就曾经飘飞过这样的丝缕：要是，汤尼能和他一样……要是，换成了他……宁愿这下面是那张茅屋里的大炕……

宁愿那边就咕嘟着一锅猪食……而且，甚至于，她切盼那体臭，那种勇猛的进入，还有那一份强悍，都是他的，她闭上眼，在幻觉中努力提升自己的兴奋……而往往是，不那么和谐，不那么对劲儿……特别是，眼里嗯啦一下是歪着嘴在努力的汤尼，便一下子有浓酽的罪感、耻感，翻肠倒胃地直奔心头，令她立刻汗流浃背，并顿时索然、悚然……

天哪，天哪，我的上帝……常常地，在她独处，并且心头浮起那座遥远的，并且不知是否还存在的茅屋，以及种种不堪聚焦般呈现的镜头时，她便频频地在胸前画着十字……而她又深切地自知，她并不能真正成为一个基督教徒，因为，她虽然极虔诚地读过《圣经》，却始终不能在心底里相信，耶稣基督死后复活这一关键性记载……她在胸前画十字，只是因为她的肢体语言，已然进入了该种文化的系列，并且，无论如何，这总能让她多多少少减少些罪感……

出租车开到了高速公路收费站。他伸出手臂交费。那手臂还像当年一样，溢出充沛的阳刚之气。

出租车过了那彩绘牌楼的收费站，向天竺机场飘去。很接近了……这段行程即将结束……她若再不跟他对话，那这次的邂逅，岂不白白地……白白地怎么样？……唉唉，无论捅不捅破这层窗户纸，二十几年过去了，又能怎么样呢？……

她从价格极昂的路易·威登手袋里，掏出妆盒，打开，匆匆地朝小镜子里瞥了自己一眼，居然绿雾升腾……她心旌摇曳，难以自制……

……倘若那时候，她真的破釜沉舟，跟他结婚，会怎么样？……她是单纯地追求肉欲么？不不不，那将是一条极其艰辛的生活之路，却并不是一条只等着晚上绿光流溢，叶芽胀破绒壳，欣然挺伸的浅薄之路……事实上他们会有很多很多心灵的撞击与融合……是的，那条人面鱼知道，他曾给她写过好多封信，那上面有很多很多的方块字，每一个方块字里，都包含着丰富的意蕴，那是由二十六个字母无论如何地拼合，也难以企及的……当然，他到头来没把那些方块字寄给她，而是，几乎一字一字地分裂开，让那人面鱼吞吃掉了……汤尼给她写过信么？细想起来，这真古怪，汤尼给她打过不计其数的电话，却从来没有给她写过一封真正的信函，当然，那种算不得真正信函的卡，就是已经印好了一定套路的简单话语，配有图画或照片的卡，只需在上面潦草地签个名，便可寄发的卡，汤尼是给她寄过的，然而那算得了什么呢？这样的卡，就是碎成很小的香屑，抛到那个小湖里喂人面鱼，人面鱼也一定不吃吧……

……当然，那种情况并不多见，然而，即使是偶一出现，她心里也总是非常地别扭，需要拼命地克制、克制，才能保持住脸上那据说是"极其迷人的东方式微笑"……

……在长条餐桌边，汤尼，还有汤尼的父母，有时还有汤尼的兄嫂什么的……黑人女佣苏珊端着硕大的银托盘，里面是一条完整的加拿大式烟熏三文鱼，或一只法式红酒焖羊腿，轮流走到每一位的右侧，微屈腰身，于是每一位都斯文至极地，用那托盘中的银叉银刀，切下薄薄的一片，放入自己面前的餐盘中……轮到她，她也只切薄薄一片，甚至比其他人所切的更薄；可是，往往就在这时，汤尼的父母，有时还要加上汤尼的兄嫂什么的，便都把目光集注到她的脸上，显现出无比怜惜的情愫，他们并不说什么，餐室里静寂无声，餐桌上的大花钵里，满钵的大百合都散发着淡雅的幽香；然而她明白无误地懂得，他们那一刻都不约而同地在心里感叹："啧啧啧……这从'文化大革命'里逃出命来的，在穷乡僻壤里受过苦的……小美人儿……汤尼给了她什么样的幸福啊！……"这还算不了什么，可是，他们很显然接着还要在心里自言自语："……可怜的小美人儿……在那种可怕的地方……该受到过什么样的蹂躏啊！……"一瞥之中，甚至于连苏珊，在似乎不动声色的面具下，也附和着汤尼一家的思维……

你不能说汤尼，以及他汤尼的父母，还有汤尼的兄嫂什么的，包括那个黑人女佣，有什么恶意；你更不能否定，中国的"文化大革命"，还有"插队落户"，确实给中国，给包括她这代人在内的几代中国人，造成了许多的烦难痛苦与遗患隐忧，然而，实际上一切都并不那么简单，比如，她在那个小村，那个小湖，那座茅屋，那口煮猪食的大锅，那张热腾腾的大土炕，那样的一处空间中，就曾经享受过绿色的阳光，绿色的火苗，青春的热欲就曾极其酣畅淋漓地得到过满足，仿佛早春的叶芽，痛快地蹿破树皮，顶穿绒样的薄壳，裂开，舒展，任透明的汁液循环，乃至渗出……

而汤尼，在那样的场合，曾自以为高明，完全不知她内心里是极度的尴尬，建议说："……讲讲那条人面鱼……那一定会令他们吃惊……"她呢，便只好压下心头的不快，强颜欢笑，讲述起来，那回送到她自己耳中的声音，令她觉得诧异，她的灵魂在羞赧中涨红了脸，可是她在收住讲述，并听到汤尼一家极有礼貌也极为节制地轻轻鼓掌，并发出叹息声时，外表上却显得极为愉快，并且，仿佛很为自己能用他们的那种语言，娴熟地把人面鱼的故事讲述得那么样地生动活泼，而欣慰，而自豪……

为什么，这一切究竟都是为了什么？她的人生道路，为什么非得这样地走？这样的幸福，曾是她切盼，并为之奋斗，得来不易的；也是令她父母引以为荣，并被众多的亲友，乃至并不怎么相干的邻居们，所艳羡的……可是，有时候，当她一个人静下心来，面对灵魂时，便幻想到，故土上一张简单的餐桌，对，无妨就是那种廉价的，可以折叠的，蓝色烤漆腿的折叠桌，桌边坐的不是汤尼，而是他……她把煮好的面条，从热锅里捞出来，盛在大碗里，就是那种最普通的大瓷碗，递给他，而他，接过去，从餐桌上的另一只大碗里，舀出好大一勺现成的炸酱，用筷子搅拌着……她把洗净的黄瓜递过去，他边吸着面条边接过去，一筷子面，一口脆黄瓜……于是，她也盛一碗吃……他们也许会说起那条人面鱼，那该是怎么样的一种交谈啊！……他吃着炸酱面，喉节一上一下，额上沁出豆粒大的汗珠……他才是令她心醉的唯一存在……

不过，个体生命的存活，实在不是那么简单……倘若，她当年真的义无反顾，那么，很可能，不是他被引进她家的那个小院，而是她把自己送进他盖起的那个小棚屋，那个借用公共厕所一面墙的违章建筑里……她真的吃得消吗？……就算她与他能始终极其地和谐，可她能与他的父亲和母亲和谐吗？尤其是，在那么一个狭窄的空间里……

当然，他们可以联手奋斗……事态的发展证明，这个都市里的大多数人，后来都提升了他们的生活品质……他现在开上了这种一公里两元钱的出租车，主要到大宾馆门口等客，这已经算是这个都市里收入较丰的职业了……倘若他们联手，也许他现在从事的职业会比这个更好……

她觉得眼睛发痒。她找出揩面纸，揩眼窝。她承接到一粒泪珠。

她现在已是有夫之妇。意识到这一点，她悚然，罪感又迅即弥散开，充满她的胸臆。然而尽管她拼命地压抑、压抑……那些罪罪过过的碎思裂绪，依然玻璃碴子般地划着她的心尖……如果汤尼突然消失——这在车祸乃至空难频仍的美国，实在算不得是一种玄想——而他，居然还并没有结婚，或已然是个鳏夫，那么，难道她不可以找到他跟前，与他鸳梦重温、花开并蒂么？……或者，她竟在某一天，走进汤尼的书房，跟汤尼和盘托出：她并非什么"文革"中"插队"时"失身"的"可怜姑娘"，恰恰相反，在那诡谲的时代里，她偏偏主动出击，获得了生命历程中最隐秘而甜蜜的极乐……她坦然地提出离婚，而吓晕了的汤尼，出于自尊，加上被那种文化熏陶出的一些个思维杂碎，居然爽快地应允了，于是，她不仅重获自由，并且依然会富有，她会骇人听闻地飞回这个城市，追到他的身边，让他清醒：唯有他们才相谐相配，他们本是上帝专门制作的一对啊，他呢，也便惊世骇俗地，割弃现有的，与她重辟新境，构筑一个绿涢涢的，再不云散的两人世界……可是，天哪，她猛然想起，汉克和露茜，那可是她的生命中已然不可舍弃的东西，他们怎么办？……

她身子瑟瑟发抖。她本无辜，而且她的这些思绪并无他人知晓，然而，她却在心底里自己告发了自己……她自己既是上帝，也是罪人，她自己执鞭笞挞自己……

出租车越来越接近机场了。透过车窗可以看到正在升空爬高的巨型喷气客机。

她瘫靠在后座椅背上，两眼如醉如痴地盯住他的脖颈。现在他们又一次离得这样地近……他既然也认出了她来，为什么这样地残忍，竟一声不吭？为什么非得她先开口？是因为，那个绿色夕阳映照的傍晚，那个绿波叶汁般流溢弥散的晚上，是她冲过去，主动搂定了他么？……

其实，为什么他们不能，就在这个时候，互相招呼，并且勇敢地作出决定，暂时把他人，乃至整个世界，都抛到一边……在今天的北京，驶到任何一座星级饭店，开一个房间都是很便当的事，只要你有钱……更何况，她持有美国护照，她是外宾，是到处抢手的投资者……他们为什么不趁彼此都还不老，都还有火力，在绿色夕阳的映照中，重新体验那销魂熔魄的颠鸾倒凤？……

……可是，此时的他，会有着同样的想法吗？……

她脸上火烧火燎的。不仅是罪感，而且，耻感也火星似的炙烫着她的心。她用上帝之鞭，更严厉地笞挞自己那被热欲炙烤得吱吱冒油的灵魂……为什么啊为什么，越笞挞，那欲望却越如滚刀筋般顽犟？人，究竟是一种什么东西？……

生命啊……悲苦！

她号啕大哭——在饱受煎熬的灵魂深处——却无一丝声息。

出租车掠过一排巨大的广告，机场近在眼前了。

1997.11.14 绿叶居

水 锚

　　不错，我居住在一个密封度很高的扁盒子里。它以钢筋混凝土的预制件构成一个六面体；其中四个面与他人的扁盒子相衔接——这是个矫情的说法，倘实事求是，则应说与他人共用，比如说，在只有二十厘米的盒壁一侧，是他人的一张大床，不仅夜晚，就是白天，也很可能滚动着极其不堪的景象，但是，没办法，在我这一侧，绝对距离不到三十厘米的地方，却俨然是一张书桌，上面可能正摊放着我未完成的手稿，我用一个接一个的方块字铺排出声色俱厉的呼唤；其实另一侧盒壁那边也许更其惊心动魄：是几乎很少休息的麻将桌，而在我这一侧，绝对距离不到三十厘米的地方，是神圣的书柜，那上面是容不下任何消遣消闲的文字垃圾的！而最最令我想起来气闷的，是我这扁盒子上方的那块预制板，我给予了它极高雅的包装，挂上了我挑遍全城灯具店，才一见钟情地抱回来的有仿水晶饰片的吸顶灯，可就在这华贵的灯具上方，顶多隔开二十厘米，便一定会有一双总是泛着汗臭的大脚丫子，趿拉着多年不曾清洗的拖鞋，若无其事地踱来踱去！

　　我的扁盒子有一个接通底面的列缺，人们把它叫做门。它现在有两层，外面一道是钢铁制品，无论从外面还是里面望它，都会使人想到监狱。与监狱的不同，只在于这钢铁栅门的钥匙，不是只在狱卒手里，而是既在狱卒也在囚徒手里——当然，其实是一个人，都是我。我的扁盒子有两面完全属于我自己，一面突出一块，突出部分的两侧都安装了半圆形的铁栅,从圆心射出、标志半径的铁棍根根都突破了圆弧,尖端变成带倒钩状的箭簇。那突出部分的上半部是个可爱的列缺,我没有将其加封闭。是的,人们将那地方叫做阳台。可是我很少到那地方晒太阳,因为,一旦我走到那地方,往往会看到隔壁盒子里的一个儿童,拼命把他的胖脸,从半圆的铁栅那边伸过来,以至于我夜晚做梦,总会面对一张血淋淋的娃娃脸,扎在我那半圆铁栅的箭簇上,有时扎在最上头,有时扎在最底下,并且扎破了的胖脸还总想对我笑,却又笑不成功。我的扁盒子那另一个属于我自己的壁面上,有一个近于正方形的列缺,当然,有人把那叫做窗户。我把原来向两边推开的钢窗,改造成了只能向两边滑动的铝合金窗。那并不是随俗从众,而是因为这种滑动的开窗方式确确实实令我心中升腾起安全感。

我不知道自己从几时忽然觉得自己是那么样地不安全。仿佛我这扁盒子是座银行,随时都会有荷枪实弹的匪徒来抢劫巨款。又仿佛我自己是非常珍贵的"肉票",随时会有人冲进来将我劫持,然后向什么人或什么机构发出最后通牒,勒令他们速速拿巨款来将我赎出,否则,便将我化为齑粉!或者是,我涂过的每一张纸,乃至划拉下的每一行字,都会在不久的将来成为《石头记》遗稿那一类的文物似的……

我当然拥有热线。不过我整天二十四小时接通着录音电话,我那录音带上的导语:"对不起,现在主人不在家,请您听到'嘀'的一声后留言……"是特别请一位亲戚代说的,为什么要请人代说?似乎是,我的声音,"亲自吐出的声音",也最好不要轻易暴露,暴露了又怎么样?把自己,无形中当做了类似前苏联克格勃,或美国中情局,或以色列摩萨德那种机构,所雇佣,或关联的人物。偶尔,我会亲自接听一个来电,但抓起听筒后,不到对方吐出声音,我绝对连大气也不出一口,嘿,有时候那边的家伙也来绝的,他(或她)居然也耐心地等着我出声,于是我们双方便都耗着,摽着劲儿,直到有一方(往往是对手)忍不住挂断。

我轻易不会邀请他人来我的扁盒子。我只接待事先敲定了接待时间的客人。我准备安装门外门内对讲器,以及自动启扉装置。不过这方面的产品在我们这里还很难让人放心,所以我暂时按兵不动。目前我还是只安装了门铃。门铃响了,尽管根据我与某人的约定，它那时该响，我还是要踮着脚尖，轻轻移到门扇边，从门上所嵌的"猫眼"，仔仔细细地朝外窥视，判断、推敲、存疑、排疑、犹豫、揪心、自嘲、释然，却又再次自警，再判断，再推敲……往往是，需待门外很有礼貌地，间隔着，三揿门铃，我方着手，多程序地开放我的扁盒子。

关于什么门铃响后，主人开门，才一条缝，却已赫然伸进一只握着闪亮菜刀的手——是上门兜售炊具的小贩，等等连报纸上也刊出过的现象，其实我还并没有遇到过。我的门缝中曾塞进过动员购买人寿保险，以及推销一种古怪至极的"掌纹整理器"的传单。于是我在铁门外贴出了字体粗黑的告示："严禁到此直销、传销及塞放任何内容的宣传材料！"不过有一天我回我那带铁栅门的扁盒子时，还是在锁孔边发现了一个纸片，上面写着"寻物启事"，问是否拾到了一个"心形挂坠的假金项链——此物在您一钱不值，对我却意义非浅"，还特别在打印的字句边用油性笔注明："此非宣传品，芳邻请谅！"我马上把那纸片揉成一团，抛进了垃圾通道。"芳邻"？我从未闻见过从任何相连的扁盒子中散发出的芬芳。倒是有时候，厨房的烟道里，会冒出别的扁盒子里灶台上的气息，我虽然马上开动自家的抽排油烟机，开到最高一挡，到头来却还是会被呛得恶心很久。于是我恨不能将自己的扁盒子更严丝合缝地与他人的扁盒子隔绝开。

我很喜欢自己这密封度颇高的扁盒子？未必。在这个城市中使用上一个扁盒子并非一桩易事。绝大多数人，得一扁盒已觉幸运，是很难再求其完全可心可意的。我痛感现在所使用的这个扁盒子有若干致命的缺点，不过我暂时——甚至于不是暂时，而是在相当长的时期里，都并没有换入一个更理想的盒子的可能，因此我只好喜欢现在的这一个。我喜欢回到它里面的那种不受干扰的安全感。

这天，是周末的傍晚，我正心满意足地把自己像螃蟹般地堆在门厅的安乐椅上，在微微的摇动中，眯眼享受着扁盒子中的安全感——如果你觉得使用"安全"这个词儿太那个，那么，我就换一个词儿——安谧，是的，安谧，也就是说，不仅安全，而且宁静。我悠哉游哉，全身放松，也许，我真成了一只螃蟹，嘴里在嘻嘻地吐着大泡泡，以示欢愉吧？

就在这一天，就在那时候，我偶一睁眼，恰恰看到了一个景象，令我一惊，跳将起来，不像螃蟹了，大概很像螳螂，紧接着一咋，也就是嚷了起来："谁？！"

我首先看见，我那扁盒子的门缝，紧底下的门缝，从外面，流进来了水，很快成为了一小滩，我嚷："谁？！"是本能地想弄清楚，什么人在门外，朝我的扁盒子灌水？这令我感到恐怖。也许那不是一般的水，而是液态的毒物，比如沙林毒气，刚泄漏出来时，便呈液态。一刹那间，我感到极其绝望。我花了那么大的力气密封我的扁盒子，到头来想入侵的东西还是这么轻而易举地便进犯成功了。我后悔不曾将门底下的细缝彻底封死。要是我扁盒子的门跟保险箱的门一个样就好了。

那一滩水，在我瞪圆的眼睛前面，如溪流般，大摇大摆地，长驱直入，淌到我的脚下，我跳开，它竟也跳动起来，于是，我的眼眶几乎瞪裂，嘴巴张得浑圆，清清楚楚地看到，那地上的水，跃起后，迅速变化着，先是令我眼花缭乱，后来，我猛眨眼，再细看，吁出一口长气，发现那些水，竟终于构成了一种形状，那形状，便是锚，不错，是锚，船锚，当中一根粗柱，下端变为三个弯叉，叉尖呈箭簇形，恰似我阳台上那半圆形铁栅的"半径"冲出圆弧后所形成的模样。在我的生命史里，还没有过直接使用船锚的记录。可是那一刻，我脚下却出现了一个船锚，而且是水的船锚！水怎么可能在没有容器帮助的情况下，自己成为这样一种形状？我伸手去摸，我的手指可以穿过锚的任何部位，并且体验到实实在在的"水感"，这尽管实在离奇，我一摸之后，反倒冷静下来，因为，我意识到，在我的扁盒子里，终于有奇迹出现，这恰是我长久以来，所默默企盼的。我继续摸那船锚，渐渐地，我的手指不能再进入它的内部，而且，感到特别地凉，啊，一定是，水凝为了冰，一个冰铸的船锚……船锚立着，有我腰那么高，它的三个带箭簇般倒钩的弯叉，落地点所构成的无形圆，直径大概超过了一米。这是个不小的船锚啊！然而，水的，冰的，这种船锚能起铁锚那样的作用么？……我发现那船锚闪着荧光，玲珑剔透，纯净得惊人，于是，再加抚摸，呀，极其坚硬！啊！明白了，它现在是水晶的啦！一个水晶大船锚！

我试图握住它当中那锚柱顶端的圆环——那该是系缆绳的地方——把它提起来，哪儿提得动！是呀，水的，冰的，玻璃的，都不会这样重，而水晶的，就难怪其沉甸甸地，提不起来了！

就这样，我眼前出现了一个水晶船锚。妙不可言！一瞬间，蹦到我意识流最上层，并滞留多时不去的，是什么？是这样一个问题——是的，我必须坦白，不是别的什么想法，而是这样的一个问题：

"它值多少钱呀？"

脑子里闪动着些在展览馆、珠宝店、拍卖会上的印象碎片，那些小小的，充其量也不过拳头大的水晶制品，都标着天价，或干脆"无价"……而我眼前，一个完整的水晶船锚，它该是怎样的价值？

我的扁盒子，被这水晶船锚照耀得一派空无，是的，我所有其他的劳什子，都被它的光芒化为了乌有；然而，我这扁盒子的密封性，我的铁门，我阳台上的半圆形铁栅，以及我的留言电话，嵌在门上的进口"猫眼"，甚至于我贴在门外严禁投放宣传品的告示，等等，等等，都获得了最充分的存在依据。不是财富决定着存在，而是存在决定着财富。我成了哲学家。

我得意。我摩挲着下巴，低头鉴赏我隐秘的财富。

……船锚，怎么会偏是船锚？难道我的扁盒子，是一条船么？

正这么想着，就觉得我的扁盒子在摇晃，很像船在海浪中的那种感觉。于是我稍微分开双腿，像水手那样站立。

这毕竟有些不对头。我不禁走到阳台上，探个究竟。我大吃一惊。阳台外头，以往看惯的景物已然大变，不仅如此，那些改了观的景物还在移动之中……这算怎么一回事儿？忽然，我从阳台上，望见了一座高楼，也就是由很多个扁盒子组合而成的人造怪物，它令我既眼熟，却又眼生；眼熟，是因为我每天总要先进入它里面，然后才能进入自己的扁盒子；眼生，是因为这天的扁盒子摞里头，怎么似乎少了一个？谁从半当间抽出去了一个？……

　　我渐渐明白，是属于我使用的那个扁盒子，从那一大摞扁盒子里，分离了出来。它分离得很技巧，或者说，很专业化，凡是与他人合用的盒壁，都只剥离出一半，因此没有让别的扁盒子忽然失去应有的遮蔽。我扁盒子阳台两边的半圆形铁栅，随我的扁盒子分离了出来，因此虽然我的扁盒子飞行在了空中，我除了略有些头晕，倒也还保持着充足的安全感。

　　我在自己扁盒子的阳台上，迷迷糊糊地想，我不该说自己的扁盒子在飞，飞这个词对于一个拥有锚的物体来说是不适宜的，应该说，是在波浪里行驶……但波浪在哪儿呢？我朝阳台下面望，是城区的房屋、楼房、平房、公园、绿地……我的扁盒子险些撞上高大的东西，诸如大商厦、古塔、山坡什么的，不过每回都能化险为夷，绕过去或闪过去……这种状态应该说还是应当判断为飞，不过，我在阳台上的感觉，还是更接近于在海上行驶，我甚至觉得，嗅到了海腥味儿……

　　过了一会儿以后，我所望见的，都是些稠厚的云团，我的扁盒子从云浪上驶过去，划开云朵的视觉效果很像朝两翼后退的水浪，我胸臆顿畅，是的，我是在一条船上，自己独有的船上，并且，我这船还有一个举世独奇的水晶船锚！

　　我摆脱了与他人合用盒壁的尴尬，三十厘米外不再有肉块的狂欢、麻将的喧闹、臭脚丫与脏拖鞋，等等令人恶心的事物，甚至于也不再有什么寻觅"心形挂坠假金项链"的干扰……何等纯净，何等潇洒！

　　云层稀疏起来，下方露出碧绿大地，以及点缀其中的座座小楼——那是些单独存在的盒子，每个盒子的形状都不相同，并且绝无与他人共用盒壁的情形，这些盒子都呈现着多边形面貌，还凸出些圆顶或尖顶的部件……正是我所向往的那种盒子！盒子与盒子以草坪、花坛、树丛、水池……相隔，疏朗，美丽，洁净，雅致……

　　于是产生出停泊的愿望。

　　我有锚。水晶锚。我离开阳台，找出足够粗也足够长的尼龙绳，在锚柱的圈孔中打了个水手结，费了九牛二虎之力，将那锚移到了阳台上，我把尼龙绳一端固定在阳台上，把锚想方设法地投了下去。

这水晶锚会挂住什么东西，从而使我的扁盒子航船停泊在美丽的码头呢？

我真应该在动手放锚之前，细想一下。

我的扁盒子停止前驶了，但摇摆得比任何时候都厉害。我的锚一定钩住了什么东西。我拼命弯身朝阳台下望去，呀！我的锚，它钩住了一辆汽车的车顶！那一定是辆跑长途的大巴，里面有不少的乘客，我看见大巴已然被抓离了地面，失去了平衡，从窗口里，伸出些乘客的胳膊，甚至头部，摇晃着……这是我始料不及的！

我该怎么办呢？实在是一点办法也没有。我那尼龙绳非常之长，我听不见下面的声音，下面也不大可能听到我的声音，再说，我该发出怎样的声音呢？

我只能紧张地观察。

被水晶船锚钩起的大巴，歪斜着，摇摆着，车窗伸出些胳膊和人头，因此让我觉得它活像被火燎着了的毛毛虫。真对不起！……

我朝下凝望。奇怪的是，并没有出现围观的人群。我曾写文章，痛斥围观的陋习。确实，围观是缺德、悖德的行为。然而那一刻我企盼着出现围观者与围观的场面。也许，围观反而是一种道德，或至少是准道德。

然而，不久地面上驶来了救援的车辆，出现了救援者。他们极其专业化地从事着救援工作。那大巴很快地与我的船锚分离，平稳落地。车里的乘客很快被转入另一辆备用大巴。救援车辆人员很快撤走，那辆损坏的大巴也很快被拖走，并且有一辆清扫车很快将事故现场恢复原状。发生着这些情况时，仍旧没有出现围观者。唯一的观望者似乎只是我一个人。

我的观望显然不够全面。我没有望见，地面上正有一种设施，在对我的扁盒子，以及我的水晶锚虎视眈眈。当我发觉这一情况时已经晚了。一定是有种类似火箭的东西，朝我的扁盒子发射了过来。

我的扁盒子没有被炸毁。我当然也没有化为齑粉。否则怎么会有这篇小说？

但我一度失却了感觉。当我恢复感觉时，我发现自己已经仰卧在门厅的安乐椅上。我睁大眼睛，看锚还在不在。它在。我跳起来，弯身抚摸它。它硬硬的还在啊！

我的水晶锚！可是，再摸，它给我的感觉不对了。它哪里是水晶的，恐怕只是琉璃的，不，玻璃的，不，冰铸的，不，琼脂的，不，我的手指可以顺顺当当地伸进它的内部，它是水的，是一个水锚……我害怕它像绳子般瘫倒地上，化为一股水流，横泄为一滩，甚至于，再倒流出去，流出门外，结果证明我所经历的种种，不过是一个梦，或都是幻觉……

不。这个发生在我的扁盒子里的种种情形，都是货真价实的。我说货真价实，并不意味着我要出货、开价。

那天我确实获得了一个水锚。直到现在，我还保存着它。它不依仗任何容器，而以纯粹的液态呈现着船锚的形态。这比水晶锚更惊心动魄，是不是？

1997.10.28 写成于绿叶居

偷　父

　　那晚我到家已临近午夜，进门后按亮厅里的灯，从地板的印记上，我立刻感觉到不对劲儿，难道……？我快步走到各处，一一按亮灯盏，各屋的窗户都好好地关闭着啊，再回过头去观察大门，没有问题呀！但是，当我到卫生间再仔细检查时，一仰头，心就猛地往下一沉——浴盆上面那扇透气窗被撬开了！再一低头，浴盆里有明显的鞋印，呀！我忙从衣兜掏出手机，准备拨110报警，这时又忽然听见窸窸窣窣的声响，循声过去，便发现卧室床下有异动，我把手机倒换到左手，右手操起窗帘叉子，朝床下喊："出来！放下手里东西！只要你不伤人，出来咱们好商量！"

　　一个人从床底下爬出来了，那是一个瘦小的少年，剃着光头，身上穿一件黑底子的圆领T恤，我看他手里空着，就允许他站立起来，他站起来后，显示出T恤上印着一张明星的大脸，比他的头至少要大三倍，那明星也不知是男是女，斜睨着挑逗的眼神，说实在的，比他本人更让我吃了一惊，不禁用窗帘叉指去，问："这是谁？"那少年万没想到，我先问的并不是他，而是那T恤上的明星，更懵了，我俩就那么呆滞了几秒钟，他先清醒过来，嘴唇动动，说出那明星的名字，我没听清，也不再想弄清那究竟是韩星日星还是中国香港或海峡那边的什么星，我仍用那窗帘叉指向他，作为防备，问他："你偷了些什么？把藏在身上的掏出来！"

　　他把两手伸进裤兜，麻利地将兜袋翻掏出来，又把双手摊开，回答说："啥也没拿啊！"我又问他："你们一伙子吧？他们呢？"他说："傻胖钻不进来，钳子能钻懒得钻，我一听钥匙响就往外钻，他们见我没逃成，准定扔下我跑远了，算我倒霉！"看他那一副"久经沙场"、处变不惊的模样，倒弄得我哭笑不得。

我用眼角余光检查了一下我放置钱财的地方，似乎还没有受到侵犯，他算倒霉，我算幸运吧。我仍是伸出窗帘叉的姿势，倒退着，命令他跟着我指挥来到门厅里，我让他站在长餐桌短头靠里一侧，自己站在靠外一侧，把窗帘叉收到自己这边，开始讯问。

他倒是有问必答，告诉我他们一伙，因为他最瘦，所以分工侦察，本来他到我家窗外侦察后，他们一伙得出的结论是"骨头棒子硌牙"，意思就是油水不大还难到手，确实也是，我的新式防盗门极难撬开，各处窗户外都有花式铁栅，就防贼而言可谓"武装到了牙齿"，但"智者千虑，必有一失"，唯独大意的地方就是卫生间浴盆上面的那扇透气窗，那窗是窄长的，长度大约六十厘米，宽度大约只有三十厘米，按说钻进一只猫可能，钻进一个人是不可能的，没想到站在我对面的这位"瘦干狼"，他自己后来又告诉我，在游乡的马戏班子里被训练过柔术的，竟能钻将进来！

"您为什么还不报警？"他问我。他能说"您"，这让我心里舒服。我把手指挪到手机按键上，问他："你想过，警察来了，你会是怎么个处境吗？"他叹口气，说出的话让我大吃一惊："嗨，惯了，训一顿，管吃管住，完了，把我遣返回老家，再到那破土屋里熬一阵呗。"他那满无所谓，甚至还带些演完戏卸完妆可以大松一口气的表情，令我惊奇。

我就让他坐到椅子上。我坐在另一头，把窗帘叉子靠在桌子边，跟他继续交谈。他今年十四岁。家乡在离我们这个城市很远的地方。他小学上到三年级就辍学了。一年前开始了流浪生活。现在就靠结伙偷窃为生。有几个问题他拒绝回答，那就是：他父母为什么不管他？他们一伙住在什么地方？他钻进我的私宅究竟想偷窃什么？如果我还不回来，他打算怎么下手？面临这些追问，他就垂下眼帘，抿紧嘴唇。

我望着被灯光照得瘦骨嶙峋满脸灰汗的少年，问他："渴吗？"他点头，我站起来，他知道是想给他去倒水，就主动说："我不动。"我去给他取来一瓶冰可乐，又递给他一只纸杯，他不用纸杯，拧开可乐瓶盖，仰头咕嘟咕嘟喝，喝了一小半，就呛得咳嗽起来，我拿几张纸巾给他，让他搽嘴，他却用那纸巾去擦喷溅到桌上的液体，我心一下柔软到极点，我摩挲一下他的光头，发现他头顶有一寸长的伤疤，凸起仿佛扭动的蚯蚓，他很吃惊，猛地抖身躲避，瞪视着我，我就问他："饿吧？"他摆正身子，眯眼看我，仿佛我是个怪物，我也不等他回答，就去为他冲了一碗方便面，端到他面前，这期间那窗帘又滑落到了地板上，他很自然地站起来，把窗帘又靠还到原处，又坐回去，于是我知道，这个少年窃贼和我之间已经建立了一种基本信任。

他呼噜呼噜将那方便面一扫而空。我知道他还不够，就又去拿来一只果子面包，他接过去，津津有味地啃起来。我有点好奇地问："你们不是每天都有收获吗？难道还吃不饱？"他告诉我："有时候野马哥带我们吃馆子，吃完撑得在地上打滚……这几天野马哥净打人，一分钱也不让我们留下……"我就懂得，我，还有我的邻居们，甚至这附近整个地区，所受到的是一种有组织有控制的偷盗团伙威胁，他一定从我的眼神里看出了什么，吃完面包，抹抹嘴说："您放心，有我，他们谁也不会惹您来了。"我又一次哭笑不得。

我想了想，决心放他出去。我对他说："我知道，我的话你未必肯听，但是我还要跟你说，不要再跟着野马哥他们干这种违法的事了。你应该走正路。"他又点头又咂舌，样子很油滑。但是我要去给他开门时，他居然说："我还不想走。"我大吃一惊，问他："为什么？"他回答的声音很小，我听来却像一声惊雷："我爸在床底下呢……"天哪！原来还有个大人在卧房床底下！我竟那么大意！竟成了《农夫与蛇》那个寓言里的农夫！我慌忙将窗帘又抢到手里，又拨110，谁知这时候手机居然没信号了，怎么偏在这骨节眼上断电！我就往座机那边移动，这工夫里，那少年却已经转身进了卧室，而且麻利地爬进了床底下，我惊魂未定，他却又从床底下爬了出来，并且回到了门厅，我这才看清，他手里捧着一幅油画，那不是我原来挂在卧室墙上的吗，他究竟是怎么一回事？我正想嚷，他对我说："我要——我要我爸——您把我爸给我吧——求您了！"

几分钟以后，我们又都坐在了餐桌两头，而那幅画框已经被磕坏的油画，则竖立在了我们都能看清的餐具柜边。我们开头的问答是混乱的，然而逐渐意识都清明起来。

那幅油画，是我前几年临摹的荷兰画圣凡高的自画像，我那一时期狂爱凡高的画风，根据资料，几乎临摹了我所能找到的凡高的每一幅作品，这幅凡高自画像是他没自残耳朵前画的，显得特别憔悴，眼神饱含忧郁，胡子拉碴，看去不像个西方人倒像个东方农民。出于某种非常私秘的原因，我近来把这幅自以为临摹得最传神的油画悬挂在了卧室里。少年窃贼告诉我，他负责踩点的时候，从我那卧室窗外隔着铁栅看见了这幅画，一看就觉得是他爸，就总想给偷走，这天他好不容易钻了进来，取下了这幅画，偏巧我回来了，他听见钥匙响就往外逃，他人好钻，画却难以一下子随人运出去，急切里，他就又抱着画钻到卧室床底下去了……他实在舍不得那画呀，那是他爸呀！

我就细问他，他爸，那真的爸，现在在哪儿呢？他妈妈呢？他不可能只有爸爸没有妈妈啊！可是他执拗地告诉我，他就是没有妈，没有没有没有。后来我听懂了，他妈在他还不记事的时候，就嫌他爸穷，跟别的男人跑了。他爸把他拉扯大。他记得他爸，记得一切，记得那扎人的胡子楂，记得那熏鼻子的汗味加烟味加酒味……他也记得他爸喝醉了，因为让他拿什么东西过去迟慢了，就用大铲子般的手抓他过去，瞪圆了眼睛吼着要打他，却又终于还是没有打。爸爸换过很多种挣钱的活路，他记得爸爸说过这样的话："不怕活路累活路苦，就怕干完了拿不到钱。"他很小就自己离开家去闯荡过，有回他正跟着马戏班子在集上表演柔术，忽然他爸冲进圈子，抱起他就走，班主追上去，骂他爸："自己养不起，怪得谁？"他爸大喘气，把他扛回了家，吼他，不许他再逃跑，那一天晚上，爸爸给他买来一包吃的，是用黄颜色的薄纸包的，纸上浸出油印子，打开那纸，有好多块金黄色的糕饼，他记住了那东西的名字，爸爸郑重地告诉他的——桃酥！讲到这个细节，少年耸起眉毛问我："您吃过桃酥吗？"

我真想跟他撒谎，说从来没有吃过……

他记得许多许多的事，他奇怪我会愿意听，他说从没有人这么问过他，他也就从来没跟别的人讲过他爸爸的事情，野马哥也好，傻胖、钳子什么的也好，谁都不知道他爸爸的事，就是他有时候闷了，想起爸爸那胡子楂扎人的感觉，想说，人家也不要听。我怎么会愿意听？可乐喝完了，又沏上两杯茶，给他一杯，让他从容地诉说，他坦言，觉得我有病，不过就是有病的人愿意听他讲，还有香茶喝，他为什么不讲个痛快呢？他就连他爸的那些个隐私，也告诉我了：有那脸庞身条都不错的娘儿们，愿意跟他爸睡觉，说他爸真棒，可惜就是穷，他问过他爸，是不是这以后就添个妈了？爸就红着眼睛骂他，他懂了，那跟结婚是两回事，同居都不是，像每天清早叶尖上的露珠儿，漂亮是真漂亮，没多久就一点影儿也没有啦！他注定是个只有爸没有妈的孩子。

他们那个村子，不记得在哪一天，忽然说村外地底下有黑金子，大家就挖了起来。他爸爸也去挖，是给老板挖，下到地里头，出来的时候，当天就给钱，他爸说这活路跟下地狱一样，可是上了地面真有几张现钱，也就跟升到天堂里头差不多了。什么是地狱和天堂呢？少年问，是不是一个像地下防空洞改的旅馆，一个像麦当劳和肯德基呢？我不知道该怎么回答他，真的。

于是他讲到了去年那一天，那是最难忘记，然而又是最难讲清楚的一天，那天半夜里村子忽然闹嚷起来，跟着有呜哇呜哇的汽车警笛声，他揉着眼睛出了屋……简单地说，村外的小煤窑出事故了，他爸，还有别的许多孩子的爸，给埋井底下了……过了好几天，才从井底下挖出了遇难矿工的尸体，人家指着一具说是他爸，他怎么看也不像，实在也不敢多看，别的孩子，还有那些孩子的妈妈、亲戚什么的，也都认不大清，不过点数，那数目是对的，大家就对着那些也分不清谁家的尸体哭……他为什么没有得到有关部门的补偿？他说不清，他只说他们村里死人的人家都没得着钱，矿主早跑了不见影儿，人家说他们那个小煤窑根本是非法的，不罚款已经是开恩了，还补偿？

少年说，他从我那卧室窗外，望见了这幅画，没想，就先叫了声"爸"。他奇怪他爸的像怎么挂在了我屋里。他说绝了，他爸坐在床上，想心事的时候，就那么个模样。我难道还有必要跟他说，那是个万里以外，百多年以前的一个叫凡高的洋人？

少年说这些事情的时候，眼里没有一点泪光。说实在的，电视里矿难报道看多了，只觉得是"矿难如麻"，我的心也渐渐硬得跟煤块没有多大差别，听这孩子讲他爸的遇难，也就是鼻子酸了酸，但是，当我听清这孩子这天钻进我的屋子，为的只是偷这幅他自以为是他父亲画像的油画，我的眼泪忍不住就溢出了眼角。

少年惊诧地望着我。我理解了他，他能理解我吗？我感到自己是那么软弱无力，我除了把这幅画送给他，还能为他，为他父亲那样的还活着的人们，为那些人们的孩子们，做些什么？

一时的冲动中，我想收养他。但是我有儿子，已经结婚另住，并且即将让我抱孙子或者孙女了，我在法律上不具备收养权。我供他上学？即使他愿意以初中生的年龄，去小学再从三四年级读起，这城里的哪所小学又能收留他？我给他一笔钱，让他自己回乡去上学？那钱说不定明天就会大部分装进野马哥的腰包里；我每月给他寄钱？寄他本人？他会按我的要求花费吗？……望着他，我一筹莫展。

"您放我走吧，还有我爸。"少年望望窗外，请求说。

我把画送给了他。或者说我物归原主。我忽然为他焦虑，就是这样一幅不算小的油画，他捧着出去，遇见巡逻的，人家一定会抓住他。我决定为他写一张条子，说明这画是我送给他的。我这才问他的名字，他告诉了我。他的姓氏比较偏僻，名字却非常落俗。我本想在纸条上连我的电话也写上去，稍微冷静点后，我制止了自己的愚蠢想法；写好纸条，我告诉他如果人家不信，他就带那些人来按我的门铃，我会当面为他作证。他把纸条塞进裤兜，也不懂得道谢，但他脸上有了光彩，我把门打开，他闪了出去。

关上门以后，我竟倏地若有所失。不到半分钟，我冲了出去，撞上门，捏紧钥匙，希望能从楼梯天井望到他的身影，没有，我就一溜烟跑下楼梯，那速度绝对是与我这把年纪不相宜的，我气喘吁吁地踏出楼门，朝前方和左右望，那少年竟已经从人间蒸发，只有树影在月光下朦胧地闪动。

我让自己平静下来。当一派寂静笼罩着我时，我问自己："你追出来，是想跟他说什么？"

是的，我冲出来，是想追上他补充一句叮嘱："孩子，你以后可以来按我的门铃，从正门进来！"

夜风拂到我的脸上，我痴痴地站在那里。

一句更该说的话浮上我的心头："孩子，如果我要找你，该到哪里去？"

2005 年 6 月 15 日写于温榆斋

鲜豌豆

夕阳射进楼窗，正铺在母亲的病床上，似给母亲的面容，盖上了一袭喜纱。

坐在病床边，握住母亲的手，他忽然想问："妈妈，你还记得当新娘那天的情景吗？是旧式的盖头坐轿，还是新式的婚纱挽行？"

母亲望着天花板，仿佛那是一幅隐形银幕，正映放着唯她能见的光影。

母亲的生命年轮，已越过八十圈。

个体生命的年轮，无法逭逃于群体共存时空的约制镂刻。母亲脸上那些细微的纹路，更在记录着一个小人物辗转在一个大时代中的琐屑艰辛。

近来全世界的传媒都在张罗着关于第二次世界大战结束，也就是反法西斯胜利的五十周年纪念。在中国，所要纪念的是"八年抗战"。

八年，占据着母亲现有生命的十分之一。

那时的母亲，刚刚谢掉花瓣，膨出新果，生命正焕发着旺盛的活力。

可是，这么多年来，母亲口中提及得最少的，恰是这初结青果的八年。

那新果便是他。如今却也俨然是烂熟的硕果了。

他抽出一根丝，母亲却由此挽成一团斑斓的记忆。

母亲望着天花板，仿佛在讲解一部烂熟于心的无声旧片。

……川东的乡间，一座座小小的丘陵，一道道湿润的田塍，一汪汪水田，一畦畦菜花……农夫在为早稻脱壳，农妇在为晚稻插秧……红苕煮软了，香味飘进竹丛；"帽儿头"粗米饭，盛在粗瓷碗里，揪一只青辣椒，裤腿上擦擦，一口饭一口辣椒，吃得好挣劲……

妈，你把四季的景象，搅成一团了。

……不分四季，故乡都像一个大花园……蚕豆花、毛豆花、绿豆花、红豆花、芸豆花，还有豌豆花，不，豌豆尖的香味儿，比豌豆花还让人心醉……我们那个乡，很少几家人挤在一处住，常常是，一丛毛竹里，几间茅屋，住一家人；不过这家、那家，离得也都不算太远，有时只隔一方池塘，你在塘之东，我在塘之南，我家炊烟飘进你家竹林，你家狗吠传进我家木窗……茅屋前种些凤仙花，姑娘媳妇榨出花汁来，染指甲；家鹅总在塘边昂首阔步，有时引颈高歌……小河边有大皂角树，妇人们在树下，蹲着，用槌棒用力槌粗布衣服，她们甩着大喉咙，听去像是吵架，其实是在热络……河里并不能行船，看不到篷帆，可确确实实有"一行白鹭上青天"……

妈，你怎么一味地美化、净化？难道那不是抗战时期？抗战时期还会有世外桃源？

……世外？不，人心上都有一根线，跟远处的战争拴在一起……因为你老子的头一封信，是我正坐在屋门边剥豌豆的时候来的，所以，我以后一到估计有信来，就剥豌豆，剥得有时候心里欢欢的、甜甜的……有时候，天都昏了，鹅饿得哭了，还没信来，手上剥着豌豆，心里就一阵阵发紧，慌慌的、苦苦的……你还不懂事，摇摇摆摆过来闹，我就伸出巴掌唬你，巴掌没下去，你先哭，盛豌豆的筲箕翻到地上，豌豆满地跳……

妈，我记得，总是吴叔叔，从镇子上把信拿给你的吧？

……胡说！开头哪有他的事儿！都是你大舅去镇上卖完菜，捎回来……邮政局的人不等他去问，只要有了你老子的信，总是出来找到他，他有时候就把担子托给人，先跑回来，送给我……他怕弄丢，总把信揣在心口，总弄得汗渍渍的……有时候我觉得不对头，怎么会没有？骂他不尽责，他也不辩，知道我骂骂才镇得住心里的慌乱……就自己跑到镇子上去。邮政局的王股长就请我坐，冲一杯香茶，安慰我，给我讲些战区新消息……

妈，我还记得大舅……背有点驼，胳膊好粗，巴掌像大锹，一巴掌能把我托上天……

……我就急得哇哇叫，给他好一顿骂……那时候，家里人坐一处吃饭，大家总是说：快了吧，快了吧，日本鬼子快倒霉了吧？……总不能没完没了地退、退、退吧？总该追、追、追了吧？……你老子，该来接我们娘母子了吧？……

妈，我从一岁到八岁，"老子抗战八年"，硬是没看见过老子……

……你是个傻儿……你老子寄来过相片，我凑到你眼前，让你唤过，让你记过……你硬是傻呆呆的……

那是母亲生命中很重要的八年。也是我生命中很重要的八年。对谁是不重要的呢？

父亲是空军地勤的技师。"七七"过后，父亲让母亲把刚三个月的我带回了故乡，那叫"逃难"。

父亲的抗战工作，同遏制日机轰炸相联，可是他给母亲的信上，却常提到"跑防空洞"。

在偏僻的故乡，没有防空洞，用不着防空洞，因为根本没有日本飞机飞过那里的天空。母亲带着我，蛰居在那经常小雨迷蒙的乡间，没见过日本兵，没听见过枪炮声，没闻见过硝烟味，没再流离失所……虽然没有电灯，没有多少油和肉，没有戏台电影，没有洋布新衣，可是油灯下的冬夜，天光下的夏日，那些懵懵懂懂的岁月，嵌在我记忆中的断片，却是有趣的、快活的……

……夏天不睡床，就铺块大席子，睡在地板上。因为屋子有一小半搭在池塘上，所以铺了大木板，木板之间有缝缝，我有时候滚出席子，直接睡到地板上，睡不好，就趴在地板上，往下面看，晚上什么也看不见，白天，睡午觉时，可好看了，有鱼儿，水蜘蛛，或许还有小虾米，甚至一扭一扭的水蛇……就是什么也不看，有荷叶荷花莲蓬的气味，浓浓地灌到鼻子里，也很舒服……有一天母亲睡熟了，我照例滚到席子外，还没往木头板缝儿下头看，就先看见了那张大棕绷子床底下，蹿出了好尖好鲜的一根竹笋……

八年就是那么样过来的。这也算抗战吗？

我当然不算。大人们抗战，是为了保护我这样的小人。小人没办法抗战。

母亲呢？

他记得那天晚霞很红，像灶眼里冒出的光。

那天竹林里的鸟儿叫得很欢。忽然鸟儿一窝蜂飞出竹林，惹得鹅儿摇摇摆摆，张翅伸颈。

妈妈坐的小竹椅，被人汗浸成铜烟锅那种颜色。

妈妈不在。剥了一半的豌豆，剥出来的盛在木碗里，还没剥完的剩在筲箕里。

他一个人玩。他六岁了。他能一个人蹲在花丛边。玩很久的泥巴。他能用泥巴捏出小人、小狗、小鹅、小猪、小桌子、小凳子……

忘了为什么，他去找妈妈，妈妈不在，他碰翻了木碗了，木碗里的鲜豌豆在地上跳、滚……

……他到竹林里找，竹林里没有……有一丛很粗很高很密离屋子最远的竹子，他走了过去，听见妈妈喘气的声音……

……他从竹隙间，看到了妈妈……还有另外一个人，是吴叔叔……妈妈背倚在一根竹子上，看不见脸，可是听得见很粗的喘气声……妈妈的脖子挺得直直的，跟往常很不一样……吴叔叔离开妈妈两步远，两手各抓住两根竹子，两眼盯住妈妈，牙筋抖着……他们在打架吗？

他吓哭了，尿出尿来。

等他回过神，妈妈已经将他抱回了屋里。外公问妈妈什么，妈妈粗声大气地应着。外公和妈妈吵起来。大舅就来劝。

很多很多年以后，他才憬悟，妈妈那也是抗战。

那八年，妈妈从二十一岁，到二十九岁。可是晚上爸爸不来跟妈妈睡觉。爸爸来不了。曾经来信，说要来。可是竟没有来。后来连信也少了。有五个月竟断了音讯。

吴叔叔据说是一个诗人，是从贵阳回到故乡的。他住在镇子街上。妈妈读过他的诗。他给妈妈写了诗。后来他就提出来，想跟妈妈好。当然他是用诗来表达这个意思的。

妈妈内心有过哪些挣扎？不清楚，但是越来越能加以想象。她是个中国妇女。中国正在抗战。她是不得不离开爸爸的。爸爸职位太低，眷属还不配跟随。而且他也实在太小，带着他跑防空洞让人吃不消。所以妈妈带着他"逃难"回了外公家。本没想到要熬八年，却熬了八年。妈妈在那八年里除了他，没跟别的任何男人睡过。她决心坚持。她坚持下来了。她拒绝了吴叔叔，那个并不坏的诗人。

前苏联有个作家，叫艾特玛托夫，其成名作叫《查密丽雅》，写了一个吉尔吉斯妇女，在大体相同的一段时间里，丈夫上前线了，她留在后方，与一位也留在后方的男子，终于产生了几经压抑不能截断的爱情，于是冒村中之大不韪，与所爱远走天涯……该作品是前苏联文学从意识形态束缚下冲决出来的一个标志，文笔很优美。妈妈为什么没成为一个中国四川的"查密丽雅"？

妈妈抗战。她抗战八年。

胜利后爸爸把妈妈和他接到了重庆。

后来出了一部电影，叫《一江春水向东流》。妈妈总不能卒观。甚至连那上集的名字，妈妈也听不得。那名字是《八年离乱》。八年，太久了。第二次世界大战，一般只从1939年算到1945年，统共六年。中国人却抗战整八年。八年离乱——妈妈是离而不乱，可谁能知道她后来几年里心底的煎熬？

胜利后他的记忆越来越细腻鲜明。可是没有了鲜豌豆般的清香。妈妈当着他的面跟爸爸吵过闹过。爸爸没有《一江春水向东流》里的那个男主角那么坏。可是爸爸在那八年的最后几年跟别的女人睡过觉。

爸爸有一天失踪了。有一种说法，是因为他在抗战期间，在空军基地里，跟苏联派来的那些空军飞行员过往甚密，所以被列入了黑名单。另一种说法，是他被突然强行地"运往"了台湾，因为那里的机场需要他熟练的技术。将他"运走"的人甚至都不让他与家人有短暂的告别。

爸爸失踪不久，妹妹来到了人间。

妹妹稍懂人世后，问过妈妈："什么叫'爸爸'？为什么别的小朋友有爸爸，我没有？"

妈妈竟不假思索地说："爸爸就是来跟妈妈一起住的男人。你会有的。"

几年以后，妈妈将一个络腮胡子的男人带回了家里。

妹妹接过络腮胡子的礼物，高兴得跳起来，后来她就尖声哆气地喊"爸爸"。

他却很久都只是用一个笑容来招呼那个跟妈妈一起睡觉的男人。他不跟那男人闹别扭，但他也不叫"爸爸"。因为他记得，自己有一个瘦瘦高高的爸爸。他也曾默想，为什么妈妈所招来的爸爸，不是那个吴叔叔？

然而有一天妈妈接到了一本书，是吴叔叔的诗集。里面有一首诗的题目是《鲜豌豆》。

近些年他通过各种方法寻访生父。他甚至有机会到台湾参加学术会议，得便就近查询。毫无结果。他和妹妹的那个络腮胡子的爸爸十年前已经去世。在轰轰烈烈的历史进程中，个体生命的失踪与消亡真如青烟一般，除了亲近者心头能氤氲着他们的气息，对于大多数他者来说，是理所当然地"忽略不计"。

母亲叫你开灯。

你把灯打开。

母亲的面容在灯光下，焕发出生命最后的光晕。

　　"有一笆箕鲜豌豆剥就好了……"母亲喟叹着。

　　你仿佛又回到童年。故乡的蓝天上，一行白鹭悠然翩飞；田塍边，豌豆花正散发出淡淡的香气……

1995 年为抗日战争胜利 50 周年而作

小样儿

他被叫做小样儿，兴许是因为他姓杨。

那是哪一年的事？那时候的一位首长——现在早被人们忘记——到他们单位视察，本没他什么事儿，可是他踮着脚尖一路小跑，挤到前头，满脸笑得五官挤得像包子纽儿，逮个机会，他喘吁吁地跟首长说："我要告状！"首长停住脚步，不动声色地望着他，陪同视察的本单位领导斜睨着他，周围的人也都静静地瞧着他，他把本单位一把手一指，脆响地说："他这人，当男寡妇三年了，还不给我们迎个新嫂子来，您说说……"没一个人笑，就是笑也都是嘴角上噙个冷笑，文明词儿叫"齿冷"——可是多年以后，有人提起他这段事儿，他却把五官炸开，坚决否认："低档小说！情节不合理！"

他一度跟我见面机会较多，跟我说起话来，那真是度量好了给我下菜碟。比如，那时正在评职称，他就说："国奎评上副研啦！才三十六岁，是他们那儿评上的里头最年轻的！"现在三十多岁评上正研的也有，可那是二十年前，他的消息对我挺刺激。他跟国奎什么关系？泛泛认识罢了。有一回他刚走拢我面前就跟我说："文萱住宾馆里啦！人家约他写本子，下半年就开机……你那小说有人看中了要拍吗？"据我所知，他跟文萱大概只有一面之缘。有一阵我为住房问题烦恼，他见了我就说："哇，杰民的房子好漂亮，大三居啊……"杰民不过是我们共同的小学同学，而且他和我一样，也并不是始终和杰民保持联系，他是偶然遇上杰民去了那大三居，还是也只不过听了个荒信儿，我也没心思细究，反正听了心里头挺乱。我们小学同学里，有个同届却并不同班的主儿，那时候无论跟我跟他都并没玩在一处，仅仅脸儿熟罢了，头些年到电视台里任了个职务，因此某些电视节目播出时，在结尾飘过的字幕里，总会在"监制"一栏映出那主儿的大名，他跑我家做客，便总要等那节目，并且一定要我跟他一起等到那最后的字幕出现，当那"监制"一行从下往上飘动时，他便会望着我，舌尖啧啧有声，那意思是："瞧瞧人家……"可是我想，满城里看电视的，究竟有几个会像他那么重视那行字幕呢？……

尽管我们是老同学，一度还是邻居，他似乎也很喜欢跟我交往，可是我终于忍受不了他，于是主动疏远了他。

对了，他被叫做小样儿，据说还是"文革"里头，不知怎么的也被揪了出来，让他跟"走资派"什么的跪到一处"请罪"，别的"牛鬼蛇神"不管怎么说，都勉勉强强，唯独他，总以面部五官的耸动，与亏他设计得出来的，某些类似京剧《玉堂春》里《三堂会审》一折里头，那苏三般的做派，来表达出"我服罪，冤枉也服罪"的意思，惹得一位"造反派"头头掩鼻指着他说："瞧呀，那副小样儿！……"他虽因"小样儿"获得了些"青睐"，可苦了其他的"牛鬼蛇神"，因为那"造反派"头头后来就要求那些人也得具有"小样儿"，比如唱认罪的"鬼歌"的时候，也得缩脖微颤什么的，不愿意，就挨揍，因此那些人都恨死他了，多亏后来他被进驻的"工宣队"分派到别的单位去了，否则"四人帮"倒台后，他在原来那单位里恐怕会很难处……

这么说来，他之被叫做小样儿，未必是因为姓杨……

似乎把前面所提的那么些个事儿串在一块儿，年龄也不能都对榫。不过，既然高明如曹雪芹，他那《红楼梦》里的巧姐儿可以写得忽而还由奶子抱着，忽而却俨然四五岁的模样，我想我笔下的这位小样儿，在年龄上有些个"巧姐"式的错位，似也无妨。

"文革"后有一阵到处都在给搞错了的人落实政策，小样儿也给落实，落实的内容很丰富，包括给改善住房条件。有一天，在管房子的主儿办公室，不知人家哪句话让小样儿听了生气，他把桌子一拍，两只小耳朵往脖子后头飞，大声嚷嚷起来，而且那言辞相当惊心动魄："你们共产党有这么办事的吗？！"但是他走了以后，人家对他的观感还是没变，管房子的主儿说："他知道什么时候可以自我作贱，什么时候可以撒娇使气，地道的小样儿！"

有两年小样儿跟一个小寡妇粘在一块儿，那小寡妇优点不少，可有个缺点恐怕很多人都受不了——不爱刷牙爱吃蒜。小样儿那两年里跟小寡妇在社交场面上双出双进，小样儿那时候最爱当着人说的一句话是："我爱闻蒜味儿！"人们闻之都只是屏住气敷衍他，只有我，差一点把对他的前嫌尽弃，默默对自己说：爱情终究是伟大的……

但小样儿正式办喜事，娶的却是个爱浑身洒香水的，比他小十来岁的女人。他从此再不提那小寡妇，有回有个主儿告诉他，在什么地方遇见那小寡妇了，他五官纹丝没动，说："谁？不知道。"倒真有点不再小样儿的气派。

小样儿特喜欢到长春出差。他不是吉林省人。他生在南方。他十几岁的时候，跟他一个堂哥到长春当过一阵学徒。那时候那地方是"满州国"的"首都"。那年头，东北的青年人纷纷往南边流亡，他跟他那堂哥却逆流而上，这让人多少觉得有些个蹊跷。但他说那是被骗去的。想必也是。何况那时他还未满十六岁，所以算不上什么历史污点。奇怪的是，小样儿近二十年来却把那段经历营造成了一桩似乎足以自豪的光彩历史。他总喜欢跟同事结伴去长春出差，还约些当年一起干过活的男男女女到招待所来，一一介绍给同事，他们坐在一处"话当年"，你不想听也得听，而且，小样儿在那场合似乎也没想到别人可能不乐意听。他当面或打电话跟我说过多次："你什么时候到长春去？我给你安排……"他说起长春溥仪住过的那所"故宫"眉飞色舞、如数家珍，他搜集了许多有关"满州国"历史的书籍，《末代皇妃》那类的影片放映时，他会一改平日吝啬的习性，买些票请人去看……本来，一个人自己反刍少年时代的某些经历是人之常情，可是他如此这般向别人扩散自己的"满州国情结"，却未免令人惊诧——不过,千万别就此给他上"纲"上"线"——对了,又想起来,"文革"后期,我们都认识的一个人——都不过是泛泛认识罢了——因为给当时的《人民日报》投了篇什么大批判稿,被约去面谈,见到了那时候该报的负责人,这事竟使他艳羡了很久,甚至"四人帮"倒台好久了,而且那位当年的负责人声名扫地,把"墨西哥"说成"黑西哥"之类的笑话已然众口相传,他提起那位被约见过的主儿时,却还是一唱三叹:"总编辑接见吆……"直到后来他终于也爬到一定地位了,才不再提及此事。你说他这人跟"纲"呀"线"呀什么的怎能般配?这都只不过是他的小样儿天性使然罢了。

小样儿有一回跑到某电视剧摄制组去,气冲冲地兴师问罪。他说人家据以改编的小说有诬蔑他的情节。他一条条"辩诬":他没打过小报告陷害那位女士,那不是小报告,事实是也没给那位女士带来任何麻烦……他也没蹲在招待所别人住的房间外头,从锁眼往里边窥视过,更没有在比自己年龄小一轮的新领导面前,吐舌头"装小"讨好……人家跟他说:"小说和剧本都是虚构的,你别对号入座嘛!"他气咻咻地宣布,他是"通天"的,他要上告,这电视剧一定会被勒令停拍!人家笑说:"你就告去!可你要说我们写了你,你的逻辑必须是:这一条是我有的,那一条是我有的……所以这角色就是影射我!现在你的逻辑却是,没有一条是你有的……你想想,这剧本里这个角色不是你,别的角色也不是你,还有许许多多的剧本里的角色,统统都不是你,那你该告的,不是太多了吗?"他后来果然往上递了"状子",但没能阻止住那电视剧拍竣。其实现在电视剧多如牛毛,是个供大于求的局面,许多电视剧拍好了卖不出去,或卖出去了久久安排不了档期,或者终于播出,但只在少数频道的非黄金时段匆匆地一晃而过……那电视剧就属于并不热门的,拍好了很久也没什么响动,但有一个人却逐期细细检视节目预告,一行也不漏过,目的是要弄清楚究竟哪个台哪天在哪个频道安排了那破电视剧的播出,这个人就是小样儿。

小样儿重起感情来,也挺执著。他那小眼圈儿动不动就红起来。好多年疏远了以后，有一天他忽然给我来电话，说："知道吗？郑老病危，搬特护病房啦……咱们一起去看看他吧！"他那声音，听来倒真是相当地悲戚。我仿佛看见了他那对小小的，薄得像纸似的红眼圈。尽管我也就想起来，背地后里，他也亮着嗓子糟改过郑老，比如形容郑老当年在等待重新分配工作的时候，因为跟其同级的都先行安排了，而自身总未落实，脾气如何暴躁——他会模仿郑老彼时的"丑态"，令你觉得惟妙惟肖，惹得在场的人们拍手弯腰哗笑——我说："郑老这种情况下，不适合频繁会客，而且医生根本不让他会任何客，目前流感正在蔓延，他可感染不起，即使看他的人自己觉得没事儿，也很可能是个'健康带菌者'，一旦把他招上了，那可担待不起啊！有的像他这样的病人，在医生治疗和护士护理下，度过了最危险的时段，还能缓过来，再搬回一般病房，慢慢恢复，那时，跟他家属说妥了，再去探视才有好处，你说对不对？"他说："不对！你这个人！当年郑老对咱们多好！没良心啦？说不定，这就是最后一面了，若不去，你将来写回忆录，少了重要的一幕！再说，你还不知道吗？我到南方，加盟这公司作顾问一年多了，说起我能跟郑老亲近，有些家伙竟半信半疑！……好吧，你不去，那你告诉我，郑老住的究竟是不是阜外医院？……"

当天下午他就找到了阜外医院，去闯那特护病房，护士拦他，家属直在病房外跟他道谢，他却红着两小眼圈，把他跟郑老的关系说得玄而又玄——说是大家都不知道，郑老前几年是认了他做干儿子的！他在老爷子跟前是正正经经行过跪叩礼的！——他这么说的时候年轻的护士望着他直发愣，因为他也已经是个歇顶的老头了，这么个老头还去跪着给另一个老头磕头充干儿子，即使稍稍在脑子里形成个含糊的画面，也不禁要浑身都炸出鸡皮疙瘩来——后来，他不顾护士阻拦，强行打开病房门，朝里喊："郑老，是我！儿子看望您来啦！"偏那一刻郑老精神稍好，对床头的护理工颔首表示："请他进来……"于是，有志者事竟成，他进去了，来到病床边，坐到病床上，抓出并紧握郑老一只手，又俯身说些崇敬想念的话，当间又打了个喷嚏，掏手帕擤了鼻子，护士进来干预，他竟还来得及指挥雇来的护理工用他递过的傻瓜照相机，给他和郑老合了张影……

　　小样儿回到南方第二天，郑老因染上感冒，主疾未除，并发症袭来，医院抢救无术，遂于再一天傍晚西去。郑老仙逝后，小样儿的悼念文章刊出得最快，还配发着他半跪在病床边，执着郑老一只手的俯拍照片，但那照片上郑老的面容一团模糊，倒是小样儿那一脸的小样儿清晰无比。

绣鸳鸯

"淑玲阿姨! ……您好! ……您还记得我吗? ……"

"啊……您是……?"

"我是小穗呀! ……何秀穗! ……"

"啊……你呀! ……啧啧啧……你不是早已经……约瑟芬……了吗? ……"

陶淑玲退休前,见过何秀穗一面,是在街头,何秀穗挽着男朋友胳膊,从一家洋服专卖店蹿出来,恰好在陶淑玲身前卷出一阵喷香的小风,把陶淑玲吓了一大跳。何秀穗一瞥间认出了陶淑玲,脚下没停步,可扭过头来,笑嘻嘻地跟她打了个招呼:"嗨! 马达姆! 烧瑞! "那一对新潮男女走老远了,愣过神来的陶淑玲才悟出来,何秀穗说的是三句洋文,先是美国式的"你好",然后是法国式的"夫人",最后是英国式的"对不起"……这可真让陶淑玲消受不起,她摇头,叹气,又淡淡一笑,这才继续走自己的路。打那以后她们再没见过面。

陶淑玲和何秀穗曾在同一间办公室里上班。她退休前,曾接到过打到办公室的电话,一个小伙子的声音,说是"请找一下约瑟芬……"她刚大声说出:"我们这儿没有约瑟芬……"何秀穗便跑过来抢电话,拿住电话后开口便是:"汤姆! 她们还不知道我叫约瑟芬呢! ……"

跟何秀穗从那专卖店一起出来,让何秀穗挽住胳膊的小伙了,是不是那个打来电话的汤姆呢？

陶淑玲自认不算太守旧的人。约瑟芬也好，汤姆也好，这些个土生土长的中国姑娘小伙，你能责怪他们吗？你看这满大街上，好多并非外资机构的商店，好多并非舶来的中国货，不都使用着洋得没道理的名号吗？人家真正的洋商，进入中国市场时可是尽量地把他那名号"华化"，比如"可口可乐"、"必胜客"、"力士"……唉，既然不老少的中国商人还在那儿忙不迭地"雅拉莫多"、"萝兰娜"、"卡玛"……那裹在这般红尘里的中国姑娘小伙染红头发、涂紫嘴唇，一时间约瑟芬、汤姆地称呼起来，也就把它看做一种无法避免的短时"洋像"吧！

寡居的陶淑玲退休后过着平实恬静的生活。她不妒同辈的飞黄腾达，更不羡社会上的灯红酒绿，每天循着自己的规律舒展生命，她怕的只是来自外界的无端干扰。

这天忽然何秀穗来了电话，并在电话里声称，要来看望她，这可把陶淑玲吓了一跳，开头，她赶忙婉拒："啊呀……约瑟芬……谢谢你还记挂着我，我挺好的！……我心领啦，你是个大忙人……就别耽搁你那宝贵时间啦！……"

电话那边却这样说："淑玲阿姨，您别打趣我了！我都脸红啦！别再叫我约瑟芬啦！还是叫我小穗吧！……实话实说吧，我想去看望您，也是为了跟您学点国粹啊！……"

"国粹"这个词陶淑玲一时听不明白，好一阵才转过弯来，不禁吃了一惊……小穗那边更明确地说："……是想跟您学刺绣！……如今还会绣花的人可真是不多啦！……"

陶淑玲这一阵确实每天绣半小时的花，不仅是为了解闷，更是为了保持她那令同龄人惊羡的目力，当然，亲自绣出艳丽的图案，也是一种审美活动……约瑟芬，不，何秀穗，小穗，她怎么也知道了自己这一窗前龟背竹下的例行功课？

小穗看来没有恶意，可陶淑玲还是想推掉："你学这个干什么啊！……"

"淑玲阿姨，我要结婚啦！……"

"是吗？……啊，祝贺，祝贺！……是……跟汤姆吗？"

"瞧您！……偏还记得他！……哪儿能嫁给他呀？……"

"那是……哪位呀？……"

"他叫张华立，弓长张，中华的华，站立的立……"

放下电话的时候，陶淑玲已经在琢磨怎么接待小穗了。

约定的时间到了。门铃响了。开门前，陶淑玲曾猜测过小穗会是怎么样的打扮，还是那么洋气得吓人么？一头男人式的中分短发？一对十字架耳坠？蓝眼影、紫眼线、珠光色嘴唇？上身一袭男式的肥大背心，却又套着个短得只及乳上的敞口黑马甲？下身一袭灰色长裙，大腿以上紧箍肢体，小腿以下却又突然炸开，呈不规则的大木耳状？颈上腕上套着鹅卵石穿成的链子，足下一双镶着鹅卵石的坡跟凉鞋？……那还远不是陶淑玲曾目睹过的最洋气也最前卫的装束啊！……

她去开门，门外呈现出的何秀穗，着实令她吃了一惊，及至何秀穗娴雅地迈进了她家门厅，阳光从窗外射在何秀穗身上，何秀穗抿着嘴，甜甜地微笑着，并且轻举双手，在胸前微微合十，表示向她问好时，她不由得赞叹地说："呀！真不敢认！……活脱脱是古画里飘出来的一个仕女啊……"

其实把现在的何秀穗比成古代仕女并不恰切。她大体上是 20 年代大家闺秀的装扮。一头黑亮光润的华发，不加任何修饰，自自然然地拢在脑后，不松不紧地编成一条不长不短的辫子，辫梢系着最朴素的红头绳；脸上不施任何化装品，任青春的气息自然氤氲；颈上腕上指上都不戴任何饰物；上身一件月白的中式短褂，只领口袖口和下摆滚了藕荷色的细边，衣袖只长及下臂中段，并且略成喇叭状；下身一条黑色的百褶裙，长及小腿，露出长筒白袜；脚上是一双带扣襻的平底黑布鞋。

陶淑玲喜不自胜，牵着何秀穗的手，转着圈地鉴赏，赞叹说："真是……国粹！……还是咱们中国自己的文化最美啊！……小穗啊小穗！……你是怎么离开了汤姆，也不再当什么约瑟芬，回到咱们自己的文化里来的啊！……"

小穗只是朗然璨笑，露出编贝般的白牙。

陶淑玲现出一种夸张的表情，拍着掌说："唔，我知道我知道……多亏了你现在的意中人儿，他肯定是个好小伙子，懂得欣赏、珍惜咱们的民族文化！他父母是干哪一行的？我猜是大学里教中国文化的教授！……小穗，这回你真是爱对了人啊！……爱情把你整个儿变了一个模样！……真真让人爱煞！……我要是小伙子，说不定我也要追你呢！……"

小穗真是来学绣花的。陶淑玲便从上竹绷子教起。小穗要学绣鸳鸯，陶淑玲跟她说，一口可吃不成个大胖子，总得先学会绣最简单的花瓣绿叶，才能过渡到绣较复杂的图案，小穗说，她一定用心学，每周来两回，每回学完给她留作业，下回来的时候她把作业拿来，再进一步指点……又说她现在不光要学绣花，还要学吹箫笛、鼓筝瑟、弹琵琶、唱昆曲、舞水袖、下围棋、临碑帖、画国画、包春卷、煎锅贴、缝香袋、编绦带、制折扇、配扇坠……陶淑玲听来先是欢喜，后是吃惊，再是生疑，最后竟充当了促退派："我的妈呀！你这是要干什么呀！虽说宏扬咱们中华传统文化是天大的好事，可你毕竟是一代新人了，哪儿有那么多工夫，又哪儿有那个必要，把自己变成个《红楼梦》大观园里那十二金钗里的一钗呢！"小穗只是笑，也不详加解释。

从此陶淑玲按时接待小穗，教她绣花。陶淑玲曾问小穗，有没有那张华立的照片，拿出来看看，小穗笑说她现在从不随身带男朋友照片，不过，等她结婚那天，一定恭请淑玲阿姨光临，彼时不就能把张华立看个够了吗？

小穗大体上算是坚持了学业，不过临到她宣布就要举行婚礼时，她也并没能绣好一只鸳鸯，到头来还是陶淑玲替她绣好了一对有鸳鸯戏水图案的枕套。

终于到了那一天，陶淑玲接到了大红的双喜请柬，邀她出席张华立和何秀穗的婚礼，她真高兴极了！

到了那一天，陶淑玲带上那对鸳鸯戏水图案的枕套，兴冲冲赶往婚礼现场。及至按那地址找到那地方，觉得不大对头，那地方门口有穿军装的警卫把门……可把请柬展开给警卫看了，人家也就放她进去了……往里走，好多楼，比一般的居民楼盖得精致多了，楼外绿化得也特别的好……是教授居住区？……楼前楼后，都齐整地停着些个漂亮的小轿车，如今的教授虽说待遇不错，也还不至于都买得起小轿车吧？……迟疑中，已找到了请柬上所标名的那座楼，进了楼，不少人在等电梯，倒是金发碧眼的居多……

到了那单元门口，只见大门洞开，若干来宾正往里进，陶淑玲跟着走了进去，见人家把贺礼放在一进门的案子上，也便照办……需要在门厅里换拖鞋……往里走，满眼是中华传统文化的符码，甚至于，显得壅塞、堆砌……一件清朝人的官服，被展开固定在了墙上，当做壁毯式的饰物；明式太师椅，红木香案，还有充当茶几的樟木箱，箱子的大铜扣鼻上套定古色古香的大铜锁；多宝格，上头分布着大小不一的精瓷粗陶、藏佛转经、铜鼎玉器……这倒也罢，竟还有象牙镶金的鸦片烟枪；靠墙的半月桌上，明式妆盒、宋代铜镜、清代玉如意……还算美丽吧，却赫然还有绣着荷花图案的三寸金莲！……那边，布置成了地道中国旧式婚礼的场景，大红的帐幔，围着堆绣花样桌裙的香案，上头竟还有"天地君亲师"的牌位；香案前已安放好了两个圆鼓鼓的绣垫，以便新郎新娘跪拜……正目瞪口呆之际，却又发现一个年轻人在眼前晃动，似在招呼自己；定睛细瞧，呀，竟是西服革履的汤姆！

那中国小伙子汤姆似乎在针对她的惊诧作出解释："……知道吗？人家喜欢的就是这个劲儿！……真是喜欢中国呀！喜欢原汁原味的中国！喜欢中国的国粹！就连中国旧房子里拆下来的破窗户蒱子，古坟里刨出来的略带点花纹儿的半截砖头，都爱得不行呀！……您瞧，这不……这儿还摆着个景泰蓝的高腰痰桶，那儿不是撂着个银子铸的唾壶吗？……所以，人家娶媳妇，也就要你跟这些个东西般配……要不，约瑟芬她怎么变成了现在这模样儿哩！……您问她在哪儿吗？一会儿让轿子抬来，到这儿拜天地，头上还得顶着大红喜巾哩！……您怎么啦？……瞧，这不，新郎官过来啦……来，我给你们介绍！……"

新郎官果然笑吟吟地过来了，虽然穿着地地道道的中国长袍马褂，戴着瓜皮帽，身上斜系着大红绸叠成的大红花，可陶淑玲还是一眼看出来，那分明是个地地道道的西洋人……汤姆大大方方地给他们介绍着，陶淑玲毕竟是有些个阅历的人，顿时悟出，所谓张华立，是从其原来的外文名字谐其音简缩而成的"汉名"……

"久仰久仰！……"新郎官认认真真地打着躬作着揖……确实非常非常地友善而谦恭……

……陶淑玲不知自己是怎么来到楼下的，她刚深吸了一口气，忽听那边竟是唢呐什么的乐声大作，一乘花轿在一些个穿着清式号服的仪仗的簇拥下，招摇地朝这楼门而来……

陶淑玲近乎本能地拔腿而逃。

薰衣草命案

案发

我杀了她。

那是深秋很平常的一个下午。

门铃响了,我去开门,居然是她。

她是同楼的邻居。我和全楼的邻居都不来往。她是在楼前主动跟我打招呼的邻居之一,即使是像她这样的善待我的邻居,我也只是被动地淡笑一下,算是回礼而已。绝大多数邻居都不喜欢我,相貌上我是个不修边幅的瘦男子,性格又透着古怪,因此没有邻居试图主动跟我说话,只有她是个例外。记得那天以前的某一个下午,我漫步到楼外不远的过街天桥,漫不经心地东张西望,那里有些无照摊贩在卖他们的小东小西,有个摊上的东西引起了我的注意,那是些小型的摆设瓷,都是青花的、洋味儿的,比如仿荷兰木屐、对吻小洋人什么的,我站在那摊前猜测,这些小玩意儿一定是国外来样定制的旅游纪念品,这摊上的东西要么是厂家检验时不合格淘汰下来的,要么就是故意多生产然后发给下岗职工充当生活补助费的……我正站在那里凝视一个小奶罐,忽听耳边有人说:"看呀,哈哈,我表姐从阿姆斯特丹巴巴地买回来,就是这样的东西啊,她刚送给我就让我查出来,底下都写着 Made in China 呢,你看,一模一样,那里要用硬通货买,好贵……"那卖东西的小贩听见就冲我们嚷:"不贵不贵！便宜便宜真便宜！10块钱三样，随您挑！"有的顾客刚弯身挑，忽然，那小贩警觉地从蹲着变为躬身站起，他一定是看到了他们那一伙里放哨者的信号，警示城管人员上天桥来了，于是就忽然把连接着那摊儿布四角的，仿佛鱼网总纲的绳子一提，再一收，顿时那地摊也就缩敛为一个包袱，眨眼间，他竟消失在了过街天桥的人群中，其他摊贩亦然，我正发愣，耳边又响起了爽朗的大笑声，那笑声里充溢着无是无非的童真童趣，令我惊异，我这才朝那发声者望去，正是那位女邻居。

那天我开了门，很感意外。我没邀请她来。她怎么突然来了？

我本能地把她让进，她进了我家门厅，站在我面前，具体怎么措辞的我现在已经无法重述，那意思却非常清楚，就是她家已经重新装修好了，请我一定过去看一下。她那天身上斜背着一个蜡染包。好像在过街天桥遇上的那天，她也斜背着那么个蜡染包。现在我仔细回忆，觉得她在我眼前出现时，总有那蜡染包伴随。那是一只拙朴而特殊的蜡染包，蜡染的玩意儿我过目多了，但她斜背的那只蜡染包，不知为什么会让我过目不忘。

她家就在我家上面那层尽西头，走上去只需两分钟。她期待我随她上去，哪怕只是草草地浏览一下。

我对楼里若干人家的二次装修本来就反感，因为噪音非常之大，虽说规定早晚和节假日不许动用冲击钻，对于上班族和学生有利，但我是个自由职业者，白天常常需要在家里做自己的事，那冲击钻的声音一旦响起，哪怕是在离我还远的楼层和方位，我就总觉得是在往我心口上钻。她家的装修，时间好像又特别地长，我一直祈盼她家的重装早日谢幕，那时听她当面宣布已然悉数完成，可供观览，脸上想必泛出笑容，她见我表情上有积极的反应，就更迫切地希望我能随她上楼去随喜一番。

但我拒绝当即随她上去看。我表示有工夫时再去她家造访。她非常失望。我不记得她是怎么被我送出门去的。只记得关上门后，也曾淡淡地责备自己：怎么连一句留人家坐一下的客气话也没说呢？

英雄母亲与伶俐丫头

那一年，我说的是1954年，春天的时候，我们正排一出新戏。剧作者1949年以前就有名气，1950后又曾参加过土地改革，去过抗美援朝前线，既有生活，又有才情，那剧本初次朗读的过程里，我和好几个人就不禁堕泪。导演是团里最权威的，定下我演女一号，就是戏里的那个英雄母亲。女二号呢，是英雄母亲的小女儿，一个活泼伶俐的丫头片子。你说得对，那个时代还没有什么男一号女二号的说法，我是借用如今的时髦语汇罢了。那时候剧团里有苏联专家，讲究的是斯坦拉夫斯基表演体系，有句话深入人心，叫"没有小角色，只有大演员"。

那部戏里的英雄母亲和伶俐丫头都不是小角色。我承认，那时候我三十出头，是剧团的台柱子，戏路很宽，从十六岁的少女到七十岁的老太婆，从《钢铁是怎样炼成的》里的资产阶级小姐冬妮亚到《日出》里的下等妓女翠喜，全拿得起来，说我是那个时代的大演员，我也犯不上瞎谦虚，那是历史事实。

好，不多说我。你要了解的是沐霞。说她吧。当然，沐霞是她的艺名。她原来姓什么？那个时候她最不喜欢别人问她这个。非问，她会说："组织上知道就行了。"她出身于大资产阶级家庭。1952年春天，她才16岁，就参加了革命。她是受她大哥的影响。她大哥改名战豪，不是艺名，他大哥一生与艺术无关，是个老干部，抗日战争期间就冲出那个家庭投奔革命，去了延安，那时候在延安时兴取新名字，以体现割断旧我，灵魂新生。1950年她大哥是接管重要部门的军代表，她刚初中毕业，本来应该上高中，上大学，却受她大哥影响，坚决跟父母断绝了关系，投奔了部队的文工团，去的时候瞒了岁数，说是18岁。后来那文工团跟我们剧院合并，她就成了我的同事。她那时候真是人见人爱。相貌不必说了，才出水的鲜荷似的，更难得的是艺术天赋，悟性惊人，瞥一眼，听一句，她就立刻心领神会。本来剧院领导是要把她送到戏剧学院去培养的，她也非常愿意，但是她让苏联专家看上了，那专家说沐霞不必去那种地方，就在剧院里，从实践中摸索、成长吧！排《钢铁是怎样炼成的》，我是冬妮亚A，她是冬妮亚B，那时候我岁数已经比角色大了接近一倍，她却天然是个冬妮亚，现在我愿意供认，她扮出来的时候，往那里一站，我对她的嫉妒防范就油然而生。一次彩排，她有一小段戏居然没依照我的演法，别出心裁地搞了些小名堂，我当场就啧啧埋怨，可是导演，特别是苏联专家却认可了她的演法，连那演保尔的家伙事后居然也跟我说，跟她配戏时感觉非常舒畅。一位院领导有天跟我说，养兵千日，用兵一时，沐霞的冬妮亚，是不是也在公演时露一下，十场里我八场，让她两场，或者九比一，说不定观众也会认可她的那个冬妮亚，我们剧院也算创出了一个角色两种处理的独特风格？我坚决不同意，说观众是冲着我的冬妮亚买的票，只有我忽然病了不能出场，才轮得到 B 角，否则观众会觉得受了剧院的骗！那时候我也是剧院党总支的成员，我的革命资历，比那来跟我商量的领导还高，院里就拿我没办法。有回我发着高烧，也撑着上台演那个冬妮亚，其实冬妮亚的戏在全戏闭幕前老早就结束了，我也不卸装，等着全剧结束后的谢幕，那天谢幕的掌声照例非常热烈，我和演保尔、朱赫来、丽达的演员返场达到五次之多。

我知道你又嫌我说自己说多了。你想知道的是沐霞的事儿。我承认在冬妮亚这个角色上，我确实是太毒了，我就愣把沐霞压抑到那样的程度，她那个冬妮亚 B 只在内部演出中上过三场，公演中呢，出场次数为 0！

我马上要更多地说她。沐霞那时候心里怎么想我？也许是她毕竟太小，也许是她很会掩饰内心，在冬妮亚的问题上，她没在我面前流露出过丝毫的不满和抱怨。接着我们一起排那出革命题材的戏。我那母亲一角有另一女演员担任 B，但沐霞那女儿一角就她一个人担当，还没到正式彩排，仅仅是排演场上一次试装和片段，我和她的对手戏就博得了现场的一致赞扬，那时候我对她没了嫉妒防范，只有鼓励和祝福。第一次连排后，院里人们都说，这戏肯定打响，而且，一颗耀眼的话剧新星，当然说的是沐霞，即将冉冉升起。消息灵通的记者跑到院里来要求采访，我在院里被一位名记者堵住，我就说了几句，特别跟她提到沐霞塑造出了一个光彩照人的农村姑娘形象，她被敌人杀害的那场戏肯定催人泪下。

谁想事情忽然起了变化。那位剧作家出问题了。不是一般的问题。是反革命性质。

这下那出戏停排，如果仅仅是停排也倒罢了，整个剧组并不马上解散，由上一级单位来人，院领导全体参加，开展学习、批判，学习材料就是报纸上公布的材料和文章，批判的重点当然就是那个该死的剧本。我算好，参加了一个月批判就接新任务排一出俄罗斯古典名剧去了，是苏联专家点的名，那个角色内涵很丰富，我感到庆幸，可以在那个角色里忘怀反动剧本里的那个母亲。苏联专家也点了沐霞的名，要她到这个俄罗斯古典名剧里演一个配角，但是院领导认为她在排演那个反革命写的剧本过程里中毒太深，必须彻底消毒后才能任用。沐霞那时候就很认真地消毒，先批判那个剧作家，再批判那个剧本，再批判剧本里那个丫头，然后，这是最重要的，就是批判自己，为什么没有政治警觉？她联系到自己的出身，剖析了自己之所以会上当受骗的阶级根源，在全院的大会上流泪发言，给大家印象很深，大家都原谅了她。

后来剧院又给她派了一部戏的角色。她拒绝了。她说她不适合当演员。这令人吃惊，是不是？不过你不必皱眉头。其实紧接着在她的生活里所演出的，绝非悲剧，而是喜剧。

洗手池边的悄悄话

我是沐霞的表姐，比她大好几岁。沐霞后来不跟父母来往，但跟我一直保持联系。因为她觉得我算得是革命的。其实我在政治上一直比较糊涂。只是我上大学读一年级的时候，就爱上了一位高年级的同学。我可能是早熟，也可能是因为读过一些西方古典名著，受个性解放恋爱自由那一类思想的影响，在参加读书会的几次活动后，就爱上了他，而且竟然很出格地，主动追求他，那时候他对我忽冷忽热，真要把我的心给揉碎了，后来他成了我丈夫，我质问他为什么要那样折磨我。他告诉我组织上有纪律，像他当时那个状况，是一定要全身心投入战斗，不能随便恋爱的。你猜对了，他当时是地下党的成员，1949年10月以后他身份公开了，定的级别不低，那时候他才刚30岁，可是人们一般都不会觉得他年轻，那个时代开国元勋们年龄一般也没多么老。

　　我嫁给了我爱上的人，感到很幸福。沐霞随后嫁给了爱上她的人，也感到很幸福。

　　那娶她的，是我丈夫的战友。本是一个大学的同学，忽然有一天退学了。退学以后做生意。这人，也就是沐霞的丈夫，叫楚期聚，家里是大商户，跟沐霞家是世交。沐霞家既搞实业，也搞商贸，比楚家更富有。楚期聚——这就是他父母给他取的那个名字——经商的时候，跟沐霞父母过往甚密，伯爹伯妈的叫得好亲热，是她家的常客，后来楚期聚父母双亡，他到沐霞家，就更仿佛是其中一个成员了。当然，你猜出来了，这楚期聚跟我那口子一样，当时是地下党，做生意，是给党筹集必要的物资。

　　楚期聚比我丈夫略小，比沐霞却大十岁。1956 年他忽然找到沐霞，没接触几次，就提出来跟她结婚。那一年楚期聚大概已经 30 岁，那个岁数在那个时候还没解决生活问题——那个时代把革命男子娶媳妇叫做解决生活问题——的领导干部里，算是很大的了，组织上关切，作为老战友，我丈夫对他的生活问题也非常地关注，有一天就跟我说，你要劝说沐霞接受期聚的求婚。我说他比沐霞大那么多，怎么想怎么不合适！他就说你别去抽象地空想，你看看他们，站到一起难道不是很般配吗？确实也是，那时候 30 岁的楚期聚英姿勃发，跟沐霞站到一处绝不辱没她。我就又跟我那口子说，现在看上去般配，以后呢？我那口子就说，革命者的结合不是相貌的结合，关键是要一生携手走革命的路啊！而且，期聚看上沐霞，是好早以前的事了，那时候沐霞还是个小姑娘，期聚在她家看到她，就在心里默默地说，好可爱啊！等你长大了，我一定娶你！我听了就说，怎么你这战友那时候就那么色！不像话啊！我那口子就严肃地对我说：革命者一样心有爱甚至也心有性啊，只是在那个环境里，必须压抑自己这方面的向往，期聚那时候就跟他吐露了这个心思，他非常理解，正是为了避免跟同龄的女性产生爱情，才故意往一个小姑娘身上移情，把自己可能勃发的情爱储藏起来，以待革命成功后的时日啊！我听了，就去找沐霞，而且意识到，我的劝婚已经不是私人活动，而是一桩革命工作。没想到工作很容易做，沐霞挺爽快地同意了楚期聚的求婚。

那时候我那口子和楚期聚职务都不低，在别人看来，我和沐霞都成了革干夫人。沐霞结婚前就转到了剧院的文学部，文学部的设置是学苏联，任务是抓剧本，同时对抓来的剧本没完没了地讨论、修改、回炉、加工……剧院的人开头说沐霞经过那回的批判增强了政治警觉，后来又说她爱人是政治上最可靠的，守着这么个爱人，受到的熏陶足能防止任何一个坏剧本来钻空子，也足以把任何一个基础好的剧本修理好。

沐霞婚后很快怀孕，1957 年春节时我们去她家拜年，她肚子已经不小，预产期在那年国庆左右。哎，我们真过了一段非常愉快的日子！因为嫁了楚期聚，楚期聚告诉她她父母实际上曾很自觉地帮助了共产党，是进步的资本家，不该对他们拒之门外，还主动带上她去岳父母家团聚，她跟父母的关系总算也理顺了。只是她哥哥对妹夫妹妹的做法不满意，说"天下乌鸦一般黑"，资本家都是唯利是图，当年他们父母所谓的帮助共产党，还不是因为楚期聚能让他们获利，并且从不拖延货款，而接受公私合营，也是大势所趋，他不主张妹妹跟父母过多来往，并且常常叮嘱妹妹还是要对资本家父母的资产阶级本性提高警惕。那时候楚期聚也觉得大舅子基本上是对的，沐霞更心悦诚服，因此他们跟沐霞父母的关系处理得恰到好处，那对资本家也知趣，绝不来主动纠缠，对外更绝口不提有那么革命的儿子和女婿。

我那口子和楚期聚是名副其实的亲密战友。1957 年的时候我那口子是一家重要刊物的负责人，楚期聚是外贸系统的一个领导，不仅逢年过节两家必定欢聚，就是周末，只要没出差没会议，也往往是互相招待，多半在家，偶尔也去餐馆。

我对那一天记得特别清楚。暮春时节，楚家住的那个小三合院里一地的花瓣有待清扫。那时我那口子还在回北京的火车上，我却已经去了楚家。坐在客厅里，也是刚出差回来没多久的楚期聚朗声高谈阔论，主要是兴奋地诉说在外地耳闻目睹的鸣放情况，认为群众真的是发动起来，虽然有的意见很尖锐，却是良药苦口利于心，从此将打开一个全国振奋的局面，对全球社会主义事业也是一个创举。我就按我那口子临回来前的长途电话里的嘱咐，把第二天就要付印的杂志上的那篇他化名写的一篇长文的清样，拿给楚期聚让他先睹为快。楚期聚接过去迫不及待地阅读起来，边看边拍沙发背，连赞痛快。沐霞端茶过来，见他那兴奋的模样，就瞅着我眨巴眼笑，意思是你看我们这位像不像个大孩子？那文章清样我也看过，说实在的我也不知道说得对不对，我只知道那文章原是我那口子起草的社评，他还说过，若是社评，那付印前是不能拿清样给外头人看的，但后来他又决定以署名文章发，他说那在刊印前拿给楚期聚这样的老战友看，就不存在什么问题了，他如此严格地区分事情的性质，比他那文章的内容给我留下的印象更深。

楚期聚继续读那清样的时候，我跟沐霞去那边屋闲聊，肚里孩子落生不久便要过冬，她正给未来的孩子织小毛衣，我们俩就议论到什么颜色好看，我随口说到其实有的冷色也很好看，比如那年去你家，到处是那样的冷色，那叫什么颜色来着，还有那股子沁人心脾的气息……后来梦见了好多回呢！我只顾说，忽然注意到她织毛活的手指停止了运动，再抬眼望她的脸，她严肃地瞪着我，完全是责备的眼神，我就知道是自己说走嘴了，忙用别的话掩饰过去。

回到客厅，楚期聚已经读完了那篇文章，劈头就跟我说："好文妙文！明天印出来，后天就洛阳纸贵，一定的！"那时候没有手机，如果有，他一定会马上用手机对我那口子夸赞。

阿姨开始往餐桌上布菜，我去了洗手间。从进洗手间到出来，也就十分钟左右。我发现沐霞等在门外，立刻跟她道歉："真对不起，我用久了……"她却只是摇头，更怪的是她又把我引进了洗手间，并且关严了门还别上插销。

我惊异地望着沐霞，觉得她表情怪怪的，问她："怎么回事？"

她把声音压得很低，说悄悄话似的问我："他那火车什么时候到站？"

这太古怪了。我回答："早上五点半，天还没亮呢。我也不去车站了，他们杂志社司机自会去接他的。"

她仍然是说悄悄话的声气："你一定要亲自去！"

"为什么？"我觉得她简直有点不正常。

其实她很正常。她非常简捷地告诉我,刚才,大约十分钟以前,老楚接到一个电话。事情起了变化。详情还不清楚,但变化是肯定的,而且是180度的变化。那篇文章千万不能付印。杂志上别的文章恐怕也有该撤换的。我应该立刻做好接站的准备,亲自堵住我那口子,告诉他这个重大的消息,他则一定要先别回家,直接赶到印厂,在开印前叫停,赶紧重新张罗出一个新面目的那一期来,刊物拖期事小,若来不及阻止,印出来发行了出去,那可不得了啊!

我虽是个从来不懂政治内涵的医生,却从来又是个懂得政治利害的妻子,我立即紧张起来,心乱如麻,我的声音也随之压低,着急地说:"那火车要误了点怎么办?那印厂要是三班倒,一早那班就开印了可怎么办?"

沐霞安慰我说:"不至于那么样。我也不留你了。老楚已经进屋休息了。晚饭我们过些时候再吃。你要沉着、冷静,千万别误了大事。"

我就赶快回家了。把那文章清样锁妥,也没叫公家的车,自己坐公共汽车到了火车站,就在那里迎候我那口子。

后来,有惊无险。我们两家都平安无事。

高山顶上有棵老栗树

情人?现在我承认。是的。

我和沐霞那时候是严格意义上的情人。怎么个严格意义?那就是说,我们相爱,但极其隐秘。更重要的是,我们都绝不想破裂掉各自的家庭,甚至是,都非常珍惜各自的家庭,爱自己的配偶和孩子。人是个怪东西。人在感情上会有多个取向。你奇怪?你说那正是狂飙般的政治运动中,我们怎么还会有那样的闲情逸致?越是狂飙,越会有"风暴眼",你只要能置身在那个"风暴眼"里,就有可能获得起码是短暂的逍遥。我们也不是闲情逸致,我们是内心里都有那么一种难以抑制的相互欣赏,像熊熊燃烧的篝火。

沐霞大概是1963年调到出版社来的。头几年我们不在一个编辑室,只偶尔在食堂里照面，她总让我眼睛一亮，要么让我食欲猛增，要么令我废饮忘食，我总是"凑巧"跟她在一张餐桌吃午餐，她如果主动跟我说上一两句话，或者为别人的什么议论发出一阵银铃般的笑声，都会让我餐后回味许久。

后来就到了 1966 年，那一年我们都是整 30 岁。灾难？你为什么总是笼而统之地去认知人生？当然，更有浩劫的概括。不过各人有各人的具体情况，人的命运有雷同，也有差异，你应该更多地进行个案研究，用显微镜去观察那些差异。

我当然早知道沐霞的爱人楚期聚是个级别不低的干部，开头也很担心老楚被打倒在地再被踏上一万只脚，后来知道对他的冲击属于最一般的，开完他的批判会，还是得让他穿戴得整整齐齐地去完成一些涉外的经济工作，因此沐霞的生活也就不像她表姐家那样，被扭曲，甚至是被碾碎。

在整个你所谓的狂飙期里，出版社也闹得天翻地覆。谁也不能不卷入。但我和沐霞都属于卷入程度最浅的。我参加了"造反兵团"，但属于温和的"造反派"，沐霞参加了"丛中笑"，那是个"保皇"组织，其中有的人对"造反派"恨之入骨，打起"派仗"来很凶的，沐霞却又属于温和的"保皇派"，就因为都温和，我们这本属于对立的群众组织的两个人，一来二去的，在接触中就觉得有共识，相互本来就有的朦胧好感，渐渐地那好感就明晰起来了——敢情我们都是反极端言行的，富于人情味儿的生命存在。

狂飙期现在一般都算为十年，其实就我的个人生命体验，到 1972 年以后，出版社恢复了业务，也就大体平息了。1973 年我和沐霞分到了一个编辑室，抓长篇小说。那时候也有长篇小说？就一部《金光大道》吧？现在有的年轻人一听我说那时候的情况，就很诧异，因为许多书，文章，对那些年的文学艺术的概括，就是"八戏一书"，这概括也有道理，叫做抓住了要害？但实际上的情况并不那简单。拿出版来说，从1973 年到 1976 年年底，印行了一大堆文学作品，长篇小说数量很可观，我还留下印象的，随便举例吧，就有《黄海红哨》《沸腾的群山》《激战无名川》《万年青》《千重浪》《阿力玛斯之歌》《分界线》《征程》《红石口》《响水湾》《前躯》……儿童文学类的也不少，如《闪闪的红星》《红雨》《向阳院的故事》《小兵闯大山》《睁大你的眼睛》……这些存在究竟应该怎么对待？我想第一，要有所记录，至少要选录，说那时候是完全的空白，什么都不存在，不符合客观状态；第二，要分析研究，它们究竟算不算文学？算不算长篇小说？如果不能算，为什么？如果也能算，怎么评价？是不是至少有认知一个历史阶段文化状态的资料价值？

你觉得我好笑？不好笑。1973 年到 1976 年，三四年的时间里，我和沐霞共同抓一部长篇小说书稿，写林区建设的，书名叫《红栗子》，作者是一位扎根林场的知识青年，他真的非常有才能，悟性一流，而且写作的速度快得惊人，我和沐霞对稿子提出意见后，他略作思考，提笔便重写，他写好一页我们传看一页，结果是我们还没看完这一页，他那一页就出来了，你说惊人不惊人？那几年正是我和沐霞人生中青春花朵胀得滚圆，最最宝贵的岁月，对那位比我们小十岁的作者而言，更是蓓蕾初绽的芳菲年华，你说我们为了这么一部"破小说"耗费了那些年月不值得？我和沐霞应该去编辑中国的马尔奎斯写的相当于《百年孤独》那样的作品？那位写作者应该抛开他那颗红栗子，去像博尔赫斯那样写交叉小径的花园？好，我们不去纠缠诸如此类的形而上，我知道你想听的是那一阶段的事实，特别是细节。

那部长篇小说真是难产。不是作者没有才华，也不是我和沐霞没有能力。我们到林场去跟那里的干部群众同吃同住同劳动，在现场帮助那位作者完成那部书稿。林场的生活很艰苦，林场的风景很美丽。美丽的艰苦，艰苦的美丽，这主题不是挺好的吗？书稿上的生活气息扑面而来，人物形象血肉丰满，细节生动，语言流畅，最难得的是人情味浓郁，不少章节我们读过多次依然会被打动。但是，这部书稿的致命问题是，构成其冲突的是先进与落后，无私与自私，有知与无知，这在那时候是行不通的，必须写阶级斗争，作者很聪明，我们的意见一出来，他就把其中一个落后人物改成了敌人，那敌人会怎么破坏呢？我和沐霞就跟他坐在一起推敲，纵火？下毒？杀人？造谣惑众？……好不容易把阶级斗争这根情节主线安排妥帖了，又有更新的精神，要写阶级斗争中最关键的斗争，那就是和走资本主义道路当权派的斗争，这就必须再把原来书稿里比较保守的那个场领导形象拔升为一个包庇阶级敌人的"走资派",而且还得是顽固不化的,甚至批斗后被解放,却还捣乱,以表达所谓"走资派还在走"的深刻警示的宏大主题。这难度就更大了。我们两个责任编辑和那位作者只能以愚公移山的精神,每天挖山不止,以使那部长篇小说终于能够付印。

我不管大历史怎么书写,我只知道,对于我而言,在林场抓小说的那几年是我个人生命史上最瑰丽的篇章。在那里我得到了沐霞。林场里最高的那个山峦的顶端,有棵又壮又高的老栗树。我和沐霞坐在树下,倚着那粗大的树干。那是深秋时节,但是下午的阳光仍很饱满,从叶隙泻下,微风吹动树叶,阳光的圆斑就跳动在我们身上。会不时地有树上的刺包儿炸开,里头的栗子就掉下来,掉在草丛中,腆着褐色的肚皮,仿佛在吆喝松鼠与刺猬:你们怎么还不来拥抱我?我们都希望有栗子掉到我们身上,最好干脆掉到我们脑袋瓜上,可是,那样的情况始终并没有出现。

我们就那么在高山顶上的老栗子树下坐着,我们忘记了一切,什么运动、走资派、三突出、书稿、出版社……以及各自城里的那个家,宇宙中那一段时间里,只有我们两个鲜活的生命……

我们相互敞开了胸怀……

记得有一次从山顶下来,半路上沐霞忽然轻叫了一声,她发现了什么?开始我以为她看到了一条蛇,她跟我说过她最怕蛇,后来我才知道,她是看到了一种草,那野草在我眼里平常至极,紫红色,顶端是穗状小花,她掐下一枝,凑拢鼻子闻,摇头,我接过来也闻,只有草的气息,绝无芳香。她的表情显示出,她搞错了。那么,如果不错,该是一种什么草?她为什么对那样一种草产生出那样的关注?我始终没有问过她。

你见过普罗旺斯的薰衣草吗?

那种草就是薰衣草。

法国的普罗旺斯地区,盛产薰衣草。

没去过普罗旺斯，可以看照片。也不光是法国的摄影家，世界各地的摄影家，都去拍薰衣草田的照片。大片的薰衣草，一垅垅的，望过去，直到地平线，每垅呈现着球形弧线，给视觉很大的冲击。那颜色更绝，一派紫红色，不是发亮的那种，竟然发暗，可是很魅惑，不像是人间所有，也说不清该是天堂，还是地狱里才有那景象，哇噻，一望无际，冷艳的紫色！

沐姨，就是沐霞女士，我是她表姐的女儿，我的姥姥跟她的妈妈是堂姐妹，算不上有多亲，可是这些年沐姨跟我来往密切，忘年交也谈不到，开始，是我有求于她，后来，是她有求于我。

沐姨打天性里就喜欢薰衣草，这是我妈很早就告诉给我的。也是偶然提起。我妈说，那时候沐姨大概才10岁出头，姨姥爷带她去一家专卖法国货的商店，那墙上挂了幅艺术摄影，画面就是普罗旺斯的薰衣草田，她还是个小姑娘嘛，按说审美上能有什么深度？可她站在那大幅的照片底下，完全是痴迷的状态。店员就跟她说："小妹妹，这是薰衣草，不光好看，还香得不行呢！"就拿用那薰衣草作芳香剂的化妆品，凑拢她鼻子，她就跳着脚说："香！香！"姨姥爷就给她买了一大堆那样的化妆品，可是她还不满足，在回家的路上，那辆豪华的小轿车里，她就撒开了娇，"我要薰衣草！要薰衣草嘛！"这些情况，还有下面一些情况，当然是我妈事后听姨姥姥说的，总之，骇然听闻，那天回了家，姨姥爷就让手下打听，城外究竟有没有种薰衣草的？居然有！正赶上开花季节！姨姥爷就让有多少全给买下来，尽快给送他家去！沐姨一觉醒来，就发现她床边全是薰衣草，跑出房间，小洋楼的过道里，楼梯边，大堂，楼外廊子里，甚至通向院门的甬道边，统统是薰衣草，一派紫缎般的色彩，那股香气哇，像波浪一样在她家翻滚，据说整整一条街都足足香了一个月！妈妈那时候去她家找她玩，赶上了，两个人就在那草丛里捉迷藏、打滚儿。

当然啦，妈妈讲完这件往事，免不了就教训起我来，什么你看资本家为溺爱女儿多摆谱呀，买那些薰衣草的钱，足够多少家穷人吃一年饱饭呀，为消除这样恶劣的阶级烙印，你沐姨和我付出了多么大努力呀，这样荒唐的事情，总算被历史扫荡了呀，等等，我哪里耐烦听她那些个絮叨，只是闭眼凝神吸鼻扣齿，体味那童话般的薰衣草世界的曼妙……

你是个一望而知的意懒人物。可是沐姨有一回不知怎么忽然跟我提到你，说你就住在她家楼下。她也没再多说什么，但她提到你时候的那眼神表情，显示出她对你有一种超常的欣赏与信赖。现在我才知道，原来你们虽是近邻，却从未正式来往过，你跟我表姨爹老楚简直就没过过话，跟沐姨，也就是在楼外遛弯时遇上了，淡淡地聊上几句，并且主要还是沐姨跟你说，你多半只是点头、摇头、微笑、皱眉而已，你真可恶！你辜负了我沐姨对你的一派……崇敬！不，我还是取消崇敬这个字眼的好，还是那么说——她对你相当欣赏，相当信赖，她主要还不是通过跟你本人接触，达到这一点的，她是读你的书，你的零碎文章，特别是那些谈城市文化、生活美学的文字，形成那么个心态的，我敢说你所有公开发表出来的东西她都搜罗全了，我在她家全见到过，她一定是认为跟你通过阅读"心有灵犀一点通"了。

沐姨是他们那一辈里最小的，上个世纪末，他们那一辈的就陆续地前后脚离、退休甚至去见马克思或者上帝了，平心而论，在跟他们那一辈相处时，我觉得沐姨是他们里头心态最好的，她从没喷射过怨气牢骚，总乐乐呵呵的。我跟沐姨比较能沟通，跟我爸我妈都隔阂很深。我爸很奇怪，不知道从哪一天起，他成了个热诚的"新左派"，言必及赛义德、德里达、詹明信，七老八十了，还喜欢穿有格瓦拉头像的T恤衫，别看从杂志社退下来了，社会活动似乎比当老总时候还多，说起话来火气还挺旺，这本来也没什么，各人有各人的思路追求嘛，可他就容不得对他的观点立场有丝毫质疑，一触即跳，颐指气使，比如我跟我妈议论到恐怖主义袭击，他一旁也没听清我们究竟议论的是什么，立刻大声斥责，说我们愚蠢短视，不懂得危害性最大的恐怖主义是国家恐怖主义！我就跟他说有理不在声高，我妈就提醒他别忘了自己心脏有隐患，他呢，恨恨的样子，说实在的，我觉得他本人就很恐怖，看在我妈份儿上，我才没把这感受说出口。我那表舅战豪则是另一种状态，他家住的那个干休所真跟个大花园一样，我遇上的别的离休老干部，大多认为如今是国家最强盛最提气的时候，心平气和地安度晚年，战舅却不这样认为，一张脸总阴沉沉的，话不多，一旦说出口，确实掷地有声。有回我跟表妹，就是他的小女儿聊天，说起了她爷爷当年为她沐霞姑妈买薰衣草的事，她非常惊讶，说："哎呀，我们家原来阔到了那个份儿上呀！"我就调侃地说："是呀，你们家是先富起来的呀！"我那话音还没落，忽然听见拍茶几的声音，原来被坐在那边的战舅听见了，他脸也不对着我们，也不知为什么那么生气，悻悻地说："一部分人先富起来，既然我们家是先富的模范，那我当年还投奔什么革命，我留在家里子承父业不就结了吗？！"我和表妹也不敢接那话茬儿，赶紧溜出了那大客厅。还有一次大家围着餐桌吃饭，谁也没说什么严肃的话题，他却忽然把碗和筷子往桌上一顿，跟大家说："知道苏联为什么亡吗？根子就在搞'全民党'！"

所以我母系家族里，唯有沐姨让我觉得可以亲近。她在我面前从无沉重的话题。她决心亲自设计、指挥居所的第二次装修，把我找去了，让我参谋。她那方案真是极为大胆，极为浪漫。不跟你细形容了，只说一点吧：她整体上要搞成薰衣草的情调。那时候老楚已经去了珠海，你该知道，他们的儿子，我表弟，在加拿大取得博士学位后，成了一个大"海龟（归）"，娶妻生子，在珠海一家大公司任 CEO，过得挺好。老楚沐姨也在那边买了商品楼，老楚喜欢那地方，去了一住就半年一年的，据说在写回忆录，好几家出版社盯着他那书稿，他是乐而忘返，这边的宅子当然也就任由沐姨折腾，怎么个二次装修他都没意见。

沐姨装修前先清理旧物。我去了发现她有一大摞东西打算拿去当废纸卖，摞在一进门的拖鞋旁边，随便那么一翻，我就跟她说："这些东西您就是不要，也别当废纸啊，哪天我闲了，给运到潘家园旧货市场去，在那儿，这些说不定都是宝贝！"那一摞里有些什么呢？有半个世纪前话剧《钢铁是怎样炼成的》的说明书，我瞥了一眼就尖叫起来："冬妮亚！您演过！"她说："等于没演。"也不知道那是什么意思。还有若干打印稿，都是剧本，剧名下面写着第几稿，有一本居然是第七稿，逗得我直乐，编一个剧值得改那么多遍么？我缠着她问，她淡淡地说："那时候就那么着。

十几稿也有过，改来改去，最后也还是演不成啊。"又有几本还是崭新的长篇小说，叫什么《红栗子》，我听都没听说过，写卖糖炒栗子发家的故事？她怎么看这样的书？当年为什么一买买那么多本？我问她，她只说："样书刚到，没几天就把'四人帮'抓起来了。"这两件事能有什么联系呢？反正净是些这类稀奇古怪的东西，我朦胧地知道，如今专有人搜集这类东西，得空就去潘家园那类地方淘。

这二次装修把沐姨累得七死八活。其间她几次胸闷，尽管去医院检查也没发现什么器质性病变，我妈却提醒她千万不能大意，因为像心肌梗塞那样的隐患，一般情况下并不能通过体检发现，都这么个岁数了，装修个房子何必那么折腾，又不是要登台演出展示才华，你就是装修得尽善尽美，让谁去当好画好戏欣赏呢？跟她这么说的时候她也点头称是，可是一投入到装修的具体事宜里，她又不管不顾了，我们晚辈都表示可以替她代劳，她却回答一句怪话："这次我演 A 角当仁不让！"后来大体上出来模样了，她让我去过目，顺便就配置家具的事征求我的意见。她问我："怎么样？"我有震惊感，却不愿赞好又不敢说不好，她就说："也难怪。恐怕只有一个人能是知音。"她就道出了你的名字。我很惊诧，跟她说我可听别人议论过这家伙，说好听点是怪人，说难听那就叫怪物。她却很自信地说，她能请动你，她觉得你毕竟是个"些微有知识的"——后来我才发现这是《红楼梦》里曹雪芹写下的词汇，"些微有知识的"，是对一个人最高的评价和最充分的信任。

她那天就请你去了。你竟然没跟她上楼看看。举足之劳，你就那么难启动么？你就不能回想一下，这之前在楼下、附近街道上、绿地边，你们遇上，她话里话外对你的铺垫、暗示、明喻、预告与祈盼么？你怎么就那么麻木不仁，那么冷酷无情，那么没心没肺——不，简直是狼心狗肺！是你杀死她！刽子手！

她离开你家大约半小时后，我接到她电话，只说不舒服，我马上开车赶过去，她挣扎着给我开了门，她那模样把我吓慌了，赶紧叫急救车，难道那呜哇呜哇的声音也没引出你的注意？你这杀人不见血的刽子手！

在医院她一度缓解。我给姨父、表弟打电话，座机居然都占线，手机居然全关机。

　　我只记得，沐姨握住我的手，想用力，却使不出劲，她那紫色的嘴唇，完全是薰衣草的颜色，翕动着，我听见她费力地对我说："这一回，我真的把才华倾泻无余了，是不是？"她想对我微笑，可是不成功。

　　医生把我连劝带拉请出了病房，说她已经处于高危状态，倘再一次心肌梗塞，那就很难挽回。

　　第二天早晨她撒手人寰。那时候姨父、表弟乘坐的飞机大概是刚刚降落在跑道上。

　　你知罪吗？

　　你将如何救赎？

2004 年 6 月 30 日写完温榆斋

一畦春韭绿

艾凯获说，走，我们一起去，去红友宾馆。

我说，你又忘了，那儿已经不叫这个名字了，而且，原来的建筑，全拆了，现在起的大高楼，身上穿着玻璃时装，头上戴着亭子帽，你想怀旧，它可是一点儿不想跟你配合了！

艾凯获说，那么，我们去压压马路。

我说，真懒得动。就在我家，坐这儿聊聊吧。

我家的猫，跳到艾凯获放外套的那张沙发上，把鼻子凑拢袖头，嗅个没完。

我轰猫，猫不但不走开，还伸出舌头，舔起艾凯获外套来。艾凯获扭头望去，笑说，它是闻老外胳肢窝的味儿啦！我厉声吼，甚至跺脚，猫才快快地跳开、走掉。

一时无话。我便劝艾凯获喝茶。

我和艾凯获，是名副其实的老朋友了。

二十五年前，在大街上，艾凯获走他的路，我走我的路，开头他没注意到我，我也没注意到他。也是机缘凑迫，他大大咧咧地走着，忽然想打喷嚏，从衣兜里掏出块大手帕，去捂鼻子，这就把衣兜里的钱包，给带出来，掉地上了。当时我在他背后十来米远的地方，见状忙喊，同志！钱包！他闻声煞住脚，扭回头，我这才发现，他是个老外。这可是个听得懂中国话的老外啊！他拾回钱包后，趋前向我道谢，不仅是会说中国话，而且语音咬得相当地准。我们于是有了第一次握手。

跟艾凯获的第一次握手，给我带来了老大的不愉快。

艾凯获走开好几分钟，没影儿了，我走到公共汽车站，等汽车，这时候就有个人站到我身边，轻声地跟我说，你过来一下。我跟他过去了一下。就在人行道的大杨树底下。那人问我，刚才你跟谁说话呢？我说，没跟谁说话呀！他说，怎么没说话，你们还握了手呢！我说，啊，是那么回事儿……他听完我的解释，脸上没什么表情，只是说，唔，你以后要注意点啊！他走了，汽车来了，我挤上车，心中不忿，我学雷锋，都学到国际主义高度了，要我以后注意什么？！恰巧汽车拐大弯，身边人的大屁股整个儿杵到了我髋骨上，我扯起嗓子便抗议：别跟我这么亲密无间，成不成？！

可也真是祸兮福所倚。过了几天，我们单位工宣队队长忽然满面春风地召见了我，说是要在大会上表扬我，因为我学雷锋的事迹，在外国专家当中已经传为美谈了……我除了拼命地谦虚，加上分外地谨慎，还能怎么样呢？

二十年前，我和艾凯获第二次握手。那时我在杂志上发表了几篇小说，属于"反思文学"之流，艾凯获负责翻译我其中一篇，实际上他已经翻译出一稿了，但有些个疑难处，必须当面请我解说，于是通过单位——那时单位已没工宣队了，权力机构称"临时领导小组"——安排了我们的会面。地点是在我们单位的会客室。"临时领导小组"负责外事活动的老魏没坐暖沙发就要撤退，我一再让他留下，他也还是没留，只剩下我和艾凯获两个人待在那屋子里。说实话，二十年前的我，在那么个场合，心里头可真是有些个不踏实。不过艾凯获一点儿没有难为我，他没问什么尖锐、敏感的问题，倒是为我小说里的诸如"瓜菜代"、"猫儿腻"、"以外事促内事"等词语短句讨论了好半天。

后来艾凯获回他的祖国了。我没想念他，忽然有一年的元旦，我接到他寄来的一张贺年卡，贺年卡上的祝辞是现成的，他只签了一个名，准确地说，是签了两个名，一个用他母语签的，一个用汉字签的，他的汉字看上去可不怎么样，没他的中国话漂亮。那时我很少有从西方国家寄来的贺卡，因此把它陈列在窗台上最抢眼的地方，有一天我侄子跑了来，见了贺卡便问，装贺卡的信封呢？我说没保留，他伸出食指点着我，把头摇得活像个拨浪鼓，半天说不出话来。

侄子这些年来，可以说是我的启蒙师。启什么蒙？凡一种新潮起来，我尚懵懵懂懂，他总是在飘然而至时，给我棒喝，使我有醍醐灌顶之悟。国外贴有盖销票的实际封之宝贵，远胜于国外的贺卡，这便是他给我启蒙，使我从蒙昧状态中惊醒之一例。

偏巧侄子那时在红友宾馆工作。据他说，原来的那些外国专家，特别是从西方来的专家，其实在其本国，简直什么也不是，不过是些个在大学里学了几年中文，往往还并没取得什么学位的年轻人罢了，他们只是因为左倾，像艾凯获，是他们那个国家的红卫兵，好像还不止是红卫兵，他们十几二十个小伙子、小姑娘，还成立了共产党，当然，那边原本有共产党，可他们认为那个党已然变修，唯有他们才算是真正纯正的共产党，为与变修的那个党区别开，所以他们的共产党是要加括弧的，括弧里注明马列字样；他们可不是闹着玩儿，是真格儿地干革命；他们的党魁，在中国文化大革命如火如荼地开展时，是来北京取过经，被毛主席接见过的！侄子煞有介事地跟我说，艾凯获只差一票，没被选进那个括弧中注明马列的党的政治局，否则，毛主席接见时，他也会在座，而且《人民日报》头版还会登出大照片来！……侄子说，现在，像艾凯获那样的外国专家，差不多都被礼貌地辞聘了，当然，也不能说他们没有贡献，比如，光是翻译"我们心中最红最红的红太阳"、"狠斗私字一闪念"什么的，也得说是没功劳有苦劳吧！……可是，现在请的外国专家，好像都是正儿八经的学者、教授了，当然啦，这些个专家也许写过关于墨子，或者《红楼梦》的论文，可是却听不懂"在大跃进那时候"这样的话，竟然傻问：什么？在使劲儿一大蹦的时候？那是什么时候？！……侄子的这些闲言碎语，我听来心烦气闷，便给他来了句：偏你知道！

十四五年前，艾凯获又来中国了，他从一家宾馆，不是红友宾馆，是一家新盖起来的宾馆，给我往家里打来了电话，我很高兴，他说他想见我，我问他停留几天，他说明天一早就飞西安，于是我便请他当晚来我家一晤。我家紧急行动，变戏法一样置办了一桌丰盛的晚餐，可是左等右等，直到八点半钟，他才按响门铃，迎进他来，问他吃过了没有，答曰吃过了，很令我败兴；请他再吃一点，他挺随和，坐到饭桌边，我给他斟上茅台酒，他说，啊，这很贵的呀！可是端起酒杯，一饮而尽，并且相当熟练地用筷子搛菜下酒，胃口居然颇畅……酒酣耳热之际，我冒昧地提起，能否帮我儿子到他们国家留学？他捏着酒杯说，应该去留学，不过，经济担保，那可不是一件简单的事……好吧，是件复杂的事，可怎么着进入那复杂，他可是不再言及了。当然，我请他喝茅台酒可并不是为了给儿子留学铺路。我们天南地北地畅聊一通，他听中国话的能力实在很强，说中国话呢，除了个别时候要辅以手势，先问：那个，怎么说好？我略一提醒，他也就把句子造出来了。当晚送走他，已是月明星稀。

第二天侄子跑来，我提起艾凯获，他先问我，您看他混得怎么样？我说看上去不错，原先在中国当专家，穿中国人衣服，从背后看，也就是虎背熊腰，显得大一号罢了，现在一身西方名牌休闲服，住大宾馆，旅游路线包括西安、桂林，俨然是客从西方来的模样了！侄子冷笑道，您哪儿知道，他那身休闲服，搁在咱们中国自然招人眼，其实在西方，那种品牌只是所谓的大众名牌，远不是真正厉害的大名牌，而且，您知道他是怎么来中国旅游的吗？他是在一个小旅行社，给人当临时导游，挣些饭钱罢咧！像他这种人，在他们国家，是上了黑名单的吡！也就是，被内控的。像他这样的，懂中文的，最好是进外交部门，可人家国家能容他进吗？再，就是到大学教书，可是大学也难容，何况他还没拿到学位；好，您说他就去商社吧，现在对华贸易不是越来越火吗？可商社也不愿雇佣他这号的，于是乎，只好打打零工，当当赴华旅游团的导游……侄子没说完，我便怒吼：偏你又知道！他还犟嘴说，我现在就在他们那个旅游团下榻的宾馆当差，当然门儿清！

侄子的话，不可全信，也不能全不信。检讨起来，我这么个人，直到十五年以前，总体而言，还是分不大清老外跟老外的贫富区别，因为他们老外，粗粗地看去，穿得似乎都不错，吃得更似乎都差不多，尤其是来到中国，咱们这边是把"外宾"和"首长"

并列的，都很尊贵，属于事事"优先"的一群，因之，凡能听、说中文的，我总习惯于把他们统称为"汉学家"。十三年前，我得以迈出国门，而且去的就是艾凯获他们那一国，虽属走马观花，大体上可是弄明白了，那边虽然总体上比咱们富裕、文明，可是，人跟人之间，差别也还不小，拿住房来说，有单独住一栋小楼的；有自家虽是独门，却是若干家小楼连为一体的；有住豪华高层公寓楼的；也还有住旧公寓楼的……人们的住房状况，基本上反映出其社会地位的高低；倘是汉学家，一般都是在大学里取得了教授职称的，住得会比较体面舒适，而像艾凯获，我去他家小住了三天，他那时的身份，是个领救济金的失业者，只与他的女友，合租了一个旧楼中的单元，当然比一般中国城市居民，如比我在中国所住的那个单元，面积还是要大一些，然而绝不令中国人向往，时届冬日，他那个单元，要自购煤油灌进一个什么很陈旧的东西里去烧，才能取暖。他和女友很热情地款待我，说是要请我在外面吃饭，我跟他们出了单元，他们没有小汽车，带我去坐电车，明明来了电车，他们却不带着我往上登，不是因为路线不对，而是因为来的是一辆带有旅游观光性质的电车，车票会贵很多；后来坐上了普通型电车，下了车，满眼都是饭馆，可是他们哪家都没带我进，直到走完那条街，拐了个弯，才带我进了一家卖比萨饼的饭馆，我记得他家住的那条街上，就有个比萨店呀！直到我们吃上了比萨饼，他才告诉我，这一家是全城卖得最便宜的，而且，他从什么地方搞到了这一家散发的优惠券。嚼着比萨饼的时候，想起我曾幻想请他为我儿子留学作经济担保，心里弥漫出的不是自我惭愧，而是对他形同伤害的内疚。

艾凯获在他祖国似乎始终不能得到一份正式的工作，他就不断地当旅行社中国线的临时导游，以此挣钱。他每次到了中国，总要跟我联系，我总请他来我家小坐，有时我请他喝茶，有时也弄些下酒菜，促膝小酌。他每来一次，便惊呼一次，啊呀，变得真快呀！跟他熟了，便直率地问他，这变化你受得了吗？他坦言，有的景象不能接受，比如在越盖越豪华的大饭店里，冒出了一些个中国大款，他们在歌厅中公然左搂一个，右抱一个，一掷千金，粗俗喧哗，他问我，怎么可以这样？

　　十一年前，我搬了新家，他走进我家的客厅，一见墙上的挂毯，便不由说，啊，中国也有这样的了吗？这个句子不算太通顺，但意蕴深厚。他来我家多次，从未给我带过礼品，这回难得地给我带来了一个小小的玻璃雕刻摆设，是在机场买的，他很实在，不顺水推舟地说，以此祝贺我的乔迁之喜，而是告诉我，他结婚了！问，是不是跟那年我们一起吃比萨饼的姑娘？他说，啊，你还记得她！不是她，是另一个，这一个也很漂亮……我说，你结婚，应该我送你礼物才是，怎么反倒收你的礼？他说，因为他要到大学读学位去了……西方人是否都常常像他一样，因为自己高兴，便送朋友礼物呢？我观赏着那跑鹿玻雕，问，你以前不是告诉过我，没钱去读学位吗？他笑道，我发财啦！我说，你能发财？我不信。他这才告诉我，是他妻子支持他去读学位，显然，他娶了一个富婆。这天闲聊中，他告诉我，他们当年的伙伴，有的已经拿到了学位，并争取到了大学的教职；有的已被大财团雇佣；而最令他感慨的，是有一位进了外交部，并且很快会被派驻中国……望着他灰蓝的眼睛，我从中既看到了兴奋，也觉察到了类似嘲弄的光波……不光是嘲弄那些当年的伙伴，更是自嘲。

　　后来有一年的夏天，他深更半夜打来个国际长途，问我，你安全吗？我告诉他，没事儿。没说上两句，他也就挂了。此后却又好久没他音讯。有一天侄儿跑来，不知怎么提起了艾凯获，侄儿说，这个人现在很成问题，在外头杂志上发表了若干言论，我说你怎么知道。他说不信你问毛弟，毛弟一定看到过，毛弟是我儿子，已经申请到全额奖学金，到美国留学去了。我说，我问他这个干什么？你知道，你说说看。侄儿就说了些不知从哪儿听来的消息。我估计有那个可能。他不是中国人，他用不着几个坚持。我想，他也许近期内不会再来中国了。

　　我想错了。艾凯获没多久又出现在我家客厅。他对变化急剧的中国有好多看不惯的地方，谈话中不时地以质问的口气说，怎么可以这样？然而，他也喜欢很多中国的新事物，比如张艺谋和陈凯歌的新片子，崔健的摇滚曲，还有写着"别理我，烦着啦"等字样的文化衫什么的。本来，艾凯获在中国所看不惯的现象，其中不少是我也看不惯的，而他所喜欢的一些迷眼"乱花"，也是我极感兴趣的，可是，不知怎么搞的，他的口气，开始让我听来刺耳，于是，我跟他抬起杠来。我说，你老问我，怎么可以这样？其实，我倒要问问你，你这次来中国，是跟着你们国家的大财团来的，虽然还是临时性质，但趋势是，你将成为其中的一颗正牌螺丝钉，那么，好，中国所出现的这些你看不惯的种种现象，究其根源，不能说全部，但可以说，大部分，都是跟你们西方跨国资本的进入，或者用中国自己的说法，叫与国际接轨，相关联的，你既然看不惯，既然认为中国没必要这样，那你为什么又随着西方跨国资本进入中国，请问，怎么可以这样？！你现在喜欢"大红灯笼"，喜欢传统京剧，比如虞姬舞剑什么的，可是，当年你所喜欢，不，不仅是喜欢，可以说是崇拜的，不是大红灯笼，而是闪闪的红星，是"京剧革命"的"丰硕成果"，对不对？如果说，你有权改变你的向往，你的喜好，那么，为什么别的人，尤其是普通的中国人，就不能改变他们的爱好，比如说，喜欢上可口可乐、卡拉 OK 什么的呢？

艾凯获被我抢白了一通以后，看样子没有生气，但愣愣地半天没有吭声。良久，忽然问我：这两句古诗，是谁写的？……一畦春韭绿，十里稻花香……

这真古怪！

艾凯获说，我的论文导师，在我这回来中国之前，忽然这样考我……我查了许多唐诗资料，都没查出来，难道是宋以后的人写的？这样直白简捷的句子，却又如此富于意象，有色彩，有味道，有情调，非盛唐莫属吧？……

我问他，这和你的学位论文有关么？他说，没有直接的关系，但是，我应该能尽快回答。我问他，论文题目是什么，他告诉了我，很冷僻的一个选题，我说，我想不通，你做这样的论文，你今后多半并不能靠这个学问吃饭，难道仅仅是为学位而学位，拿学位当敲门砖，以便比如说，谋个你这次随着来的这种跨国公司的差事，当一个你们制度下的守法，而又富裕的雅皮士么？

他似乎是点了点头。灰蓝的眼睛里游动着自嘲，却也掠过了几丝酸楚与苦涩。

他沉吟了一下，说，我有过难忘的青春……然而，青春期过去了……

我说，是的，我也一样，许多中国人也一样，都有过激情澎湃的青春期……然而，也许是，整个民族的青春期，都成为了过去，而成熟，是伴随着幻灭，伴随着痛苦，伴随着惶惑，伴随着焦虑，那么样的一个过程……

那一回，可以说是我们相识以来，交谈得最深入，而且心灵有所碰撞的一次聚会。

那回他临走前，我告诉他，一畦春韭绿，十里稻花香，这两句前头的四句是，杏帘招客饮，在望有山庄，菱荇鹅儿水，桑榆燕子梁，确实非常优美，自然天成，恍若盛唐佳句，当然啦，这首五律末尾两句不怎么样，是，盛世无饥馁，何须耕织忙，属于对封建皇帝捧场的颂圣套话；这些诗句，都是《红楼梦》里的，是清代曹雪芹写的，不过，在书中的情节里，它是作为男主角贾宝玉奉他姐姐，也就是皇妃贾元春的命令，署名献上的，而实际上，又不是贾宝玉写的，是书中才情过人的女主角林黛玉，为贾宝玉作弊，一挥而就写成的……艾凯获叹息说，原来如此，一环套一环，好像你们的一种传统玩具，叫九连环吧，很难解释清楚的，我的导师给我出的，是个很难的题啊！也许，他是希望我由此懂得，中国文化有多么深奥，多么奇妙！我说，其实，我的记性现在越来越差，中国古诗浩若烟海，哪能记得许多？只不过这一阵，常重温《红楼梦》，碰巧你问的，是我正重温的，所以可以给你指出。他极表感谢。

倏忽到了今天，他又来中国，并且又跑到我家，我问他，你那一畦春韭，绿了吗？他望着我，灰蓝的眼睛里整个儿是个反过来的问号，我就说，是问你，论文答辩通过了吗？学位可已拿到？是否已成为那跨国公司的正式雇员？他懒懒地，简单地告诉我，他跟妻子离婚了。这回他又是充当临时导游，随旅游团而来。这个旅游团里净是些个中年妇女，大都是富翁之妻，她们游完我们这个城市和西安等地后，还要去西藏，然后从西藏到克什米尔，总之，因为闲得无聊，也因为钱多得发烧，所以她们要寻求最奇诡的刺激。这晚游客自由活动，艾凯获得以到我处再聚。我问，这回还对我们城市面貌的变化吃惊吗？他说，这回没那个感觉了。我说，好像两个池子，水流平以后，也就不觉得稀奇了，是不是？他说，听不懂你的意思。我说，懂不懂，随便吧。反正是，前几年来，你一看，呀，有大高楼了，呀，有肯德基、麦当劳了，呀，有那么多广告了，呀，游客可以不必"白天逛庙，晚上睡觉"了，酒吧茶室，歌厅舞榭，夜生活,可以随便享受了……现在呢,你只觉得,无非是数量的增加,令你惊奇的东西,倒不多了……他说,这回,我听懂了。我说,摇头不算点头算,他却既不点头也不摇头。

他忽然提出来,想去红友宾馆转转。他怀旧了。怀当红色专家的那段旧。现在那儿全变了。我劝住他,让他留下来聊天,可是,竟再没多少话好说。

猫又去闻、拱、舔他的外套。忽然想起侄儿——他已经成为一家宠物店的老板——跟我说的,我应该多给我这猫吃伟嘉牌的吞拿鱼猫粮罐头。我对猫大声说:"别捣乱,走开!"

1998.3.17 绿叶居

榆　钱

1

　　没尺子不要紧，咱们就用手量。把右手食指和小指使劲张开，绕着她的腰摆了几摆，不到四拃！您信不信？就那么苗条！

　　就在那间小屋里，我跟苗香发生了关系。

2

　　那间小屋在一个农民院里，西厢房。有出古戏《西厢记》我当然知道，在那间西厢房里，确实也有关于那出戏的联想。我们之间也有红娘，不过那红娘是个男的，是我的战友。提到战友，您就知道我当过兵。当过整整五年的兵。战友王建东不仅是我的红娘，他首先是我的大恩人，大恩人在古戏里很多，可是我一时想不起拿什么戏里的角色来打比方。就不比方了吧。反正王建东对我恩重如山。我们一起复员。他老家在安徽，我老家在河南。他来自一个地级市，我来自农村。他回老家有城市户口，我回老家就还是农村户口。结果他帮了我好大的忙，让我跟他去了他那个市，把我的户口落在了他家所在的那个派出所。您问花了多少钱？别这么问，怪那个的，我不也不细问您的事儿吗？

　　那间小屋在一个农民院里，西厢房。当然，是临时租的。啊，当然，我说的那间西厢房，是在北京郊区的一个村子里。可是要把事情捋清楚，还得说另一处西厢房，就是安徽那个市里一个偏僻角楼落里的一个院子里的西厢房。简单地说吧，王建东回去就结婚了。洞房占了西厢房的两大间，另一间连着的小屋子堆东西，也支了一副铺板，我就睡那上头。各间屋子之间的墙壁不隔音，加上我又把耳朵贴到墙上去听，那洞房里的响动就让我心里头仿佛有只小锅在扑腾，锅里也不知煎熬些个什么，又酸，又甜，又苦，又黏……后来王建东看出来了，有天就笑着跟我说，你也该真的吃点荤的了……

那间小屋在一个农民院里，西厢房。不过在那里头吃荤的，所吃的，还不是王建东当红娘让我捞着的。您必得听我一步步往下讲才闹得明白。其实也好明白。都很简单。

在安徽那个市里，王建东帮我落下了户口，还提供了睡觉的地方，可是工作他让我自己去找，我也很快找到了一份工，是在他家附近一家饭馆配菜。在部队我当了两年炊事兵，刀工非常好，打这份工用一句文词儿，叫游刃有余，对不对？王建东自己的工作当然比我强，他在那里有丰富的社会关系，没费什么劲就当了一家大商场的业务员。他给我介绍的对象，就是他们商场的收银小姐。这位小姐不是腰细腿长的苗香，她脸庞挺中看的，腰身没有苗香那么妖娆，名字就免提了吧。她跟我交得也挺深的，搂搂抱抱，亲嘴摸乳，都是有的，只是没发生那种关系。她跟我聊天，给我印象最深的话是，她最恨大额钞票，倒不嫌弃钢蹦儿。想想也是，顾客递上大额钞票都得放验钞机上验，有时就验不出来，但是往银行送，人家银行却验出来了，这就要追究收银员的责任，往往还要扣工资赔上；可是钢蹦儿就不用验，银行收的时候过秤计值，也还没发现过伪造的。一个不爱大钞的姑娘，想想真难得。我跟她单独见面没几次，她就带我去了她家。平常人家。她爸她妈对我都不错。我把她的照片也寄回河南老家，给我爹我娘看了，扬言我这个有了城市户口的人，将会带着个城里的媳妇回乡下，让他们以及我们整个家族在村里脸上红光耀眼。可是临到谈婚论嫁，她爸她妈很干脆地跟我说，只要我拿得出三万块钱来，婚事马上可以张罗。

我哪儿能一下子变出那么多钱来呢？我就说让他们等几年，我拼命去挣。他们问你几年挣得出来？他们里头，自然也包括那姑娘本人，她眼泪汪汪，可是掐着手指头帮我算了算，就凭我配菜的工资，到手后一分钱不花，也得六年以后才能达到三万，她可实在等不起啊！我跟她说，也许我能换个法子，挣得更多些，她等的时间，也就兴许能短些，她就问：你抢银行去啊？问的语气倒是软绵绵的，可像尖刀一样刺得我的心汩汩喷血。我跟她的最后一面是瞒着她爸她妈，约在公园外头墙根下见的，那天下午飘起雪花，我觉得天空是件巨大的被撕裂了的羽绒服，雪花就是从裂缝里抖出来的鸭绒毛，落得我满身满脸全是，不觉得冷，只觉得热，热得心上发麻。记得我问她：你不是不喜欢大额钞票吗？她点头说，是不喜欢百元大钞，不过如果有一手提箱的钢蹦儿，数出来够三五万的，她会非常非常喜欢。我说你嫁的是人还是一手提箱的钢蹦儿？她说你不能怪我，更不能怪我爸我妈，如今结个婚，三万是最最起码的数目，连这个数目也没有，谁敢结婚呢？我听了头脑立刻清醒起来，觉得头上脸上落的不是鸭绒，是能融化的东西了，她就手里捏着手绢，给我擦脸上脖子上的水，我就跟她说，也是也是，王建东结婚花了五万，房子还是家里现成的……我就祝她幸福。

您说根本没有撮合成，王建东算不得红娘，我不那么认为，我觉得王建东比红娘还红娘，他甚至想借我一万块钱，还借我那间小点的西厢房，他对我真是太好了。可是人家觉得不能那么凑合。确实也是，怎么能那么样凑合呢？我就问王建东，他广州有没有亲戚什么的，他说哎呀没有，问我是不是想往广东去淘金？我说必得试试去了。第二天我拎个包就往广州去了。

3

您一定急着让我讲苗香。您是搞文艺的，我懂，您要搜集素材。可是我的这些事儿不够格儿当素材。我看电视，看连续剧，不有好些个都市言情剧吗？有的挺抓人，勾人看完一集还想再看一集，但那都够不着我的生活，不，该这么说，是我的生活够不着那些个电视连续剧。我的生活就这么笼统着往下说，也还是毛刺太多，让您觉得太不清爽，太不艺术，而且，意思也太简单，没个深刻劲儿。对不起，没办法，我就这么活过来的，恐怕也还要这么活下去，拖泥带水，肤浅庸俗。您还愿意听？我也还愿意讲。

我到了广州，下了火车，已经是晚上了，街上灯火辉煌，越往前走，两边来往的人就越显得体面，穿的好，手里提的东西，无论是黑亮的公文包，还是鼓鼓的有外国字的购物袋，也都让我越发觉得自己穷酸，对，穷酸，原来我知道有这么个词儿，可是，只对那个穷字有体会，对酸字就没感觉，现在可好，我对穷酸这个词里的酸字，体会深刻，深深地刻进心窝里去了。我盲目地往前走，哪儿灯火漂亮往哪儿去，可是越漂亮的地方，就越让我心酸。我不知道该在哪儿停下来，睡在什么地方。那一晚，我把腿也走酸了，整个人成了一棵醋熘白菜，真是棵白菜也好，可我分明又不是，我是一个人，但我这算是一个什么人哪？那晚我对自己说，你知道了吧，你是一个多余的人……

但是我第二天傍晚就找到了工作。我挨家挨户去问那些商店、餐馆，要不要我干活？我会开汽车，会配菜，更不消说浑身是力气，搞卫生扛东西打杂更不是问题……问到第三十七家，是个不大不小的中档餐馆，老板接纳了我，让我配菜。后来跟老板熟了，问他怎么那样爽快地接纳了我？他说第一眼看见我那一米八的个头，立刻觉得我是一条好汉，再加上我递给他的复员证，他对当过兵的青年总多些个信任，发现我的年龄不到二十五岁，脸上还存着些孩子气，就更喜欢我了，因此毫不犹豫，当天就收容了我。广州毕竟是广州，在这样一家中档餐馆里配菜，工资比在安徽那个城里的高档餐馆里当同样的配菜工还高出一截。但是收工以后，一个人默默算计，还是觉得难以很快地挣出娶媳妇的钱来。您问为什么不下个决心回河南老家去娶个媳妇？怎么这样问我？我不是有了城市户口了吗？我好不容易成为了一个城里人，怎么能忍受回老家落户的结局？在广州，有人说我是外来民工，外来民工指的是农村来的没城市户口的人，我就总是耐心地纠正他们的说法，告诉他们我不是外来民工，我是易地工作的城里人，为的是这边工资比我户口所在地的工资高，水往低处流，而人往高处走嘛。

好了，苗香马上要出场了。

4

我坦白，第一眼看见苗香，我心里一震，就有想搂住她亲嘴，跟她上床睡觉的冲动。这样的冲动，说出来，就叫调戏，做出来，就是流氓，如果人家不依，告了你，就是犯罪，要抓起来判刑，这我当然都懂。但是我心里一震以后，心弦嗡嗡嗡地私下里抖搂，但是嘴里不说，手脚不乱，更不去强迫人家，那就是个好人，对不对？您见了中意的人，心里也会这么一震，对不对？如果您说绝对没有过，那我就不懂了。

第一回见苗香，是在医院里。不是我病了，是有个老太太病了，那可是个有身份的人物，她一个人住一个病房，那病房里有卫生间，有彩电冰箱什么的，还有一套沙发。说她一个人住一个病房，是她有那么个资格的意思，实际上是两个人住，另一个人就是苗香，苗香晚上睡在那个长沙发上，她不是医院的护士，是病人家属另请来陪床的护理。我去那医院，是按老板的吩咐，给老太太送一样菜去。医院的伙食很不错，可是老太太还想吃些特色菜，她的亲属就在我们餐馆订了菜，让给送去，以前都是派个服务员送，那天不知为什么老板忽然让我跑一趟，我拿着提盒进了病房，苗香走过来接，我俩顿时身体之间的距离近到两尺以内，我以为一下子嗅见了她的气味，不是香水香皂什么的气味，是她身体本身的气味，你不信？病房里会有消毒液什么的味道，一定掩盖了所有其他的气味，何况那病房里还摆着些看望的人送去的花篮、花插，气味该是很混乱的，确实，后来我也感觉到了那个混乱，但在苗香走过来接我手里的保温提盒时，我鼻子里却只有她的气味，哎，活人的气味，活女人的气味，年轻的活女人的气味，真让人迷醉啊！

那天晚上我就在自己被窝里靠想象跟苗香一起睡了。这没什么不好意思的。后来苗香跟我坦白，她也曾在被窝里靠想象跟我睡过，只不过那是在跟我接触到第五回，看见我在篮球场上光穿着汗背心打篮球之后的那个晚上。那天我难得地轮休一天，却并没有送菜的任务，于是我管自提了些水果去那老太太的病房，老太太睡着了，苗香接过水果，也不问我以什么名义，那水果究竟是给老太太还是给她的，只是抿着嘴笑，然后告诉我老太太再过些天可能就要出院了，我就凑拢她身前跟她说我要跟她保持联系，她就给我留下了一个电话号码，我刚把电话号码记下来，就有老太太的也不知道是女儿女婿还是儿子儿媳妇来探视了，我忙抽身走了，也不知道人家问没问苗香我是谁，以及苗香怎么圆的谎。我下了楼，医院绿地那边篮球场上正有些年轻人在打篮球，我就过去跟他们一起玩，也没人细究我是谁，我玩的时候就总觉得远处那楼房高处有扇窗子里有张放光的脸，死死地盯着我，那就是苗香，为了她，我玩得格外花哨，一会儿勾手投篮，一会儿跃起盖帽，有时还爽性双臂吊到篮球架的横档上，像练单杠那样奋力引体向上，我觉得浑身肌肉都在像花朵一样怒放……

5

苗香也不是广东本地人，跟我一样，也不是外来民工，也属于易地工作。她来自甘肃一个县城，跟我不同之处是，她是跟哥哥弟弟结伴来的，哥哥弟弟都进了工厂，在流水线上干活，她一直作杂工，换过很多活路，最后才找到这份护理工，虽然二十四小时都得随时伺候病人，但工资是每天六十元，比哥哥弟弟挣的还多，也不用另外租房子住，随着病人订饭吃，自己不用花什么钱。有的病人要接屎接尿，频繁地给翻身、擦身，有的病人像我见到的那位老太太，能自己去卫生间方便，只要注意扶着就行，所以这活路也不能说是非常地艰苦。我后来抽空去医院，都是趁病人睡觉，又没有医生护士查房，亲友什么的也没来探视，就把苗香叫到病房外大回廊上，站着小声说些话。现在也不记得究竟都说过些什么话，只记得她眼睛仰望着我，闪闪的，嘴角朝上弯，分明是喜欢我，而每当我不得不离开时，她眼睛就晴转阴，嘴角有点朝下撇，分明是舍不得我。

那个老太太出院后，苗香又伺候了另一位半老太太，但这位半老太太是癌症后期，完全丧失了自理能力，也不向餐馆订菜，加上她的亲属频繁地来病房探视，我就很难再见到苗香了。

　　这时候发生了一件极不愉快的事情，就是我发现我的身份证丢了。老板是个很认真的人，他说我应该回安徽补一个身份证。确实应该回安徽去补。我给王建东挂了一个长途电话，他说那你就快回来吧。回安徽以前我想无论如何要跟苗香见一面，我就硬闯到医院去了，结果发现那个病房里换了个病老头，还有个呆头呆脑的男护理。说是那个得癌的女病人死了。女病人的护理，姓苗的姑娘呢？人家说不晓得。我就去住院处查，那里有所有护理工的名单，上面有苗香的名字，但注明她回家待命去了，就是这期间没有女病人需要她护理了。我就马上给她打电话，接电话的人说的广东话，大意是这人现在不住这儿了，搬哪儿去了不知道。放下电话，我就觉得身体成了个掏空的腔子，这样一个空腔子，还要身份证干吗呢？

6

　　到头来我还是回到了安徽，回到了那个给我带来城市户口也带来伤心回忆的地方。下了火车我就去王建东家。他不在家，他媳妇说他临时被派到连云港押货去了。一年过去，我发现他家重新装修过，比结婚时候更漂亮了。那间原来堆东西、给我住的小厢房，跟大厢房打通了，布置成了育儿间。当然最大的变化是王建东有孩子了，她媳妇把我让进屋里没说上几句话，就抱着胖儿子喂奶。本是熟人，风俗上女人喂奶也不避旁人，那媳妇在我对面沙发上坐着，露出一只鼓鼓的白奶子喂那孩子，我见了心里酥痒，有伸手去摸那奶子的冲动，当然我并没有真的干那样的事，那是绝对不能干的，我只是在想象里摸了一下。

　　王建东媳妇对我不咸不淡的，问我在广州是不是发财了？我如实告诉她，那边工资高一些，但我就是拼命地俭省，也还是存不出多少钱来，加上说话上跟一般人难以沟通，因此找到更好的工作也难。王建东媳妇忙着照应孩子，连杯水也没给我倒。她喂完孩子以后，就拿出我存在她家的户口本，搁到茶几上，意思是让我拿去补身份证，以后也就由我自己保存。她还说，其实现在哪儿都有给人做身份证的，

广州肯定做得更像真的，价钱总比坐火车跑来回省吧。我就说我还是要真的。她淡
淡地说了句，就跟这儿吃晚饭吧。那时候才下午四点多，我听了就明白我在这个厢房、
这个院子里也成了一个多余的人。后来我在那个小城的街道上走，心里头重复着刚
到广州那天的感觉，那种感觉还挺像心尖上粘了些捏不下来的苍耳子。我本该去派
出所，却朝相反的方向走，也不是故意的，实在是我也不知道自己命里的这步棋该
怎么走了。忽然我发现有两个身影跟别的身影不一样，别的身影对我没有什么意义，
这两个身影却从许许多多的没意义的身影里跳了出来，跟浓墨泼出来的似的，使我
马上想到三万这个数目……说准确点，那身影不是两个人而是三个，是一对老头老
太太推着个儿童车，儿童车里睡着个孩子。当然啦，您猜出来了。我停住脚步，呆
呆地站在那里，也不知道他们的身影是什么时候消失的。夕阳裹在我身上，先是觉
得发热，后来就觉得发冷。后来，我转身疾步朝一个地方走去。不是去派出所，也
不是去小旅店，是去了火车站。

7

您以为我回广州了？不是，我去了合肥。

在合肥下了火车，我发现随身的挎包裂了一条口子，肯定是我在火车上迷迷糊
糊的时候，让人用剃胡子刀片给拉的。损失极为惨重。一个放着我全部积蓄的厚信
封没了，户口本也没了。我垂头丧气地在车站外广场上，靠着广告牌的立柱痴呆了
好半天。后来所有知道这事的人都给我放马后炮，说我怎么那么笨，为什么要带着
几千元现金旅行，应该去银行办个通存通兑的活期存折嘛，设了密码的折子即使被
人盗去，他也取不出来，你通过报失也还能追回损失。

说实在的，丢了那么多钱，我却并不特别悲痛。您已经知道，我丢失过更为宝贵的，
而且不止一次。风吹到我身上，头脑清醒些，我到僻静处清理自己的东西，发现复
员证、驾驶证都还在，仔细想想，我那户口存根在那派出所也该还在，我丢的只是钱。
我一个二十六岁的年轻人，一米八的个头，浑身是力气，我可以再去挣钱。我不想

再去饭馆配菜了。我决定去职业介绍所。我想起来我裤子腿的卷边里还藏着一张百元的票子。这是离开广州时我自己缝进去的。后悔当时没多往里头搁两张。这招数是餐馆里一个洗碗工教给我的，他说有回他把别的全丢了，好在还有裤腿里的一百元，让他渡过了难关。当时我是嘻嘻哈哈当着他面缝的，只当好玩。我以为我这么个一米八的壮小伙子，我不抢别人罢了，别人谁专从人堆里挑出我来抢啊？再说我当过兵，最警觉的，偷我也难。但是偏偏就让人给偷窃了。

那裤腿里的百元大票功劳真不小。我去职业介绍所，交了二十元的中介费，又租到一间临建房，预交了五十元房租，兜里净剩三十元，我想凭这三十元我起码能撑十天。没想到登记的第二天我就找到了活儿，是在一个仓库扛包，这活儿虽然累，可是一天苦干八九个小时，把定额完成，能挣三十元，算下来一个月挣的比在广州配菜还多。但是人家不是马上把钱给你，要干足一个月才给你结算一次。我自己仅有的三十元怎么撑得了一个月呢？我就买了一捆大葱，每天就着大葱啃馒头。干那力气活，特别耗费体力，也就特别能吃，从仓库食堂买馒头，比外头便宜，三毛钱一个，我一天怎么也得八个才行，这样一算，无论如何撑不到一个月，一个老师傅，本来他听我去过广州，跟我开口借过钱，我把自己丢钱的事告诉了他，他就跟别人去借了，临到他发现我连吃馒头的钱也没了，反倒帮我借来了三十块钱，这样我就撑到了发工资的那一天，一下子拿到了九百三十块钱，还掉三十还剩九百，我就马上去银行办了个有密码的通存通兑的折子。

8

我知道，您急着要听西厢房里的故事。北京那间西厢房，在一个农民院里，小小的，里头也没怎么装修，挺简陋的，可是，在那些日子里，它就是我的天堂。

从扛大包到进这间厢房，当中还有一千多天的事情。我换了很多工作，辗转了许多地方。最后，来了北京。有个算命的，偶然遇上的，他跟我说，我不适合在南方发展，我的运气在北边。这就是我闯北京的主要动力。您笑我迷信？其实也不一定是迷信。到北京，我有自知之明，就是我这么个条件，根本没办法在市区生存，我只能到远郊找机会。也是转悠了几圈，最后才到了这个榆景园。您是榆景园的业主，您比我更清楚，如今北京这样的商品房小区很多。户口真是不重要了。您不就是外地的户口吗？城市户口跟农村户口的区别也越来越有限，特别是对于年轻人来说，钱就是户口，只要你有大把的钱，就可以在北京买房子、买车，立下脚来。最近不是还有这样的政策出台吗？就是只要你在北京投资或者纳税达到一定数额，特别是能为北京下岗职工提供一定的就业机会，那就欢迎你申请北京户口，批准起来很快。

这榆景园真是个好地方。人气很旺。您的概括很对，这里的基本状况是：一对夫妻一套房，一辆汽车一条狗。夫妻大都三四十岁，有的跟我一边大，有的比我还小点儿，大部分是从外地来的，在北京做点不大不小的生意，发了点不大不小的财，就买了这不贵也不便宜的房子，安下家来，他们的私车也没几辆高级的，大半不过是捷达、富康、桑塔纳，有的更不过是夏利、奥拓；有的养了孩子，有的，用您教给我的那个话，是不要孩子的丁克家庭，但是却几乎家家养了狗，现在连我对这些宠物狗的品牌也很熟悉，什么吉娃娃、贵宾犬、斗牛犬、松狮犬、腊肠、沙皮、斑点……说实在的，我知道北京比这富贵的地方、家庭多的是，离榆景园不远就有茵梦湖别墅，里头全是单栋的小洋楼，那里头住户的私家车最差的也得是别克、本田，休闲设施可不是光有网球场，人家那边有好大的带高架网棚的高尔夫练习场，每天光往里头送鲜花的保温车就总有两三辆，可是那并不让我羡慕，我知道那是我一辈子也够不着的，但是我羡慕咱们榆景园里的买下小单元、开上奥拓都市贝贝的同辈人，他们的今天，就该是我的明天，那是我下把狠力气，能够得上的啊！

我是前年秋天来榆景园开物业班车的。每月工资九百元，管吃管住，这是这么多年来我最满意的工作。住的虽然是集体宿舍，楼房的地下室，跟电工、管子工还有保安队的住在一起，睡上下铺，但是卫生条件不坏，有洗热水澡的地方。都是差不多大的小伙子，我算里头年龄大的了，都管我叫哥，处得挺好的。吃的也还可以，起码不用自己再张罗了，走进食堂，什么都是现成的，热腾腾的。开班车这活儿对我来说挺轻松的。坐我这班车的基本上是些老头老太太，还有进城上学的中小学生，大家都有座位，文文明明，对我挺尊重。物业公司发给我的工作服是黑颜色的西服，雪白的衬衫，还有带榆景园标志的淡蓝色领带，再配上雪白的手套，往驾驶座上一坐，我就觉得自己不是多余的，而是必需的一个存在，心情格外地好。

您急了不是。您怪我怎么还没说到那间西厢房，还有那腰身细细的苗香。您是怎么说的来着？楚王爱细腰，宫中多饿死？我不懂那是什么意思。幽默？什么叫幽默？更不懂了。但是苗香确实就要再次出场了。

9

去年夏天忽然接到一个长途电话，来电话的是个女的，她问："还记得我吗？"我立刻惊叫："苗香！你在哪儿？"原来她也在北京！您说这叫得来全不费工夫？对我来说，当然，真是天上掉下来一个现成的仙女，可是对苗香来说，她可是费尽了工夫才找着了我。大概其地说，她是先从广州我配菜的那家餐馆，打听到我的户口所在地，又从那里联系上王建东，再通过王建东得知了我在北京榆景园打工。我庆幸自己一直跟王建东保持着联系。想起王建东媳妇，觉得是块冰，但是想起王建东，就觉得永远是块能烘暖我的红炭。

苗香跟我联系上没几天，就大摇大摆地到榆景园找我来了。我们物业公司的哥儿们，比我大的都有媳妇，只是媳妇在老家罢了；比我小的也有在老家娶了媳妇的，也有在北京娶了外地来打工的姑娘，在附近村子里租农民房安了家的；还有正讲着恋爱，筹备着婚事的，睡我下铺的管子工小焦就跟小区超市的一个售货姑娘正打得火热；我没媳妇，也没交上女朋友，这个情况大家都觉得很奇怪，坐班车的老大妈老嫂子问起来，更觉得难以理解，他们说我一表人材，帅哥儿，是不是眼光太高啊，怎么会都快三十了还没娶媳妇？有的还说要给我介绍，我也真等着他们介绍，但始终并没有真来给我介绍的，我自己肚子里明白，真要是北京正式户口的姑娘，听到我这么个外地打工仔的情况，没自己的房子，没医疗保险，没养老保险，更别提只有初中学历，又不是做生意能发财的，谁愿意跟我呢？至于外地来打工的姑娘，没结婚的，一般都比我小五六岁，先别说她们也想嫁个有钱人，就是钱财上将就点的，也嫌我老，宁愿去跟小焦那样的年龄相当的凑对子。老大不小，媳妇还八字没有一撇，这是我在榆景园里的大苦闷，也影响我在别人心目里的分量。苗香的从天而降，让我心里的阴云一扫而空，物业公司同事和业主们纷纷跟我打趣，说我原来是故意跟他们隐瞒，敢情我不但有对象而且是个天仙般的美人儿，真是够有艳福，也够能装蒜的，听到这样的反映，我下巴不由得总往上仰，真有点得意忘形，仿佛我那以前真是故意在跟他们卖关子似的。

苗香来了，我就到园外村子里租了那间西厢房。您知道这榆景园就是外头那个村子的村干部把土地的使用权卖给了开发商，那么盖出来的。房东见了我总要发些牢骚，说卖村里的地，得了大把的钱，村里干部现在都坐上了奔驰车，盖起了大公馆，可村民一分钱好处都没有，这算怎么一回事儿？我心想那几个村干部就是坐宇宙飞船也就让他们白坐去吧，我眼前有了苗香就够了！房东又叨唠说那开发商不过是三十郎当岁的小媳妇，也并没有北京户口，自己兜里没几个钱，也不知道怎么就有那么大的能耐，一家伙从银行里贷出了那么大笔的款子来，除了这榆景园，还开发了好几处地方，人家就是有后台，有关系呀，瞧吧，指不定哪一天，揪出个贪官来，就把这小媳妇连带着薅出来！我没听完就离开了，心想那开发商爱有什么后台什么关系就让她有去吧，反正都跟我没关系，她就是被薅出来也不关我事，只要榆景园新换的老板还管给开工资，那我就都无所谓，而且，有了苗香，就是榆景园破产了，乱套了，我跟苗香另外找地方挣钱就是了，也都用不着我皱眉叹气。

10

在那间西厢房里，苗香跟我上床前，说先要跟我说明白。她掏出她的身份证给我看，原来她比我大一岁。我笑了，说这算什么问题呢？再说你看上去比我至少小三岁。她就说，傻子，这么大的女人，到处混事，还能给你个没破的瓜吗？我还没反应过来，她又说，不过你别紧张，我很自爱的，破是破了，一点脏东西没染上的。我就搂过她，亲她的脸、脖子。她就问我："你呢？这之前，回数多吗？"我说从没有过，光是靠想象跑过马，她就反过来搂我，把我箍得紧紧的。

在广州那家餐馆打工时候，男工友们，有时候加上老板，常在一起说些荤笑话，有时候他们用广东话说，我就听不大懂，有时候大家都用普通话，我就听得很过瘾，其中出现得最多的词汇是——床上功夫。跟苗香上了床，我深刻地体会到了这个词的内涵。作为一个成熟的女性，她一步步引导我走向高潮，而她也就享受到了最高潮的极乐。我这才懂得可以有那么多的体位，那么多的方式，并且可以把享受的时间维持得那么长久。

白天工余，我挽着苗香的细腰，在榆香园里散步。我跟认识与不认识的业主主动打招呼。人家都以善意祝福甚至羡慕赞叹的目光表情回应我。您知道榆香园所以取了这个名字，是因为原来这片农田里有棵老榆树，开发设计时以它为中心，布置成了中央绿地。我把苗香带到那棵榆树前头，把钉在树上的标明那是北京重点保护的古树的铜牌指给她看，告诉她榆树的树形虽然不是多么美好，但难得它活了那么久，至今每到春天还是能结出满树的榆钱，熟透的榆钱会在暮春风过时袅袅飘下，洒得人一头一身。那棵古榆原来我的两条长胳臂怎么使劲伸开去抱，也还总是差一截才能手指相碰，有了苗香就好了，她往树背后一站，我蹲下伸出胳臂去够，一手够到她腰左，一手够到她腰右，两个人合起来，恰好把那棵古榆树围成一圈。这不是很吉利吗？

11

我跟苗香谈婚论嫁。我把存折拿给苗香看，几年来我已经攒了三万多块钱。苗香夸我，说不容易。她可知道我这样的打工仔，就是挣得比我多的，也难攒下这么多钱。我基本上不吸烟、不喝酒，也就是说除非人家非要递我一支香烟，或者逢到聚餐什么的，才抽一支、喝两杯；更不参加赌博，不吃零食，必要的开支上也非常俭省，与浪费两字绝无缘分。她说她如果俭省的话，这几年能攒下比我更多的钱，但她现在手上统共只剩万把块钱。其实她也没乱花，她花费得比较泼洒的一是买衣服二是买化妆品，我觉得她那么个美人儿，就是在衣服和化妆品上再多花费些也理所当然。我跟苗香说，我们可以过得很不错。她就别再在城里打零工了，尤其是别再在医院里当看护，我可以找物业经理，请他给她介绍到售楼处当售楼小姐，那工作很体面，基本工资虽不多，但每推销出一套房子都能提成，如今榆景园口碑不错，净有主动来看房的，推销起来并不吃力……苗香听到一半就问，你们这榆景园多少钱一平方米啊，我报出价来，她就说，那我们现在手头的钱，合起来也只够买下个卫生间罢了。我说是啊，就是我们再努力几年，恐怕也还是买不下这里边最小的一套啊。她就问，那我们住哪儿啊？我说可以在村里租房子啊，当然，要租比现在这间西厢房好的，她听了就皱眉头，没说什么，但那意思很明显，就是那能算安了个家吗？我就跟她说，北京的房价太吓人，但是把在北京挣的钱，拿到外地一些地方去，买套小单元就不那么困难了，比如，可以到我户口所在地那里去买；她就说，那是什么鬼地方？跟我姓苗的一点关系也没有；我说我可以跟你去甘肃，在那里买房子肯定更便宜，她就说你干脆回河南老家去吧，在那里盖所房子不是更省事吗？见我一时说不出话来，她就说，我是不能这么样回甘肃去的，你不也不能这么样回河南么？总得在大城市站住脚了，风风光光地回去，才算混出了个人样儿，对不对？后来我就又理出个思路来，说咱们为什么总给别人打工？应该用攒下的钱当本儿，去做生意，两个人齐心合力共同创业，只要选好了项，说不定就能发财，也不用发太大的财，发到也能到榆景园里来住，一套房子一辆车，一个孩子一条狗，不就幸福美满了吗？她听了，红扑扑的脸上散发出阵阵香气，不是脂粉的香气，是肉香，女人的肉香，我们就又紧紧地搂在一起，恨不得揉成一团了。

12

苗香回城里去了。说定一个月后再来找我。她留下了电话和联系地址，我也可以主动跟她联系。

她走后我给她打过电话，那是一位高干家里的电话，她在那家当保姆，接听不大方便。过了一个月，她没来找我，我打去电话，是那家的一个年轻人接的，说她到医院陪床去了，我问哪家医院，人家没接话茬，挂断了电话。我就按她留下的地址写了封信，让转给她，但是等来等去没有回音。我有点心慌了。同事、业主，包括物业公司的经理，常问我："怎么样？什么时候请我们吃喜糖？"我只能笑笑，而且那笑越来越苦，我能说什么呢？

就这样，到了今年春天。我成了一个苦瓠子。好在人们总是先顾自己，很少真正把别人的事情总挂在心上，渐渐地，经理、同事、业主，似乎也就把我曾经有过一个苗香，准备吃我的喜糖什么的，淡忘了。只是有一天，在园外村边，遇上了那西厢房的房东，他把我叫过去，悄悄问我："要不要小姐？保证没病，打一炮，六十块钱。"我差点把眼珠子弹到他脸上，拳头也差点捶过去。他忙往后退，摆手说："算我没说，算我没说……"我啐了一口，转身走开，他在我身后还叨唠："人家是个好意嘛，你那对象不是没跟你嘛……"我觉得自己跟只火药桶似的，马上就要爆炸，可我往哪儿炸呢？除了自己，还炸谁？

13

忽然苗香来了电话。直接打到物业公司经理室，是经理本人来叫我去接的，而且，我接电话时，经理不但走开了，还掩上了门。

把电话耳机凑到耳边，就像举起个千斤鼎。刹那间我觉得仙女又要下凡了，一颗心激动得直往喉咙眼撞。但是我听到的头一句话明明白白是："我要结婚了，请你来参加我的婚礼……"您以为我又变成火药桶，而且这次立刻爆炸了？不，她这句话出来，不知怎么的，我很快地平静了，我自己都奇怪，我回答她的声音那么正常，超级正常，我说："好啊，好消息，我祝你幸福，祝你们白头到老。"她说，你也别问老公是什么人了，反正，有房子，一百八十多平方米，复式结构，车是奥迪；我就还是说好啊好啊，很好很好，祝贺祝贺，她就用特别特别认真的口气跟我解释，说她想来想去，结婚归结婚，结婚还是要一步到位，能一步到位为什么不一步到位呢？也不是她一个人这么想这么做，实际上凡自身条件好点——我听得懂这主要是指相貌和床上功夫，甚至只是指这两样——的姑娘，都会这么想这么做，然后她就坦率地说她跟以前一样地爱我，希望我们能继续做朋友，做最好最好的朋友——我也听得懂，最好最好的朋友是什么意思，就是有机会她还愿意跟我上床，任我打炮，那当然绝对免费，甚至还会倒贴；她说的话我都耐心地听完，她问我是不是生她的气，我说不生气，真的不生气，没有理由生气，我反复祝她幸福，她最后一再强调要我出席她的婚礼，是在香格里拉饭店，说如果我不去她那天的幸福感觉就会打折扣，我就说为了她获得不打折扣的幸福，一定会去，即使请不下假来，误工也要去，她就一叠声地谢我，最后她让我记下她手机的号码，她一再问我准备好纸笔了没有，把那号码连说了三遍，我根本没用纸笔去记，却跟她说记下来了记下来了，她叮嘱我要经常给她打电话，我说当然当然。

14

第二天我接到了一个艳红色的大信封，拆开，里面是一份带香味的请柬，那是非常矫情的一种香味，完全没有人身体上的那种自然的气息。

黄昏时分，我一个人来到那棵老榆树下，一阵风来，榆钱纷纷落下，旋转着落到我的头上、肩上、衣服上、鞋面上，我觉得那些圆圆的干榆钱真像钢蹦儿，于是我马上回想起安徽小城的那个姑娘，那个不喜欢大额钞票，却希望能有一手提箱钢蹦儿的姑娘，我心平气和，觉得她和她父母提出的条件，她的好恶，她的追求，实在都很合理，而且她那个一步到位的一步只估价为三万，真的非常人道，只怪我当时还不能成人，无法入道；我把那份玫瑰色的请柬，连同那个艳红色的信封撕得粉碎，扬成一片，让那些红色的碎片跟榆钱混杂在一起，于是从头一回见到苗香，直到在那间租来的西厢房里经历过的种种事情，就也都碎片般飞舞在我的心中，我依然心平气和，我替苗香设身处地地去想，如果不是为了最终能一步到位，她何必从那甘肃的小县城跑出来呢？其实，我何尝不想一步到位，但是男青年比起女青年来，一步到位的可能性实在是太小太小了……在这个世道里，我并没有资格责备苗香……

15

昨天，我开的班车在路上跟一辆奥迪车蹭上了，我和那奥迪车的司机都跳下了车，我们互相指责，不但动口，最后还动了手……您当时也在班车上，您和别的业主都很吃惊，一贯稳当而且从不发火乱来的我，怎么忽然变成了另一个人？交通警来了，我还朝那个小车司机脸上挥了一拳……最后我被带到了派出所，第二天才由榆景园经理去领了回来。

经理对我非常失望。业主们提起我也都摇头。宿舍里大家走过我身旁都不由得踮起脚尖走路，仿佛我是头猛兽，闹不好惹着我就会被咬上一口。

只有您，约我来聊聊。我也正想找个人吐吐肚子里的水儿，也不能说都是苦水，什么滋味都有，对不对？

明天还接着聊？对不起，我已经跟经理辞职了。这地方我再没什么好留恋的了。明天一早我就离开这地方了。到哪儿去？人不一定非想清楚了往哪儿去才走路，我已经有很多次经验了，走哪儿算哪儿。灰心？心里头是塞了些灰，一把把抓出来吧。我还是想找个媳妇，一个不指望一步到位，而是愿意跟我携起手来，分很多步往前走，走出房子、车子、孩子，也许还有一条沙皮狗什么的，那么个局面来的媳妇，那时候我会把她带回河南老家，看望父母，拜访亲戚……其实我的想法，我的追求，就这么简单。

明天您见不着我了，但是您无妨去那棵老榆树底下转转。我的一缕魂儿，钻进那榆树里头了……

2002 年 3 月 5 日写毕于绿叶居

最后金蛇

烟消

我和老韩坐在公园的长椅上。我们一同目睹了那个情景。

是那么个情景：一个中年人，很平常的一个人，不仅长相平常，穿着也平常，总之他原是最不应引起别人注意的那种人。他隔着一片草坪，走到正对着我们长椅的地方，忽然发生了变化。那可是极不平常的变化：他先是整个身子抖动起来，很软地，像一匹布似的，从上到下，或者是从下往上，波浪似的抖动；然后他的轮廓线便模糊起来；次后他整个身体便开始烟化。这整个过程是在短短的时间里完成的。他化成几股白烟，那些丝丝缕缕的烟气迅即随风而散。一个活生生的人，就如此这般地由有化无。

信不信当然由你。可是对于我和老韩，这是亲眼见。我们先是"眼见为实"，后来却"眼见为虚"。你也许关心我们俩的反应。我的血压一定陡然升高或速降，因为立即感到胸闷、气短、眼发黑，头上身上几处冒出了冷汗。老韩似乎一切正常，他甚至连怪讶的表情也没有，只是冷静地问我："瞧见啦？"我用手帕揩着额头上沁出的冷汗，点头。

坐在长椅上，我俩半晌没话。

我心里飞动着思绪的碎片。也许该走过去看看，那人留下了什么痕迹？就算是自燃吧，总也该多少留下点残骸痕迹什么的……可是我们离那人烟消的地方并不远，毋庸走拢过去便能看得清清楚楚，他连个脚印都没留下来，甚至连气味都了无残余，一只蝴蝶漠然地从那里飞过，毫无流连之意……要不要报告什么部门？……他是一个人到公园来的吗？他该有亲人吧？他家在何处？谁在等他回家？……我们既然目睹了他的烟消，算是见证人吧，那么，是否也便有了某种责任？……

我不知道老韩坐在我旁边都想到些什么，或什么都没想。只听他忽然招呼我说："咱们走吧。"

老韩站起来了。我还坐着。他偏着身子，我们对视着。他用眼光问我："怎么还坐着不动？"我开口反问："就这么走开吗？"他一条眉毛微微上挑，似乎我说的是他听不懂的外国话。

我终于坐不住，也站了起来。老韩便开步走。我略犹豫了一下，也便走开。在走开的一瞬我朝四外望望，公园里其他人离我们都颇远，而且没人朝这边看。

我们没往那人烟消的地方去。我们朝相反的方向离开了公园。

那天公园照例很美。而且照例很恬静。湖边的垂钓者仿佛静止的雕像，体现出十二万分的黄金般的耐心。花坛里的月季有开有谢，色泽都极艳丽，并且看上去全是一副旁若无人的表情。

就这么走出公园了么？

就这么走出了公园。各自回家。

角落

一早起来就头沉。这是经常有的情况。一般用凉水洗过脸以后便能缓解。

洗脸时我一般不照镜子。使劲往脸上拨水，连耳朵眼里都溅进水珠了，可是，这回头还是头沉，甚至于越弯脖子洗脸越沉。

于是抬起脖子，不经意地往嵌在墙上的大方镜里望。呀！乖乖！我头顶上……那是什么呀？！

那是两根犄角！两根对称的牛犄角！

忙用手摸。非常稳定。是谁夜里恶作剧，把这样两根牛犄角用强力胶粘到了我脑瓜顶上？！

反复推敲。竟不像是粘附上去的。是从脑瓜内部长出来的？唔，就是……

对镜发呆。为什么？怎么会？……

急得用双手握住，拼力摇拔，竟纹丝不离。倒让脑瓜疼得像挨火钳子烫一样。

在屋里团团转。想找出个锯条什么的。不能除根，先治治本也好！

从小就听说有"牛头""马面"，是阎王爷派出勾魂的。那么我成"牛头"了，可阎王爷在哪儿呢？我这么个天生胆小的家伙，敢去勾谁的魂呢？……后来又常听到"牛鬼蛇神"的提法，那可是人间的罪人了；不过这提法是指牛、鬼、蛇、神四种东西呢，还是指"牛鬼"与"蛇神"两种怪物呢？……那么说我该是"牛鬼"了，这样的坏家伙，是不是该被"打倒在地，再踏上一万只脚"呢？……然而老早便对这话私心里有过质疑：打倒在地的东西那体积该才多大？一万只脚都踏上去，必会造成脚踏脚的局面，其结果岂不是会有许许多多的人自相践踏而无谓牺牲？……唉，都这模样了，怎么还有联想到这些的闲情雅致！……

电话铃响。本能地过去接听。是提醒我"不要晚了"。今天有重要的事，非去不可，且不得迟到。可怎么去呢？……未及称病，唔哈之中，那边已挂断了电话。

情急之中，找出了一顶西装礼帽。非常勉强地套住了两只牛角。然而用力往下一扯帽檐，只听"嗤啦"一声，险些把帽檐整个儿扯下来。

管他三七二十一。硬着头皮上了街。

这个季节戴这么一顶帽子！人们看到会感到奇怪吧？……可是没人对我的礼帽有丝毫的反应。而且我一瞥之中看到有位妇女这个季节了还穿着件带兽毛领的皮夹克，我也并无记忆评说的心情。人们都忙于奔向自己的目的地。在那目的地有人们的利益所在。

就在我快要走进地铁入口时，忽然来了一阵旋子风，把我头上的礼帽顶吸飞了，而撕落的帽檐便滑到了我额头上。我气急败坏地将帽檐取下，随风一扔。

竟大摇大摆地进入了地铁。

正当高峰期。站台上人头攒动。

我顺着人流涌进了车厢。与周遭的人们相安无事。只是我站立处身前有个戴眼镜的中学生，他坐在座席上，翻着眼睛冲我看；还不时把眼镜托举着，以把我看得更清楚。总算有人因为牛角特别地关注我。我甚至于产生出一种感激那位中学生的心情。

到站下车。我往出口走。有个人从后面冲到我面前，站住，脸朝我发问。是那个中学生。他驮着很大很鼓的一个双肩背的书包，眼镜片闪闪发光。

我听见他在问我："叔叔……您这……哪儿买的？"

我笑了。这牛角哪儿有卖的呢？居然会有人巴不得花钱买上一对呢！……

……可是我终于听明白，他问的并不是我头上的东西，而是我身上穿的那款 T 恤。那种牌子款式的 T 恤是我女朋友从境外给我弄来的。我非常遗憾地告诉中学生，在这座城市里他也许暂时无法买到。他满脸沮丧地走开了。

……到了写字楼，在走廊里遇到老韩，他搂着肩膀把我引到僻静的一角，絮絮地跟我透露了一串我应及时知悉的新动向，并嘱我应如何如何应变……他放松我肩膀后，迅即消失了。

老韩提供的情报至关重要。我超常地发挥出了应变能力。我们，包括我在内的利益无损。而有的人却因我们的无损付出了代价。此种付出是游戏规则中所规定的。

事毕。我给老韩一个电话，约好在底层"碧丽轩"吃工作餐，我做东。与同仁们点头微笑后，遂乘电梯直落底层。

走拢"碧丽轩"，穿着大开衩缎面旗袍的领座小姐满面春风地迎上来："您几位？"

我脚步不停地往里走，嘴里说着："就两位，靠窗吧……"却并不去落座，而是直奔洗手间。我这人总是进了餐厅便忽生入厕的欲望，而且急苴儿。

在洗手间小方便毕，到洗手处净手，这才一瞥间，又看到了头上的牛角。居然把它忘记了好久,也不曾一直地感到头沉。它们究竟是怎么蹿出来的呢?

对镜,用手握住,本能地摇拔。咦,这回居然松动了!

呀!一只角拔下来了!

呀!另一只角也拔下来了!

仔细看,似乎并未断根。严格而言,不是拔了下来,而是掰了下来。不管怎么说,犄角脱落了!摸摸头顶,似乎留下了两块牛角根。还会再长出来吗?……但不管怎么说,起码暂时算是正常化了吧!……

出了洗手间。去窗边餐桌与老韩聚拢。把两根牛角递给他,说:"嘿,送给你!"

老韩望着那对牛角,皱眉问:"你哪儿弄来的?什么意思?"

钱包

钱包里并没多少现钱。钱包虽是鳄鱼皮的名牌货,但用了好几年了,也并不可惜。

在报失的时候我向"碧丽轩"的经理强调:"问题是,里头有珍贵的纪念品,那是用金钱所无法衡量的……"

经理极谦卑地向我频致歉意。我想说的他都尽量替我说了,甚至我不想说的他也说了:"……在您这样的熟客身上出了这样的纰漏,影响尤其恶劣……"

钱包丢得有些个离奇。服务小姐们不至于做出扒窃的事来。进来用餐的按说都是些不缺小钱的人士,说不定大多数用餐者的钱包都比我的含金量要大。不用餐的闲杂人等在入口处便会被保安人员拦截住。究竟是谁拿走了我的钱包呢?

那钱包里确实有珍贵的纪念品。那是珍妮的照片。珍妮是我的女朋友。不是一般的女朋友。她姓王,叫王珍妮。她父亲过世了,母亲叫王徐淑贞。由此你可以不至于误会,以为珍妮是个金发碧眼的女子。她头发很黑,眼睛细长,颧骨有点高,是个典型的东方女性。不过她又确实是个地道的外国人。她持有在世界地图上很不好找的那么一个遥远国家的护照。我们国家是不承认双重国籍的,因此她虽然定居在这座城市,可她当然已属于外宾的行列。她笑的时候会发出一种吹口哨般的声音。

这是我最喜欢的一种声音。

钱包丢了，珍妮给我的玉照没了，这是大败兴的事。当然我可以再问她要一张。但钱包里的这张可是非同小可的。每次我们约会，坐到一起时，她便会问我，她那张玉照是不是还在我钱包里。我便总是取出钱包来让她检查。一定还在钱包里，并且一定还在我的 VISA 卡和 MasterCard 卡之间的夹层里。那照片也是一张信用卡，对不？

我并没有很多时间和珍妮见面，或者说珍妮没有很多时间和我见面。我们通电话的时候也不多。双方住处的电话，你打过去，往往是给你放录音："对不起，现在我不在家，请听到嘟的一声后留言……"留言干什么？多半马上挂断。打手机，要么是忙音，要么是没有开机。呼对方 BP 当然是最好的办法，但有时也不能及时回应。这便是现代人的生存常态。这种状态也好，使得我不必马上面临见面时拿不出旧钱包和那她张玉照的窘境。

万没想到竟突然接到"碧丽轩"经理的电话，说是找到了我的钱包，让我去他们那儿认领。

果然是我的钱包。经理让我核对里面的东西。信用卡全在。大钞小钞想必都对——我是一贯不记得自己钱包里究竟有多少现钞的。当然马上查验有没有那张照片。有。还在两张洋信用卡当中的夹层里。顾不得细听经理解释在哪儿找到的。忙道谢。

走出"碧丽轩"便想给珍妮打个电话。一时却想不清她那手机的号码。不要紧，她那玉照后面便有她手机的号码……

"喂……你吗？……当然，我呀！……今晚有空吗？……老地方吧！……就是那家吉利咖啡屋嘛！……八点？为什么？不能早点？……我有趣闻讲给你听！……现在不说！……你怎么了？感冒了吗？鼻子不通啦？没有？……我怎么会伤风了呢？我好好的嘛！……好，好，对，吉利，八点……"

我提前到了吉利。先要了一杯立顿红茶。从钱包里取出她的玉照。这是珍妮吗？怎么有点儿……眼生？难道丢失了几天，再看便产生出陌生感来了？……想想，想想，活生生的珍妮是这个样子吗？……怎么鼻子会这么肥大？嘴角边上的这颗痣又是怎么回事呢？……翻看照片背面，这电话号码刚才不是拨通了吗？……

我正拿着照片发愣，珍妮袅袅婷婷而来。

我用照片对比珍妮，不对劲。是照片上不是珍妮，还是来的不是珍妮？

珍妮一落座便嗔怪我："怎么回事儿？十来天没见，你就不认识我啦？"

我还是举着照片发愣。珍妮大声质问："你是办案的吗？核对真凶啦？"

珍妮一把夺过了我手中的照片，凑到眼前。

她瞪圆眼睛："这是我吗？"

我说："怎么不是。你送我的嘛。我一直放在钱包里的嘛。"

她抗议："鼻子怎么这么肥？这颗痣是谁添上去的？"

我试着幽默一下："悬胆鼻是富贵相。美人痣是锦上添花嘛！"

珍妮瞪着我，眼珠子几乎弹跳出来："你老实说，她是谁？你怎么好意思拿给我看？！"

我说："就是你呀！背后还有你的手机号码，你亲笔写的嘛。"

珍妮翻看照片背面，嘴唇哆嗦着抗议："这是谁的号码？！"

咦，这是怎么档子事儿？我说："刚才我们不是通了电话吗？我就拨的这个号码呀！"

珍妮不像是装腔作态，她惊得双眉快飞出额头："刚才？我们通过电话？"

我说："是呀，要不，你怎么会来这儿？怎么会八点刚过就到？"

珍妮说："咦耶！那不是上回我们分手的时候约定的吗？还说谁要是忘了谁变小狗！"

我忽然想起，确有其事，谁要忘了谁变小狗，不是变其他品种的小狗，是变沙皮狗，就是脸上挤满大褶子，身上光光的没什么毛的那种狗，珍妮觉得那是最丑陋的生命……看来我该变成那种丑东西……不过，就我个人而言，恰恰最喜欢沙皮狗，倒也不是说它有多美，可是实在滑稽得有趣……

服务小姐来问我们点些什么，我刚说："还是苏门答腊无咖啡因咖啡吧……"珍妮便挥手粗暴地截断说："不！先不要！"

服务小姐离开，我想跟珍妮细说端详，可是我刚说出："都是因为，前两天我把钱包丢了……"珍妮便把那张（是她不是她？）照片往桌上一扔，起身便走。

我坐在那儿喊了两声："珍妮！珍妮！"她没回转身。我也没再站起来，追上去，拉住她什么的。我眼睁睁看着她快步走出了咖啡馆大门。

我对自己感到奇怪。我怎么没离座去追她呢？

我把她扔到桌上的照片重新拿在手中端详。又觉得明明还是她。否则不好理解。我又把钱包取出来，细加推敲。确是我的钱包。许多细节证明了这一点。两张我报失过的信用卡号码完全无误。难道退回的钱包里，唯独这张女人的照片被调了包？那么，是谁，为了什么目的，要调换这张照片？跟我通话并约定来这儿会面的，如果不是珍妮，那她是谁呢？倘若那确系另一女人，会不会过一会儿，便翩然而至呢？

服务小姐又来服务，我还是点苏门答腊无咖啡因咖啡。小姐问我要小壶、中壶还是大壶的？我让她上大壶的。大壶足够三四个人喝。

我在期待与无聊的心情中坐在那里，喝了一肚子咖啡，一直待到十一点，也没等到照片上的那个，也就是我以照片背面号码跟她通过话的那个女人，露面。

回到家里，我第一件事便是冲进卫生间，痛痛快快撒了一大泡尿。第二件事，是按下了电话留言的放音键，于是我马上听到了珍妮的声音——那绝对她的声音，因为她嘻嘻哈哈的语调里拌随着一种类似吹哨的效果："嗨！是我！你别生气，我八点没法子赶到吉利……今天整个儿晚上都不行了！……给你打手机总占线，就只好往这儿给你留个话……哈，我可不变沙皮狗……"

我直发愣。想从钱包里找出她（或不是她的照片）来再揣摩一下，可是……我发现钱包又不翼而飞了！

气球

我坐在家中沙发上看报。忽然听到窗外有一种怪异的声音。开头我以为那不过是风拍窗牖，没大在意。然而那声音持续不断，并且还伴随着似乎是呼唤我的人声。

于是我扔开报纸，走到窗前看究竟。

我拉拢百叶帘。于是我看到了窗外的老韩。我住在十五层高楼上，那扇窗户外面是陡峭的楼壁，老韩怎么会出现在窗外呢？难道他是登在救火车的伸缩式高梯上么？

我拉开铝合金窗，老韩确实就在窗外。哪里有什么救火车的伸缩式高梯！老韩一点立足和抓挠的余地也没有。敢情他是飘在了我的窗外。

我问："嘿，老韩！你这是什么把戏？是气功的轻功吗？"

老韩身子飘飘悠悠的，脸涨得通红，腮帮子鼓得皮都快炸开了，闷闷地说："什么气功！你知道我从来不信也不练什么气功！我是，我是……"

我关心地问："哥儿们，你这是怎么啦？你怎么会失重了呢？"

他说："我气的！气成这样的啊！"

我问："什么事把你气成了这样？"

他说："我现在一肚子都是气！不，我整个儿五腑六脏，还有骨头什么的，都化成气了！……我成了一个气球啦！"

我细一看，可不。老韩分明是个人形气球。

我评价说："气成了这样！……不容易啊！身体里的东西统统化成了气，也许不算有多稀奇……要是我，化成了气也飘不到天上，因为至多是化成普通的空气，那产生不了升力嘛！……你老韩到底是老韩，化气就化成氢气！氢气比空气贵多啦！……"

老韩说："你凭什么断定我身子里的东西化成的气只不过是氢气？！"

我忙道歉："当然当然，您化的可能是比氢气金贵多了的气体……可您就老这么飘着了吗？"

老韩说："那当然不能！……不过，先这么飘着吧！……唉，气煞我也！"

我问："您究竟生的什么气啊？"

他说："你不是正在看报吗？"

我说："是呀！您是不是为中国足球队的又一次惨败……"

人 面 鱼

他摇头摆臂："不是不是！……不是体育版！……你没看法制版吗？……"

我说："看啦！是不是那篇关于特大偷税案的报道？"

他晃脑摇肩："是哇是哇！"

我说："咳，这类报道不是经常地见于版面嘛！用得着你这么义愤填膺？！"

他咧开大嘴，像哭似的说："你看那些个贪官污吏！……"

我说："关于查处他们的报的这又不是头一回，而且说是'特大'，其实还有比这个大的嘛！……"

他用充气的拳头直捶我家窗框，哇哇地叫："你看那第五段！"

我说："我仔细读它那第五段干什么？"

老韩用充气的腿脚猛踢楼墙，发狠地说："你就以为跟你没关系么？"

我这才走回沙发，捡起那张扔到地毯上的报纸看。

老韩这时便把双臂停歇在我家的窗台上，等我把那第五段看完。

我找了好一阵才找准了地方。是第五段……呀！呀！呀！……

老韩在窗外嚷："怎么样？"

我只觉得，胸口先是一紧，接着便气胀起来……

那第五段，严格地来说，是第五段的第二行到第四行的那几十个字，使我身体内发生了迅速而剧烈的气化效应。

老韩把半个身子伸进窗户说："……可气不可气？……这下他们欠我的账全成呆账、烂账了！……我可是守法的经营者啊！……"

我心里"哼"了几声，守法不守法，只有天知道！不过，就这篇报道所涉及的事件而言，老韩倒是不至于扮演罪犯，恰恰相反，他被派定的反而是个受害者角色，整个儿一个悲剧里的倒了霉却不一定被观众同情的蠢蛋！

老韩还在对我嚷："……你哩？你以为这案子对你没多少牵扯，你就能对我幸灾乐祸了！……可顺这逻辑……第五段讲的……想想吧……你那个项目不泡汤才怪！……"

我觉得身体内的气化过程达到了高潮，我头发胀眼迸金星，我对老韩大叫："你这丧气鬼！你倒进来呀！……"

我听见老韩在嗤嗤发笑："……我进去？……恐怕是，你老兄，你这个气球，你也飘出来吧！……"

我的气球化过程终于大体上结束。我只觉得双脚踏不稳地面，并且身体把握不住平衡，我想抓住合拢的百叶，却捞空了，于是我倏地飘出了窗户，并且和另一个气球，也就是老韩，撞在一起，我们之间发出了嘭嘭嘭的闷响。

一阵风旋过来，我们飘离了我家窗户，差一点被刮到了马路那一面。老韩和我本能地拉起了手，飘浮在空中。一张破报纸被风扬得跟我们一般高，并且迎着我的脸扑了过来，差一点拍贴到我脸上。这些个破报纸！……说来也怪，往常无论是什么贪官污吏，什么坑蒙拐骗，什么吸毒贩毒，什么拐卖人口，什么环境污染，什么假冒伪劣，什么卖淫嫖娼，什么公款豪宴，什么鱼肉乡里，什么特权裙带，什么白条欺农，什么挪用扶贫、教育经费……报上所登的诸如此类，我都早已懒得生气，甚至于司空见惯，麻木不仁，不仅不生气，而且照吃照睡，照喝咖啡，照与女友共舞，照样该开心时且开心，想荒唐时且荒唐……然而这一回，那该死的报纸，该死的报导，该死的第五段，该死的第五段第二行到第四行的那几十个字……它它它它把我我我我……活活地气成了这么一个鼓鼓的气球！

当然，到头来，我们终于还是都落回到了地上。

金蛇

你当然知道，有个乐曲叫《金蛇狂舞》。我看过关于这个乐曲的解说，它所表达的意境当然不是动物园的爬虫馆里的某种可能景象，而是一排灯火在湖水里的倒影，风吹过水面，灯影如金蛇般舞动起来，风越来越大，金蛇便狂舞不息。那真是个好曲子，很悦耳，并且金蛇舞动的这个意象也确实富有诗意。

我们这个城里有个大家都知道的湖。近几年湖滨一条街成了全城入夜灯光最璀璨的所在。而我们这个城的夏夜几乎总是有风，因此湖中总是名副其实地有金蛇狂舞。

我讲这些并不是因为我特别会欣赏风景。说实在的，这些年我对所谓风景也是越来越麻木。

我要告诉你的是，我们找到了一个发明家，或者说是发明家找到了我们，开始我们怎么也不相信发明家，而发明家也不相信我们；我们不相信他的发明，他不相信我们一旦投资并有所斩获后真能给他极高的报酬；然而我们终于达成了初步信任，签了合同；于是我们干了起来。

我们是谁？不消说，首先是我，其次是老韩，还有珍妮，我们组成了董事会，我是总裁，老韩是总经理，珍妮是财务总监，而发明家则是总工程师。我们可算是珠联璧合。

我们干的是什么？是捞金蛇。什么叫捞金蛇？就是趁着夜色，把城中湖里舞动的金蛇捞上来。这当然具有开采黄金的性质。本是不允许私人开采黄金的，尤其是有珍妮这样的外国人投入外资来开采，然而我们巧妙与笨拙的办法并用，终于使有关的部门与官员批准了我们的项目，给予了我们开采权。这也确实足可心安理得——没有法律和法规限制我们从湖中的灯影采出黄金来啊！

闲话少叙，长话短说，总之，我们干得很成功。在进行了充分的准备以后，我们在一夜之间，便以特殊的工艺，从湖水中捞取出了全部的金蛇。这些金蛇被整筐地倒在了我们的仓库里，它们盘成一团团，扭动了好长的时间，才慢慢伸直了身躯，变成直挺挺的一条条灿然的金条。整理这些金条的时刻真叫激动人心！唯一的缺憾是，在整个作业的过程中，本来是要播放《金蛇狂舞》的乐曲，却不知怎么搞的临时找不到录音带，竟以一盘美国摇滚乐来充数，不过那狂放的节奏似乎更吻合于我们一伙的昂奋的心情。

第二天晚上，许多市民围聚在湖畔，议论纷纷。其实每天晚上湖畔都有不少市民游来逛去，或是坐在长凳上欣赏夜景，主要是看那湖中的金蛇狂舞。这天他们同往天一样来到湖畔，却发现岸上的灯火依然，湖中却不见了灯火的倒影，再没有一条金蛇，更不见风拂湖面后的金蛇狂舞。难怪他们议论纷纷。

我们何尝没有议论？虽然发明家跟我们事先说过，金蛇的打捞只能是一次性行为，我们也觉得一次所捞收获便极为可观，然而到了第二夜，我还是逼问发明家："岸上灯火分明还在，湖中怎么就不再金蛇狂舞？是不是你小子留了一手？"老韩差点揪他的脖领子："你要是不把继续打捞金蛇的方案拿出来，我们就不付你这回的酬金！"珍妮则发出吹口哨般的笑声："哈，我明白了，金蛇总得再重新由小长大啊！发明家，你要把金蛇成熟的周期准确地计算出来！"发明家却赌咒发誓地说："这捞金蛇就是一次性行为！不信，你们天天去湖边瞪圆了眼看！"

市民们瞪圆了眼看湖。湖中没了灯火的倒影，没了金蛇，更没了金蛇狂舞。湖中黑糊糊的，望去堵心、气闷。当晚市长接待室、广播电台、电视台、报社等处值班室的电话不断。湖畔的议论声渐渐演变成了愤懑的交响。

我们分别开着自己的豪华轿车，驶过了湖边。我开的奔驰，老韩开的法拉利，珍妮开的林肯都没停。发明家却把他的那辆帕萨特停下了，他走出汽车，走到人群中，试图向人解释，为什么应当捞取狂舞的金蛇，以及为什么既然捞取成功，就不会再有金蛇狂舞，等等，可是，或许是没人能理解，或许是理解了也没一个能谅解，总之，详情我们也搞不清，也不大想搞清，只知道那结局是分外地悲惨——他在一阵骚动中，不幸牺牲了！

1997 年初夏于绿叶居中

影星和我

电梯里只有我一个人，但是电梯未抵达我要到的那一层便停住了。门开，飘进一位女士。我们俩一对眼。

我把眼光移开，不仅脸上绝无表情，而且身体也岿然不动。

她显然在我移开眼光后，仍盯住我好几秒。

我心中有一种快意。

电梯门在我身后关上，我缓缓朝自己下榻的房间走去。

……原来她也来这个城市了，也下榻在这个 HOTEL……大概，她来此以后，头一回被一个近距离相处者报之以这样的超级冷漠吧？哈！我不是"不理"她，而是一副全然"浑不知"的反应，也就是说，我等于是宣示给她：我根本就不知道她是谁；或者说，我懒得搞清楚她是谁；再或者说，我模模糊糊地感觉到了她可能是谁，却绝没有探究下去的兴趣；又或者是，我意识到了她是谁，却耻于再让那意识上浮，因为，我们本非一个层面上的……

但是，当我再次乘坐电梯时，心上却总粘着一根脏鸡毛似的，拂不去一个"闪念"：她呢，该还在吧？会不会再次"冤家路窄"？……

却一连两天再没遇上她。

……那晚我应酬完了自己的事，回到饭店，穿过前堂，来到电梯门，按亮电梯灯，下意识地往总服务台那儿一瞥，不觉眼睛一亮，啊，她，还有一个穿牛仔服的爷们，一起走拢柜台前。服务台里的几位值班者就像触了电似的，都满脸笑颜地迎过去，不仅赶紧递过她房间的钥匙，一位还递过一个笔记本，请她签名。这也不足为奇，也曾有请我签名的，可是人家还递给她一束鲜花，用玻璃纸包扎住花梗、配有彩纸绦蝴蝶结的那种"礼仪花"，也不知是别人留在柜台的，还干脆是服务台的崇拜者自掏腰包奉献的……

电梯到了，门开，里面的人走出，我马上同几位欲上楼者进去。梯开，我站在最里面，那电梯是观览型的，就是向外的那半截，全由圆筒形落地玻璃构成，站在电梯里，可以观览外面景象。这时随着电梯的提升，饭店大堂的全景越来越悬于我的脚下，我在一瞥中，看到她和那位牛仔正往大堂的咖啡座里走去。大堂一侧的人造瀑布如纱帘倒挂，瀑布边的一株大棕榈树下，三角钢琴前，一位黑衣长裙的女子正俯首在弹奏着世界名曲……

……她这回是来干什么？拍片？谁的破本子？那牛仔是导演？几流的？……其实那弹钢琴的倒很可能是真正一流的，可叹！却只能到这饭店大堂里来"卖艺"，无人要她签名，无人给她献花，所得的报酬，不但不能与那位拍片子的相比于万一，甚至也低于我的稿费。唉！"残杯与冷炙，到处潜悲辛！"……

走出电梯前，我一直愤愤不平。

……显然不是拍片，因为看不到摄制组活动的景象。当然，也可能是摄制组另在别处安营扎寨，她嘛，大明星嘛，单给她住大饭店……来"走穴"？现在好像也不时兴了，那是他们"初级阶段"的事……来此地"下海"？可此地依我看来，绝非"肥海"，是什么诱饵，令她上钩的？……

那天我签名售书，效应特别地好，组织者送我回饭店，当我们走近总服务台，我领钥匙时，陪着我的老孟和小刘忽然叫出声来，他们叫的都是那位大明星的名字。我随他们的目光转动自己的眼珠，于是我也看到了，在那一头，电梯门边，她正在等电梯，摆出一个优雅得没有道理的姿势，而几位一起等电梯的住客，目光都集中在她的身上，包括一位金发碧眼的外国绅士。

小刘问服务台里的小姐，声音透着气急败坏："她……也住你们这儿？！"

老孟就像作检讨似的说："哎……怎么会……一点风声也没听到呢？"

他们俩就一齐问我："您早知道了吗？怎么没提？"

我心里蹿火，脸上纹丝不动，语气把握得懒懒的："谁？哪位？"

他们就一齐重复地叫出她的名字，并且指点着电梯门那边。

我这才表示朝电梯门那边望，眯起眼，用面部的"纹路语言"告诉他们，我很不以为然，为什么要注意那么一个无聊的人，我实在看不清那是谁，而且也实在不必看清楚那是谁……我还变本加厉地故意问他们："你们说的是那边那个女的？她……她是写什么的？"

小刘便喘吁吁地跟我说："您怎么没认出来？她就是……呀！演过……还有……听说最近那个二百多集的连续剧，请她演女一号，她还没答应呢……"

老孟到底比小刘多吃了十多年成盐，他"透过现象看本质"，咂摸出来我是在装聋作哑，便对我歉然一笑，转过脸，柔声地问柜台里的接待小姐："请问，小姐，她，就是……她住哪号房间？"小姐嘴里没吐出声音，脸上肌肉的小抖动已表示出了拒绝，于是老孟赶紧补充："我们是……想跟她联系一下……当然我们会先往她房间打电话……"

小姐脸上堆出一个带刺的微笑，露出编贝般的白牙，朝望着她的老孟和小刘说："我们有义务对客户保密……对不起，我不能告诉您……"

老孟和小刘大不满，我亦然。也许我更不满。这位总服务台的"西施"，我本是最满意的，因为唯独在她值班时，我去取钥匙，她递我钥匙时问过我："您又在写什么呀？"一闻此语，我顿感此饭店不愧为四星级，员工的文化素养就是高！但现在她拒绝将那位影星的住房号告诉老孟和小刘，单有这事倒也罢了，问题是，怎么我刚来的那天，也是她值班，我一位并未约请的老同学，自己跑来饭店，敲响了我住屋的门，让我开门时吃了一惊，问他怎么找来的，他说是到总服务台问，就问出来了嘛!

双重标准!

凭什么实行双重标准？而且是厚彼薄此!

立即"形而上"——现代人,不,"后现代人",所面临的生存困境,便是总一而再、再而三地被置于"双重标准"之下!

……回到房间,我从电话里推掉一个约会,坐在沙发上看了几眼"内部录像",从小冰箱里取出一罐番茄汁,喝了几口,想洗澡,又觉得早点……磨蹭到九点多,决定出去逛逛夜市,也许那夜市能给我一些刺激,派生出一些哪怕是杂芜的灵感……

于是乘电梯下楼。

没想到电梯里有她。

是的,她住在我上面。我住的是普通客房,邀请单位只有这个能力,或者换个说法,说破,邀请单位就是有能力订带套间的高级房,他们也还是舍不得花那个钱,我还没那个身份,如今写小说的几乎都没那个身价……可从我住的那一层往上,就都是高级房了,她那样的影响,就是无人给"埋单",自己也开得起,而且结算不用现金,一律亮信用卡……

她的眼光刚同我一触,就爽朗地招呼我:"你好!"

这还不要紧,她跟着还叫出我的名字,说:"……咱们认识啊!……"

我的眼光难以闪开了,脸上再难保持"无表情"状态。

她说出了我们第一次见面的场合,当然,那是一个大型的酒会,有人给我们互相介绍,我们举着香槟酒,站在一起聊了一小会儿,那时我正红得达于"龙胆紫",她呢,大约刚拍了第三部片子,虽舆情看好,却都不是头号女角……

她呵呵地笑,用一种夸张的声音说:"真是匪夷所思!"

这话刺心。这是引用我的"名言"。那一年现在已成大腕的导演……他要改编拍摄我的得奖小说《最后一眼》,里面那个女主角,他最初考虑让她演,我坚决反对,而且反复使用一个句子："真是匪夷所思！"她那时使尽了招数，要争到那个角色，导演为了摆脱她，便出卖了我，告诉了她那句话。当然还不止那句话，我至少还说过，乍一见她，会觉得她很有点小鸟依人的味道，稍多看几眼，便会感到她眼睛里有一股凶气……虽说她后来很演了几个弱女子的角色，有一个角色还得了一个奖，被影评家誉为"眼里充满哀怨的现代阮玲玉"，算是"用事实反驳了谰言"，但那已获得国际声誉的导演始终不用她，而我也始终不以原来的判断为错，难怪她耿耿于怀至今！

……她笑着，很大方的样子，很宽容的样子，很调侃的样子。可样子毕竟是样子，我望着她，感到她眼里还是有一股凶气。我并不是容不得凶气，这世道，在自卫上凶一点没坏处，她混事由也不容易，她凶她的，与我何干？她只是不适合演我那《最后一眼》里的女主角而已……何以总没有导演请她出演武则天呢？

我本不想认她，可是她坦率地认了我，我被动了；而且她不认则已，一认，便"真是匪夷所思"……

我便也爽性呵呵地笑，出口便是："当然！就是匪夷所思嘛！"

我回应了这句，电梯仍未落到大堂，我们都还来得及再说几句，可是，我们对望着，都不说，都等对方说。

我才不问她来这里干什么呢，我只是淡笑。

她才不问我又写了什么呢，她笑眼里很凶。

电梯停在大堂了。阿弥陀佛。

她先出的电梯。一出去就被堵住了。

是两个当地小报的记者，一男一女。女的手捏小型录音机，男的手拿照相机。

女的马上就贴上去问问题，男的马上就拍照。

后来知道，那两个记者从七点多起就一直在大堂憋着，他们断定影星必定会下来宵夜，而电梯是半透明的，所以我们还没落底，他们已逼到了电梯门前。

女记者是那种非常厉害的"缠树藤"，虽然影星拒绝采访，她却毫不退缩，她采取了一种我也经常领教的策略，就是她连珠炮似的向你甩出一串串事先编排好的问题，这些问题只要向你甩出了，那么，即使你说出的全是些拒绝采访的话，或简直是斥骂的话，或你不说话，她都可视为你接受了她的采访，并作出了回答，而且她会飞快地写成消息、采访记、印象记、一瞥、花絮……飞快地登在好几种周末版、月末版、增刊、赠刊上。

……影星想往前走，女记者小步往后退，使影星终于不得不止步。

"……您认为……这场官司有没有庭外调解的余地？"

"我没有接受你采访的义务！"

"当然！不过您对采访这样反感，是不是恰恰证实了……那部电视剧始终不能签约，也是令您苦恼的一个因素？"

"我跟你说了，我不回答任何问题！"

"很好！您这样就更让我们相信，您和……的合作关系，到了破裂的边缘，对吗？"

"你让开！我首先要跟你破裂！你凭什么跑到这儿来，妨碍我……"

"我很理解您的心情，这么说，那个关于您和……终于还是要分手的消息，并不是谣言罗！"

"你哪儿听来的？胡说！讨厌！"

"谢谢！我们一定给辟谣！不过，您在……公司的那个头衔，人家说不是虚的，而是实的……当然是实的，对吧？不过，不是百分之百的实，对不？有人说是三分实，说少了，是吧？我们估计是七分实……您点头了？"

"你们怎么可以刺探别人的经济隐私？"

"这么说，果然！对不起……好，问一点轻松的，您常去酒吧？您最喜欢的鸡尾酒是……蓝色的？蓝玛丽？……带点辣味儿的？意大利，南欧风格的？……"

"谁准许你们拍照的？岂有此理！"

"我们会挑出最好的给您送来……"

"我会再见你们？！……真是匪夷所思！……"

"……"

我一直在一旁作壁上观。而且在一旁围观的人明显在增多，因为那里毕竟是出入电梯的必经之地。开头，我有点幸灾乐祸，可是后来我变为同情。那两位小报记者竟还要纠缠，我忍不住斜刺里杀出，迈步上前，很不客气地对那位女记者说："哪有强迫别人的道理！……这真是形同绑架嘛！"

女记者这才看清我，我也这才看清她，原来我们见过，我在书市签名售书时，组织者请她来采访我，她匆匆来到摊位，只同我握了握手，递了我一张名片，并没问上我几句，便给我拍了张照片，匆匆地就走了。可见她对作家并无什么兴趣，很可能不但不会为我写上一行消息，那张照片也不会登出，而且根本也没想冲印出一张给我。她对我和影星的双重标准，再一次令我意识到文学与作家的边缘化处境。

她来找影星刮油水，却舍得费这么大的工夫，而且还专门找个帮她拍照的人。

她并不是因为我的挺身而出，而是看见饭店保安部的主任走过来了，这才决定收场；可是她不放过利用最后一分钟把油水捞足，她麻利地把身子转动到与影星并排的位置，并突然用一只手臂拥紧影星的腰肢，满脸笑容，而她的合作者，也就不失时机地按下了照相机快门。这整个过程只用了不到十秒钟，影星在气恼中晕晕乎乎地大概都没觉察出来。不消说，这张照片将与她对影星的访问记很快刊登在某家畅销报纸或刊物上，并在照片下会注明："左为本文作者。"

没等饭店保安部主任走拢开口，她便以极愉快的口吻跟影星告别，并迅即离去，那个拍照的跟在她屁股后跑了……

……影星跟我说"谢谢"，她仿佛没意识到，实际上是饭店保安部门给她解了围。

……大堂里忽然显得很清静。钢琴声玲琤悦耳，使我意识到有一个比我更在边缘，然而很可能更比我有价值的人物，正在同一空间中，在钢琴前，与我们并置。

"一起去酒吧喝一杯，怎么样？"影星望着我。

我头一回觉得，她眼里并没有什么凶气。也许当年那《最后一眼》，还是由她演女主角为好，但这感觉和感想都只停留了很短暂的时间。

"不，我……我打算上街，去逛逛夜市。"

"那……我们就一起去逛夜市！"

"不……"

"怎么，你有约会？在夜市？"

"不，没约会，我只是……"

她嫣然一笑："……真是匪夷所思！"

她的眼里，又冒出一股凶气。我想，是的，即使由她主演，《最后一眼》也还是得不到奖……

我肯定地说："当然……真是匪夷所思！"

她就猛一转身，往酒吧去了。

早上睁开眼，习惯地按了一下床头柜上的电视控钮，床对面的彩电显出画面，是本地台的"晨光"节目，忽然跳出个镜头，是她，把我吓了一跳……

她是在接受当地电视台记者的采访，满面春风，吹向电视观众；我用遥控器把音量调大，一边起床、穿衣，一边听电视里传来的那真诚度十分可疑的声音。

"……很高兴……变化太大了，简直站在任何一个角度都不敢认了……新片？唔，前年拍完《笨蛋一大筐》以后，去年因为没有合适的本子，所以都让我推了……不是不想继续尝试喜剧，问题是那些本子都太闹了！我不喜欢闹剧，一闹就没深度了……悲剧？太煽情的也跟闹剧一样……我喜欢有些个诗意的……是的，你说得对，现在电影是被电视这个小弟弟欺负得够呛……我嘛，也在考虑更多地在荧屏上亮相……那个二百集的连续剧？不错，我应了一号女角，可是我跟导演说了，我只管开篇，头三十集……你想，二百！谁耗得起？再说，他钱也没到位……当然很愿意借这个机会——"

我不给她这个机会，把电视关了。关闭前，正是她一个超大特写，画面并进一步推向她的双眼……那眼里的凶光被这么一放大，真是惊心动魄……何以别人就没看出？那股凶光！……不是企图杀人越货的那种凶光，而是"我非成功不可！该归我的就得归我！谁也甭想拦住我！我就不信我不行"的那种凶光。

　　……在卫生间刮胡子时，我对镜一瞥自己的双眼。哗，我自己，我本人，我的眼里，那冒出来的，是什么样的光？……何其相似乃尔！……五十步笑百步！……难道，所谓的事业成功，都得付出这样的"眼异化"代价吗？或许，毋庸异化，我们与生俱来的人性中，本就蕴含着这样的凶气，只不过并非每个人都能将其反映到瞳仁里罢了……那么，是什么外在的力量，把她，把我，把我们一类的人那人性中的这一成分，撩拨到"海平面"上，犹如冒出尖顶的冰山？

　　……下楼去，一进电梯，满满的人，几位老外身上散发出浓郁的香水气……从人缝里，我看见了她，在最里面，紧贴着观览玻璃，那圆筒形的玻璃，靠近人腰的地方，随势安装着半圈粗大的镶铜扶手，她倚在那扶手上，素面素衣，疲惫不堪的模样，如果不认识她，那简直不可理解，刚刚电视里所出现的那个影星，怎么会就是电梯里的这位女子……她垂着眼帘，所以她没看见我……我几乎向她打招呼，但仅仅是"几乎"……在我们的一生一世里，我们常常会"几乎"，也就是离某种可能发生的事情只有一丝之差……

　　……我出了电梯，没有回头。小刘在大堂等我，这天他们带我去郊区名胜游览，说好在半路一个什么饭馆吃风味小吃，权当早餐……其实，这天我倒情愿在饭店吃自助早茶，并把小刘介绍给她，坐在一处，哪怕只说上几句"真是匪夷所思"……

　　……那晚回到饭店，我们的面包车刚驶拢风雨廊，就感到气氛很是异常。小刘非要帮我把所买的一些工艺品提到我的住房，我说不必，也就在风雨廊中滞留了不到两分钟，饭店保安部的人便过来催我们"快快快"……原来有一个由奔驰、凌志、奥迪等牌号的小轿车组成的车队马上就要鱼贯而至了。

　　进到转门里面，饭店大堂的电光比往常璀璨许多，插花也增添了不少，我因为忍不住，就让小刘先去我房间，我且到大堂一侧的卫生间方便一下……我从卫生间出来，只觉大堂里气氛更不寻常，小刘还在，提着我的包，他迎过来，激动地对我说：

"……市长来啦! ……黄鹂厅里高档宴会! ……看!"

我顺他所指望去, 恰好一眼看见影星和两位中年男士并肩朝通向黄鹂厅的滚梯走去, 两边、前后另有若干红男绿女围随……彼时影星身着一袭艳红的晚礼服, 上面开胸很低, 下面长裙曳地。她显然刚作了一个新发型, 那绝对是这城里独一份的; 她的耳坠、项链、手链、戒指全都闪耀着只有真金才显示得出的那么一种光芒……她脸上不仅是容光焕发, 简直是悬了一个小太阳, 使周围所有浓妆艳抹的人都不仅黯然失色, 而且似乎全在瑟瑟微抖……

我身边的小刘, 瞪眼望着, 下巴挂了下来。对于他来说, 能躬逢其盛, 显然快乐开怀。不过, 当时除了赴宴一行, 大堂里其他的人都鸦雀无声, 也没有谁随便走动, 显然, 除了饭店保安人员, 肯定还有若干公安便衣, 在维系这一辉煌的局面……

……她笑着, 挽着两位男士, 一左一右, 灵活地转动着她的秀颈, 跟他们说着类似"真是匪夷所思"那样的话语……小刘凑拢我耳朵, 宣布: "她左边那位, 就是我们市长……还不到五十岁! ……右边那位, 是二十年前从我们这儿去了香港的潘先生……如今是大富豪啦! ……听说, 潘先生要在我们近郊搞一个大型的高档别墅区, 里头光是高尔夫球场, 就比北京的那几个都大都棒……市长和潘先生都是影迷……听说, 那别墅区的开发, 让她挂总经理的衔, 她还没答应死呢……市长这着棋走得妙啊, 这叫'明星搭台, 经济唱戏'!"

这台戏确实有如烈火烹油, 鲜花着锦! 权力和金钱, 由大众传媒的宠儿作纽带, 结合在一起, 造福一城……

……他们终于都陆续踏上了滚梯, 消失在黄鹂厅里……"两个黄鹂鸣翠柳", 不, 是一群黄鹂鸣翠柳……那是"崖上的葡萄", 因此我的感想自然属于狐狸式的……

我扭头朝电梯门走去, 半路我停下给一个人让路, 那也是个女士, 穿一身黑长裙, 瘦瘦的, 脸上是一种强打精神的表情, 左胳膊下夹着一摞乐谱; 显然, 她是从某一个小憩的地方出来……我们等电梯下来时, 传来了出自她手下的琴音, 是《少女的祈祷》, 我忽然非常感动……狐狸式的感动? ……

人 面 鱼

第二天我离开了那城……

也许，她以后会偶然在阅某本杂志某张报纸时，很不情愿地发现我的署名，但可以肯定，她绝不会读我的任何一本书。

也许，我以后会偶然在电视荧屏上，很不情愿地瞥见她的身影，但可以肯定，我绝不会看她演的任何一部电影。

我们会再在某地某处，比如说电梯那样的地方邂逅吗？那一次我们能坐下来谈谈？

很简单却又很难准备的礼物

　　传言很多，有的大不可信。例如说宋老师已经到了多日不知肉味的地步，那当然不是因为他像孔夫子一样，听了"韶乐"，而是因为靠他那点退休金实在是只能实行素食主义，而素食的概念你也不能理解得太浪漫，例如，不但千万别往猴头、发菜、金针菇、玉米笋……上想，就是春黄瓜、冬番茄也都不搭边，大体而言，是主要指旺季末尾论堆儿处理的那些个素食。当然，偏宋老师又并不是一个甘心实行素食主义的人，于是那天就买了一点猪肉馅，并且豪迈地宣称：不拿来掺上菜包包子、饺子，更不用来兑上黄酱炸酱拌面条，而是堂堂皇皇地氽纯肉丸子吃！宋师母在灶前氽上了肉丸子，还没全氽进去，宋老师闻见那股子肉香，便心荡神驰起来，宋师母见他一旁咂嘴嗫舌，可怜见的，遂拿小碗先捞了一个最早下锅的，让他先尝为快……结果三小时后宋师母扶着他进了医院，原来那肉丸子并未煮透，宋老师吃得又慌，竟酿成了急性胃炎！令宋老师最难受的，还不是肉体的痛苦，而是医生询问病因时，他不得不硬着皮头"从实招来"……

　　有的传言经过验证，并非有意糟改宋老师，而是他的真实生存状态。例如他家的那个单元虽然有卫生间，有抽水马桶，可是白天他和宋师母还是一趟趟地下楼，去楼外上公共厕所，为的是省一点水钱，又例如他家所订的仅有一份报纸《中国电视报》，那节目预告表上总是画出若干的道道，这当然绝不稀奇，稀奇的是每回画完想看的节目，他总要细致地把所欲看的节目所需的总时间加起来，如果超出了他所预定的花在电视上的电费，他便会重新检视那些画出来的节目，看哪些个节目可以割爱，最后选定的，才画上红框，每天严格地按红框开机观看……

还传说他们那个楼几乎家家都安装了防盗铁门，唯独宋老师家的门还是"素面朝天"，可最近他们楼几次遭窃贼溜门撬锁，人心遑遑，而宋老师家是秋毫无犯，并于心自安——说是他们那门上，上回教师节时，居委会给贴了张红纸，上头有用金粉写的"教师光荣"四个字，这四个字远胜过"泰山石敢当"之类的威力，令窃贼望而败兴，摇头远去。

关于宋老师的这些可信的不大可信的或根本不可信的传言，你可能都会感到乏味。你也许会本能地看一下挂历，偏过头问我："教师节不是已经过了吗？"

今年的已过。明年的还远。可是宋老师现在正逢七十大寿。一个退休的中学老教师的生日故事？这能构成什么有价值的 text（文本）？何况，你能设置出个什么样的叙述策略？你有"颠覆"的能力吗？"现代"都还不够"派"，就想往"后"里钻？

你当然已经知道，中国人自己举办的上海电影节上，中国的参赛片是《凤凰琴》，拿它参赛当然是为了夺奖，可是最后却名落孙山，为什么？据说是因为所聘请的外国评委实在弄不懂那个"民办教师转公办教师"的"戏眼"，所以，虽然那部片子在我们本国已经得了很多个奖，却缺乏"国际性"，难以"走向世界"。现在我写这个退休的中学教师过生日的故事，当然也不可能让外国人看懂，这倒无所谓，问题是，恐怕能看懂的中国人却懒得看——但愿有人马上把我驳回去。好！那我就继续讲下去。

其实也毋庸从头道来。那天我录了像。为什么录像？因为我新买了一架 Panasonic 的"掌中宝"，手总痒痒的，愿意到处试试机子、练练手艺；再说，我跟你一样，难以免俗，拿着这摄像机到那儿晃晃，也是为了让宋老师瞧瞧，咱们混到了什么档次，当然也是为了避免当年的同窗们小觑了我。

你看我录下的那些个镜头。有那么多鲜花,多得跟庆贺什么美容院开业似的。这些花都是一位师弟送的。不消说他已成了所谓的大款,我可懒得讲他的故事。如今关于他们那种人的故事太多。你打开电视看吧,凡现实题材的电视剧,十个里有七个有大款,主人公不是总经理就是董事长,活动的背景不是大宾馆就是大宅子,豪华到不堪入目的地步,最后的字幕上多半还要特意标出,那男女主人公的服装是由什么什么(反正那字号多半挺洋的)时装公司提供的……他的礼物不仅对宋老师毫无实际意义,而且,散了以后我才知道,竟还暗含讽意——当年学校组织春游,他因为在公园里掐花,被管理人员逮住,罚了款不说,还被当班主任的宋老师当众批评,责令写检讨,所以现在他特意送花来,据说恰恰是从那公园的月季园里掐来的——如今公园也讲经济效益,月季园的月季花可以一块钱买下一朵,他一气买了一百朵,并且让人给装成了好几个花篮,送花到户,他把花送到后,只在宋老师家待了一会儿,就去了,他也实在是忙,刚迈进宋老师家门没说上几句话,手中握的"大哥大"便发出了蜂音……我来在他之后,所以你见不到乃帅弟的嘴脸。

拍这些花,当然最能施展我这"掌中宝"的彩色表达能力,所以我特写、变焦镜头未免多了一点……真够花团锦簇的吧? 好,"镜归正传",现在镜头上是好大的一个寿糕,这是几位师妹合资定制的,据说是觊宾斯基饭店烘出来的,德意志风格,不仅奶油货真价实,绝不会是"麦琪淋"(黄豆制品)的冒充,那巧克力与镶嵌其中的果仁更是地地道道的非洲原料、西欧加工……蛋糕上还插着七支彩蜡,不消说一支烛代表了十年;我把镜头对准了蛋糕上用红奶油挤出的祝辞:"恩师七十华诞 桃李齐祝长寿"。措辞笨拙了一点,难得挤字的师傅把每个字表达得那么清楚……当然你可以在我拍的带子中看到诸如点蜡呀,大家围着宋老师宋师母呀,起着哄让他们吹蜡烛呀,切蛋糕分而食之呀等等,哪一个是我? 哪一个都不是我,说实话,我是怕让别人拿着我的机子拍,把机子给弄坏了,这"掌中宝"挺娇贵不是? 我买下这宝贝也不容易不是?

我扫描了所有摆出来的礼物:日本进口的照相簿、包装豪华而功效难测的口服液、某种电视广告上常见的低度白酒、会自动语音报时的小电子钟、丝织领带、烧瓷小摆设、关于一种益寿功的书、精制茯苓饼、健身锤、蜡染桌布、京剧磁带……以及未免显得堆砌的听装麦乳精和水果。

当然，宋老师和宋师母很高兴。你可以从我拍的特写镜头上看到，那的确是"笑得满脸绽开了花瓣儿"。

不过你当然不可能从我拍的镜头里看到那天祝寿情况的全貌，因为我只有一块充电电池和一盘三十分钟的录像带。而且，说实话，我也不想拍有的人，录的话。比如，我就尽量让镜头躲着阿K。阿K是我当年的同桌。这个约到宋老师家来祝寿的活动，他是主要的发起人。可这小子到了宋老师家，我看他简直忘了所来为何了。他满张罗并没什么不对，可一屋子里总响着他的聒噪声，而且，他开口闭口就是"人家那边"，因为他刚随着他们部门的一个什么团，出了趟国，所以话里话外整个儿是"中西大对比"，你对比也罢，可他却偏"哪壶不开提哪壶"，什么人家那边，一个地方最好的建筑，一是学校，二是教堂啦，又是人家那边的中小学乃至幼儿园的教师工资如何高住得如何好假期如何出外旅游啦……他指点着宋老师家的现场，一会儿说人家那边绝不会在卧室里待客，折叠桌紧靠着大衣柜，还有一边的人是坐在双人床上啦；一会儿又说人家那边沙发边上不会摆冰箱，冰箱一定要摆在厨房里啦……其实如今一天不知有多少趟航班在往国外飞，架架飞机坐得满满当当的，出国开趟洋荤再回来早不算什么稀罕事，他所报道的、感慨的，早已属老生常谈，都听得人耳朵眼儿里起茧子了，可是，他偏挑这么个时候这么个地点当着这么些人唠叨这些个鸡皮狗碎，那就不仅让人起腻，而且，岂不是以祝寿为名，给咱们宋老师一大哄吗？

说是给当年老师祝寿，其实，一多半的来者是借这个机会碰碰头、侃侃山，虽有几位总在那儿跟宋老师怀旧、鸣谢，其余的大半是变换组合为一个个的小"语言岛"，所侃的内容，也大半游离开了当天的主题，但就我耳朵所闻，也并不怎么天南海北，大体而言，是在询问别人"现在能拿多少？"当然，不仅打听"档案工资"，更关注"都加起来"或叫做"乱七八糟、归里包齐一打总"是多少。就有悲叹"我们那儿真亏"的，也有炫耀"我们那儿够肥"的,于是又引出关于没到场的同窗们的传闻,谁谁谁发了,大发了,暴发了,像送花儿来的这主儿,一比,还只能说是"小巫";于是都说"要想发,还是得经商!"却又引出某哥儿们冒然"下海","偷鸡不成反蚀米,外带一身骚"的故事。里头还穿插点"栽在'三陪女'身上"和"开门一瞬'美人倒'"的细节,便咯咯咯怪笑,师姐或师妹便偏过头,说:"注意口腔卫生!"于是又转换话题,说某小子,市场经济的路子走不通,一跺脚走了"取票当官"安享计划经济也就是按级别住房子、坐车子、公费吃餐出国……种种待遇的路子,居然也混得人模狗样的!……当然当然,也许这只是我所身处的那个"语言岛"里的氛围,另外的,可能没这么庸俗,可能很高尚、高雅,或者竟还更加俗不可耐。

我和阿K都在一个"语言岛"里,我讨厌他,他也讨厌我,但在这么一个场合,不好公然示之颜色,只好"微笑战斗"。

阿K给宋老师送来一个磁疗杯,我对他说:"你这是哪个新闻发布会上白捞的?借花献佛,还省得你们家摆满了这类的东西堵得慌!"

他便回击:"那也总比你提一兜子处理鸭梨来凑数强啊!"

我说:"我来给录像,回去翻一盘送给宋老师,那是多宝贵的礼物!"

他笑出声来:"假惺惺!你看看,宋老师这儿有放像机吗?!"

"现在没有,以后还总没有?"

"以后怎么个有法?你买一台送来?"

"你为什么不买?"

我们俩眼光相激,迸出火花。可是,转瞬又都不由自主地朝屋中各处摆放的礼物环顾起来,一刹间我们居然"心有灵犀一点通"起来,不用语言,我们在回到对望状态时,用脸上的微妙表情达成了共识:这一大堆礼物,恐怕没有哪样是宋老师所最企盼的……

正如许多惯常的text(这是英语和德语的写法,而法语是texte,意大利语是teste,拉丁文本是textnm)一样,我这底下立刻出现一道光明,由一位安琪儿射出,使我等庸俗之辈顿时愧煞。

　　来的是当年我们班上最令我怦然心动也最令我自觉形秽、不敢接近的 M 女士。她之所以晚来，是因为她那天还要给学生补课，正如你不猜就知道的——她也是个中学教师，宋老师退了，而她还正在吃粉笔灰；她下了课立马赶到宋老师家，而且，跟我们进屋时的形象最不同的，是她双手空空的，连一兜鸭梨也没提来。那么，她究竟给宋老师带来了什么礼物呢？

　　当然，你对这个可能并没有兴趣，没有一点兴趣，你可能希望爆出个冷门，比如，某件历史上的事，原来是那么说的，嘿，我现在告诉你，不是那么一回事！或者，汉奸不奸，特务不特……要不，你看，我马上就告诉你，M 女士其实很风流，"绣房里蹿出个大马猴"，并且有一年春游，她跟阿 K 一起，离开了大家，于是就在树丛里□□□□□□□……再或者，M 女士说着话，她全身姿势一点没变，声音也很自然，可是她双脚却离开了地面，不多不少整两寸，紧接着我的 text 里就会具体地指导你怎样如此这般地轻盈起来……再，围着脸的羊圈里，有三朵铁云，那天的土坷垃里有黑洞，悠长的歌凉拌了玻璃幕墙，等等，戥戥，提起你的神了吗！还不成？是，我是黔驴，可你这又算怎么一回事儿？明年你一本文学杂志没订！

　　……我必须明快，描写 M 女士的发型、衣装、风度、韵味都无补于事，你有时装杂志，参加着某种系列美容霜的直销……何况，M 是老师，M 老师，M 老师来给宋老师祝寿，她站在宋老师宋师母面前，在众目睽睽之下，献出了她的礼物，那首先，是一首诗，对，很让你败兴，醋熘了不是？牙碜了吧？可那首诗确实不错，写得也许不算好，M 老师朗诵得实在太动人了……我全文引用吗？还真引不来，M 老师来的时候我"掌中宝"的电池已经用完了，她朗诵诗的场面我没拍，所以现在她那诗我一句也记不住，不过那大概的意思，我记得很真切，那意思，是说关于老师，不用讲太多的事迹，不用回忆出那么多的细节，老师就是老师，"我们上过学，老师教过我们……"看，我居然想起这两句了，对，就这两句，在诗里，算叠句吧，M 老师第五回念到这一句时，我和阿 K 对望了一眼，他妈的，他眼睛也潮潮的，也不他妈的"人家那边"了……是呀，M老师的诗就是那么个意思，或者说意蕴，就是说，不管怎么说，我们的人生，跟教育，跟教室，跟老师，跟课本、考试、分数什么的，拴在了一起，而且是在人生的花季，所以，我们不需要再用一个道理来论证老师是多么值得尊重、教师是多么尊贵的职业……

就是这样，M老师送完了她的诗，我们大家拍巴掌，宋老师宋师母的脸上都放出光来，于是M老师又说，她还有一份礼物，她从衣兜里掏出一个信封，不像是一封信，比一般的信厚，她递给宋老师，她说："刚领的奖金……您拿着，买点您最需要的营养品……"又对我们说，"其实，现在我们城里的中学老师，只要肯干，工资什么的加起来也不算少，我们不算最穷的……"

大家就都望着宋老师，宋老师接过了M老师递过去的信封，可……宋老师的表情有点古怪，怎么个古怪？反正，不大像是感动，那是什么？

就听见阿K说："好啊！咱们送了这么一大堆，都比不了M老师的礼物，真是又高雅又得体啊！"

我也就附和上去："我们差不多全是锦上添花，M老师才是雪中送炭啊！"说完自知有点不伦不类，就又描补说："这礼才是送到心上了啊！"紧跟着又凑趣地问宋老师："这是您最可心的礼物了吧？"

让所有的人——包括宋师母——大吃一惊的是，宋老师却应声回答，或者并不是回答我，而是把憋在心里的一个念头脱口吐了出来："不。"是的，他说"不。"

屋里顿时变得很安静，静得很怪异。很不得体。可能除了宋老师，都有点尴尬——不，不止一点，是很尴尬，M老师的脸，开始变色，本来的自然红，转化为非自然的那么一种红。

只听宋老师沉静地说："谢谢你们，谢谢大家，礼物都好，太好了……可所有这些礼物，都不是我最想得到的……我想得到什么？其实，那是很简单的东西，什么东西？真的很简单，就是，那么一个自自然然的眼色，眼里的那么一个纯纯净净的表情……叫我一声宋老师，你的眼睛对着我的眼睛，那里头，不要多出什么来，对，我说的是：不要多出什么来，不是说，不能缺少什么……我现在总是面对多出东西来的尊敬，多出的是什么东西？你们都多出来了，无一例外，那就是，你们眼里，都有一股子同情、怜悯的表情，你们就不能把那表情去掉吗？……这不怪你们，你们就是想去掉也去不掉，也许可以藏起来，藏起来跟去掉是两回事，我知道，这没办法，不是你们的事儿，我不是怪你们……我只是想说实话，说实话就是，我最希望得到的礼物，其实很简单！可你们能给我这样的礼物吗？这样的礼物，你们准备起来，是不是很难？我七十五岁的时候，你们还来？那时候，就能给我了吗？……"

这当然都是瞎编的，是闲来无事码字儿，不过我有"掌中宝"是真的，地道的日本原装货。那天路过新街口一家电器行，顺便进去看看，呀，那柜台里摆着的，跟我买的一模一样，却比我买的便宜二百块钱。亏了不是！

1994.10.19 绿叶居

吉 日

　　他弯下腰，从床底下拉出那只箱子来，懒懒的。

　　箱盖上，满是厚灰，还有不知怎么形成的纤维球。他也懒得擦抹打扫。他扳开锁扣，打开箱盖……刹那间，他呆住了。

　　那是一只装衣服的箱子。他本是要取出换季的衣服。但是他惊呆了：箱子里，竟满满当当地装着钱！是的，是钱！一沓沓的，全是百元的票子，每一沓，都用一个纸条围着，仿佛刚从银行里取出来的！

　　他本能地翻检着。票子不是崭新的，号码绝不相连，凡他抽查的均有明白无误的水印……都是真的！他不敢估算、清点，那一整箱该是个什么样的数目……一颗心怦怦狂跳，他一屁股坐在地下，惶然不知所措。

　　怎么回事？钱是哪儿来的？怎么来的？谁的？……

　　自己床底下！自己的箱子！……当然，这就是自己的钱！不可能是别人的钱！如是别人，那是谁？他把我的衣服，挪到哪儿去了？我就这么点住房，一箱衣服被人薅出，怎会毫无痕迹？而且，我那一整箱衣服，也值不到这里面的一沓子钞票，谁会疯傻到用一箱百元票换一箱旧衣服的地步？

　　我的？自己的？我挣的？攒的？赢的？偷的？……

　　我没能耐挣这么多没希望攒这么多没运气赢这么多……更没胆子偷没胆子骗没

胆子抢没胆子讹……

可是我竟一下子有了这么多钱！哈哈！

得来全不费工夫。

这是绝对的真实。阳光从窗子外斜射进来。好久没洗澡，脊背上痒嗖嗖的。桌上的茶杯茶锈都溢出了杯口。而最真实的，是从箱盖上滚落的纤维球，软塌塌地瘪在脚边，发出浓厚的灰尘气味。

真的！我发财了！好大一笔财！

嗬！现在我算懂得了"暴发"这两个字所承载的那份快感！

把箱子一打开，轰！就跟爆炸一样，好多好多的钱，就都有了！

他激动中一碰箱盖，箱盖砰地落下了。一阵灰飞，他眼里鼻里扑进不少，揉揉眼，打个大喷嚏，望着脏兮兮的箱盖，忽然紧张起来……会不会，再打开时，里面又都是旧衣服，再不见那些钞票的影子了？

他呆呆地望着箱子，良久。

终于鼓起勇气，双手猛地翻开箱盖，把无形中紧闭的双眼使劲地一睁……还是钱还是钱还是钱哪……

一种欢欣如电流穿过他的全身。

他爽性地抓住箱盖，一连几次地关上又打开。箱盖上的余灰扬成一个大灰团。箱里的钞票闪来闪去。最后，他把箱盖往上一甩，用双手去抓那些成沓的钞票，感到实实在在是无可怀疑、不会消失。于是，他情不自禁地呜呜噎噎起来，那声音在哭与笑之间。

他走在街上。

他挥手，一辆黄色"面的"停在他面前。

"去哪儿？"

他摇摇头："对不起，我是想要……刚才你后面那辆夏利……"

"都一样嘛，您去哪儿？"

很得意地加以拒绝："我打'的'只打夏利！"

"干吗不只打丰田？"

黄"面的"司机气呼呼地把车开走了。

"面的"一公里收费一块，夏利的出租一公里是一块六，丰田则是两块。他以前其实连"面的"也舍不得打。

家里有了那一箱钱，真是一切都变了。

……他坐在夏利出租车的司机旁，很有谈兴。

"这车，买一辆多少钱？"

"现在，八九万吧。"

"不贵呀！"说出"不"字来时很有底气。

"有钱，买好的，国产的起码买奥迪；要么就买进口的，如今走私来的凌志、宝马，二十五万连照都给你办齐……"

"啊，二十五万就行啦？"

……车子停在一家豪华的五星级大饭店的风雨廊里。来给开门的侍应生把他吓了一跳，他以前没有这个经验。

"不用开票啦……不用找啦……"

很气派地下了车，可是很不得体地跟一位女士一起走进那旋转门。那门虽极宽，却是不兴两个人在一个格子里进的。转进去，那女士斜了他一眼。

饭店的大堂让他精神振奋，他昂然地走向大堂的咖啡座。

……他所约的人来了，他原来怕人家不来。也是，人家早不跟他来往。他电话里囫囵地那么一说，人家竟真重视，真来了，他叫那人小瞿。

小瞿一身笔挺的西装，名牌，甚至是顶级名牌：杰尼亚；手里握的摩托罗拉超薄型"大哥大"。

小瞿点了一杯西班牙特选咖啡。看他要的只是常态咖啡，又扫了扫他的衣着，抿嘴一乐，说："对对，是真名士自风流！"

令他惊慌的是，小瞿对他有了一大笔款子这个事实，竟完全没显出惊异。

他首选小瞿，来体验一种前所未有的人生乐趣，竟是个大大的失策。后悔，不如先跟老梅、阿波他们透露。

小瞿所关心的，只是"如何合作"。他不得不倒过来问小瞿："你，你们，不是最瞧不起我，说我没出息，连个老婆都拴不住，生让一嘴烟臭味的人给拐走了吗？……怎么，我一下子，就能跟人谈大项目了呢？"

小瞿简直漫不经心，仿佛知道他反正不会亮底，所以绝无猜测的兴致。最奇怪的是小瞿一点没有怀疑，如果他是骗小瞿呢？

他在下意识驱使下，也就脱口而出："我要是没有呢？"

"嗨，谁现在有闲工夫，约这儿瞎聊？又不是情人儿，又不搞同性恋！"

"你想，我怎么一下子就有了投资能力呢？"

"左不过是你那姑父，他就管银行贷款嘛……"

"那么容易吗？他离休了……"

"嗨，谁不知道？都这样，离退休以前，大笔一挥，把款贷给信得过的人，当然那项目是经得起推敲的……当然，不能公开给他回扣，他也不会拿。可是贷出来的款，可以办成几个子公司，左不过你这个公司，后台就是他罢了……"

"他那么傻吗？我是他侄子，明摆着……"

其实，他那姑父简直就跟他没什么来往，姑父跟他去世的父亲是死对头。

"嗨，倒几个批件也行呀，我还不知道你？别的倒不了，特许境外机构入华搞活动的批件，你就是没胆倒，你那几个哥儿们为把你当个中间环节，玩得技巧点儿，不也得拉着你倒？……"

哥儿们？他倒挺想跟人论哥儿们，可谁认真把他当哥儿们呢？小瞿就不把他当哥儿们，老梅和阿波就更别提了！也许，合作开始，才能论哥儿们。可是你没钱，人家也就不跟你合作，也就不论哥儿们……

……他跟小瞿聊不下去，不仅是因为他不能从小瞿那里获得所企盼的惊奇，也是因为他简直不能弄懂关于投资的一些基本术语。谈话间他意识到，小瞿他们的钱大批的都是在银行和信用社里，用法是在账号间划来划去。就是在这样的大饭店里消费，埋单也是信用卡，很少动用现金……他可全是现金，一满箱子，他怎么到银行里去存放？储蓄单的号码和可以划拨的账号，区别在哪里？……

更让他败兴的是，小瞿不知怎么的就说起来，现在越来越不好办，谁谁谁因受什么什么牵连，栽了……其中最扎耳的一句，是"……说他是财产来源不清……"

他来到豪华的购物中心，现在他决心不但不再找小瞿，也绝不去找老梅和阿波等等，他投哪门子的资？他不必让钱生钱，他也不必办什么信用卡，他只要纵情消费就是了！

他只从那箱子里取出了一沓钞票，一沓就是一百张，就是一万！箱子里一共有多少沓？毛估，而且是保守地毛估，也总有一千沓，那可就是一千万呀！

他第一次感到自己的眼睛是那么为自己争气。

所有的商品，他都觉得不贵，甚至是"怎么这样便宜"。

他大摇大摆地晃动在柜台和货位之间，迎向售货小姐的第一张脸；原来他最怕吃"冷西"，现在他却巴不得人家是一张"冷面"，上嵌一对"白果"。而且，他绝对不想给任何人提意见，他不要人家把他当"上帝"。他只是要他们到头来终于发现，他是个听到任何标价都不眨眼的大款。每当"冷面"自动调节为"讶面"又绽开为"笑面"，同时"白果"变为"青眼"时，他便有一种骨酥筋颤的快感。

他买了一大堆东西，他不断说出这样一些句子，使他自己听来像乐音一样。

"还有好一点的吗？"

"有没有比这个更贵的？"

"你们怎么连这样的名牌都没有！？"

"不试了不试了，给我包上包上……"

"怎么看上去都不顺眼？"

"随便随便你随便拿吧！"

"下次，我哪儿等得到下次！……你们可不可以送货上门？……只送大件？那为什么？多小的你也送嘛！我付钱就是！"

在丰田出租车上，他坐在后座上，身边搁着大包小包。

忽然不大痛快。

因为思路转得很急，太急了，到购物中心这么花，实在是小打小闹。应该买房子，当然是花园式别墅，当然还要买车，是的的的，要买就买凌志、宝马，或者干脆买奔驰、卡迪拉克……要赶快学开车，唉，晚了！怕学不会了！雇司机算了！雇阿波，对对对，雇他！一月给他三千，他还不干？还愿屁颠屁颠跟在老梅身后讨点残渣余孽？……装修当然要最高档！要弄得跟那个美国电视剧《浮华世家》里演的那个味儿……还要出外旅游！开开眼！"香港十日游"？太低档！要去美国！去巴黎！去悉尼！……当然当然那是当然，要女秘书！雇？哈，那叫雇吗？叫养？难听难听难听！……啊呀，这样算起来，一千万，也就"多乎哉？不多也！"为什么只是一箱子？……别的箱子，还有柜子，里面是不是也会……还得钱生钱啊！……

突然一个急刹车，司机冲车外一个骑自行车的人撂出一句脏话。他的头差点撞到隔栅上，那把车前车后隔开的东西使他联想到防盗门。

安全！一个新念头涌上他的心头，他家还没安防盗门。原来并无多大需要，他有什么值得人家爬上七楼偷盗的？可是，现在他必须安防盗门，要安最贵最好的！

……现在就不知有没有盗贼光顾……那箱子原是没锁的，锁旧衣服干什么？临出来时，打出一把锁锁上了，可那锁又有多大的作用？应该买保险箱！

他心慌起来，百废待举，危机四伏！

可他回到家里，第一个撞击到心头的想法是：那箱子，再打开时，究竟还有没有那些钱？

他坐在床边，呆呆的，望望拿回来的那些大包小包，捏捏仍很鼓的钱包。他想，至少，我享受到了一万……

为放松一下情绪，他打开电视，不想正是一个法制节目，讲些个惩罚贪污受贿的案例，"……财产来源不清……"非常刺耳。

可这跟我究竟有什么关系？

他恶狠狠地关掉电视。

他又坐下，呆呆的。

突然，他跳起来，蹲在床前，拉出那口箱子，箱子的重量感有点可疑，他的心一抖。

……没有了，也好……但怎么会来无影去无踪呢？……"来源不清"？小瞿他们，还有老梅，他们的财，难道每一笔的来源，就都那么清楚？……

开锁时，他的手直抖。

箱盖还没完全打开，他就眼如进锥、心如油泼……呀！

箱子里……是一个人！

他还来不及想，一个人怎么能待在箱子里，身体怎么蜷叠，呼吸怎么保证，并且是怎么钻进去、为什么钻进去的……那人就已经跳出来了。

是一个女人，一个年轻的女人，一个美丽的年轻女人……她穿着"三点式"，跟那些大挂历上的美女们一样，似乎不懂得还可以、有必要穿更多的东西。

他呆呆地望着她，眼睛和心都迅即舒服起来。她像个混血儿，皮肤微黑，却很细腻，眉眼让人想起杨贵妃，却又很有点朱迪·福斯特的味道……不是挂历上的一页，不是一幅画儿，不是电影和电视，是活生生的现实！

他想伸手去触摸他。她伸着懒腰，咯咯地笑，她笑！假人是不会笑的！

他一把抓住她的胳臂，他问："你是谁！你哪儿来的？"

她的体温使他激动，还挥发出明确无误的体香……

"你不是一直盼着的吗？"

一直盼着？盼什么？他结过婚，也有过几次露水姻缘……可是，他确实盼着……

什么？就是，就是，有的书上用"□□□□□□□□□□……□□□□□……□□□□□□□□……□□□□□……"所表达的那些个东西……

这是怎么回事？一天里面，他所盼望的，竟联袂而至……可是，慢着慢着，让我想想，不对不对，如果箱子里是她，那，那，那钱呢？那一大箱子钱呢？

他跑过去看箱子，箱子见底了，空空的！

"钱呢？"他挥臂狂叫，扭过头，更大声地吼，"你把它弄到哪儿了？！钱！！！"

那美女委屈得不得了，眼泪汪汪的："什么？我不知道……"

"那你怎么钻进去的？"

"我没……没钻……"

那女子转身，走开，他赶忙去拦，他本能地防备着，他不能人财两空！

"你哪儿去？"

"卫生间……对不起……我要洗个澡……"……是的是的，后来，就□□□□□□□……□□□□□□……□□□□□□……

一觉醒来，浑身舒畅。

天花板很高，奇怪……坐起来，这窗子，这墙，这整个儿屋子，这床，这对面挂的画……怎么全不对！揉眼，眨眼，瞪眼……这不是自己的家呀！……可是这一切都很可爱，比自己家好，每一个细节都好！这是哪家星级饭店的客房？我怎么住进来的？……模模糊糊地感觉到，住在这里面也有道理，不是有一千万吗？还有……还有一个美人儿，对对，她哪儿去了？卫生间？让我打发走了？给了她几沓？她不是那个！我也不是……总之，无足怪讶，我住在这儿……其实就是总统间我也住得起……这客房的彩电也并不怎么大嘛……

床头柜上有一排按钮。他顺手按了下彩电开钮，斜对面的彩电嗡的一声闪出了画面。嘀里嘟噜，全是外国话，英语？BBC？CNN？似乎不是，不是英语，语感也不是"卜茹卜茹"的法国味儿……拿起床头柜上的遥控器，啪啪啪把所有的频道按了一遍。闪出的画面，竟全是洋味儿的，所有的语音，全是外国话……

哗！这饭店不在中国？我出国了？

他猛地跳下床，激动地跑到窗边，使劲拉开窗帘……

几乎晕倒。

确实，他已来到国外，来到西方国家……好一个西方大都会！摩天楼，霓虹灯，马路像深深的峡底，车如流水马如龙……是纽约吗？那个尖顶，是不是著名的帝国大厦？或者是巴黎？铁塔在哪儿？那个教堂，看不真切，是不是圣母院？……

向往已久的一切，竟毫发毕现地笼罩于自己！

他嘴里又发出那种哭与笑之间的声音。

他出现在酒会上。

他有点恍恍惚惚的。他不大记得，他是什么时候到这样的地方来的。他能流利地用当地通行的语言跟人家交流，几乎不再遇到什么困难。

他来多久了？不大记得，人家也不大记得，这很重要吗？似乎越来越——不是不重要，而是变得重要起来。

……他只记得，最初，他所出席的酒会，规模都很大。酒会开始前，往往是在一个厅堂里面，有主席台那类的场所。人家请他讲话，他就总是很激昂，把手高高斜举，双手手心朝外，伸直食指和中指，其他手指蜷着。于是就有掌声，有时还伴着呼声。有次还有一位女郎，一身鲜红的衣装，冲上来用劲吻了他一下前额……可是后来请他的酒会规模小了一些。没有场地的转换，就是人们围着他，先听他讲，他就讲些当年跟着父母在"五七干校"里的事，讲他父亲如何挨斗，他和母亲如何饱受歧视。他绝不夸张，只是白描……人们就耸肩、摇头、抖眉、咬唇……有时就有老妇人用手帕拭泪。有一回一位夫人听完就唏嘘不已地说："五月……五月花……多美的季节……可是又多可怕啊……"再后来的酒会，所提供的酒和饮料，档次就比较低了。出席酒会的人，也就总是那么一些，难得有更新鲜的听众。于是，当人们又欢迎他讲点什么的时候，他就讲爷爷和奶奶的事儿。最吸引人的话题，是爷爷脑后的辫子，和奶奶的"三寸金莲"。为了直观、生动，他后来每讲到奶奶的故事时，就从衣兜里拿出一只"金莲"来，于是人们传看。于是有人问："现在中国妇女，还缠足吗？"他就耐心说明……

近来在酒会上，他讲老子，讲"道可道，非常道"，讲《易经》，讲八卦，讲参禅，讲顿悟……甚至表演一点小小不言的气功……人们入神、欣赏、惊叹，乃至羡慕，多么神秘的东方文化！多么不可思议的东方人！

这天的酒会规模很小。所摆出来的酒，其实很难称之为酒，当然器皿那还是很精致的，案子上，雪白的桌布，一个硕大的镀银钵子，古希腊风格的造型，里面盛着大半钵蛋黄色的水，那是用柠檬汁和蒸馏水和不多的白酒兑成的饮品，里面置一只巨大的把柄曲线很优美的勺子，银钵边排列着若干高脚玻璃杯。人们来到酒会，自己从那钵子里舀一点饮料在杯子里，小口小口地啜……

都是熟人，他来往的圈子不可能大。人们对他照例很友好，很礼貌，很亲密，很坦率。他竭力想对他们说点什么，可是他还能说什么？他挖掘不出更多的他们感兴趣的东西……

人们三三两两地互相交谈，他身边的一组扯到了一出最近当地很走红的戏。他当然也去看过，当然全看懂了。可是，紧挨着他的一位男士学了一句那戏里一个角色的台词，那些土生土长的金发碧眼或灰眼的男女便全都笑了起来。简直乐不可支，一位小姐连酒杯里的酒都笑洒了……他就很尴尬，因为他全听得懂，完全知道他们说的每一句话的意思，可就是一点也不感到什么好笑的！

这里的幽默不接纳他，或者是，他实在无法溶解到这里的幽默中。

"吉米·贺！你为什么忧郁？"

身边的女郎关切地问他。

吉米？……他恍恍惚惚的。他叫贺杰，是的，这里的人都叫他吉米……有多久了？

"吉米，你应该回故乡去！"

谁说的？应该？为什么？好不容易……而且，小瞿，老梅，阿波，以及等等，等等，他们会怎么问？"怎么回来了？""怎么在那边会混不下去呢？"……问不问还在其次，他们会怎么想……"不要管我的事！""吉米，你没事吧？""我有事！我讨厌你！""呃，吉米！""我讨厌你们，所有的人！""吉米！吉米！吉米·贺！"他用力把酒杯掼到了地板上。他在地铁车厢里。他很清楚，他回乡了。是中国地铁，车厢里全是黄皮肤黑眼睛黑头发的人，传进耳朵的全是中国话。

非常疲惫，他垂头打瞌睡。

列车轰隆隆地开着。一站又一站，他该哪站下车？

哪站似乎都该下，又似乎都不该下。

不着急。

他身边的乘客在翻报纸，哗啦哗啦，他很不情愿地睁开眼。他眼被刺了一下。

那报上印着他的照片，对，没错，是他，他看到一行大标题：《还是家乡月亮圆！》

他说过那句话吗？他有那个想法吗？

他听见身边的两个人在议论。

一个说："……'我的根在中国'，这什么意思？除了根，别的部分，树干、枝杈、叶子，都在外国？"

另一个说："那可不是！这意思就是说，根得养着他！包着根的土得奉着他！他拿了人家绿卡，回到根这儿来，投资享受优惠，免税，低税……要是唱个什么演个什么的，那更不得了，把连根带枝叶全没离开过的主儿，挤一边去！他说根在这儿，是为了稳住阵脚，好多人喜欢听他看他，是因为他枝叶在外！……"

"墙内开花墙外香？"

"哪儿啊！其实是扎根墙外，又伸回墙这边来开花！"

"也是没有办法，那边你开了花，也是少数民族之花，小圈子里的花……"

"所以要回来开花，这么一开，你就是大花、好花、艳花了！……"

他抬起头来，眉头紧皱。

那两个怎么没认出他来呢？

他再斜眼看看那人手里展开的报纸。那上面登的大照片，是他吗？不像不像不像……他走出地铁站。夜色苍茫。但街上到处挂着些瀑布灯，闪着些灯箱广告。给他一种到处的月亮一般圆的感觉。

他在街上踽踽独行。

人们从他身边匆匆而过，有人边走边握着袖珍收音机，里面传出关于股票行情的报告声；有人身上传出BP机的"蛐蛐"叫；有人从煞住在马路边的小轿车里跳出来，还一边把"大哥大"凑拢耳边唇边的唧唧呱呱地说个没完……

新出现了一些高消费的场所，很奇怪的，全是"贵族""王族""皇冠""华胄""璇宫""宝座""皇都""金城""银座""钻石""珠光""鑫鑫"……诸如此类的名号。他隐隐约约想起，他有过一千万……也许还多。可一千万又怎么样呢？或者，会感到根本不够，因为别说买一座城堡一架私人飞机建造一处私人跑道和停机坪这点钱不大够，就是买上几幅梵高的画，恐怕也还得再借钱；当然，或许会觉得无从花费，因为纵使是再好的饭菜再豪华的大饭店，你一人一天总不能吃九顿饭睡九张床……

有女人故意同他相碰，他理也不理，赶快走开；闪烁的KTV标识，以及"大巴黎""新伊甸园"等等霓虹灯字号，使他意识到可能会提供的"特殊服务"，但他毫无兴致；是的，曾经沧海难为水，他想起了□□□□□□□□□□□□□□□□□□□□□□□□□□□□□□□□□□□□□□……可是这些个回忆带给他的，只是"不过尔尔"的感慨……

人需钱几何？需色几何？……人是地行仙，地行需几何？

……他忽然感到恐慌，因为，他迷路了。他的家，属于自己的，纯粹的那一份私人的，或者说私密的空间，究竟在哪儿？他有吗？有过吗？会有吗？能找到吗？

　　他仔细想，很仔细地想。想起来，他有一个家，一份私密空间……他记得，他有一张床，哪儿的床也比不了那张睡惯了的床睡着舒服，这真奇怪！他还想起来，他那床底下有一口箱子，里面装的全是还可以穿的衣服。在那些衣服里，有几件 T 恤衫，是他喜欢的。一件上印着些美元的图案，歪歪斜斜，互相叠压；一件上印着一位香港女歌星的大头像；还有一件，是美国纽约曼哈顿的鸟瞰照，那上面世界贸易中心的方柱形双塔楼和布鲁克林大桥非常突出……他这个年纪，不该穿这样的"文化衫"了吗？他没说还要穿呀，可是他衣箱里总装着，跟印着"烦着呢，别理我"字样的"文化衫"叠在一起，那是一种收藏……

　　他忽然非常怀念他的那只箱子，箱子里那些半新不旧的衣服……他要赶快回家，回到那张床……那口箱子眼前……

　　甚至箱子盖上，那些因为不经常打开，就落上堆积成厚厚一层的灰尘，还有不知是怎么出现的那些纤维团，想起来都令人感到异样亲切……

　　他在过马路的时候被轧了。

　　一辆小轿车开过来，把他撞了、轧了，才吱嘎刹车。车刹住时，已经从他身上轧过去了。

　　车上的人慌忙下来看，一些路人也闻声见状围过去观看。

　　他自己还有感觉。那感觉很滑稽，就仿佛是在戏台上，强烈的追光照射着他。而他分明扮演的是一个丑角，鼻上涂着一片白油彩。他现出一个夸张的表情。而掌声四起，人们不知是在发出含泪的笑，还是笑得挤出了眼泪。

　　车上的人低头望，忽然发出释然的呼声："他妈的！吓人一跳！原来不是个人！"

　　围观的人也就迅速散开，有的颇失望，有的直吁气，有的无所谓。

　　司机捡起个压扁了的呼啦圈，用力一挥，甩到人行道上，嚷着："哪儿来的这玩意儿！"

　　司机和坐车的人就上车，呼地一下把车开走了。

人 面 鱼

他醒来，是清亮的早晨。

是在马路边，人行道上。

他爬起来，站着，站直，伸出双臂，向上，拼命挺腰。

朝阳把晶亮的光缕甩到他身上，他浑身酥痒。

是一个黄道吉日，他想。

1994.3.14

袜子上的鲜花

每次从外面回来，把屋门关紧，他便冲到床前，沮丧地往床上一扑……

这天也一样……他咬着枕头，双拳狠狠地捶击床铺，想流泪，眼睛却干干的……

为什么，这一整天依然是……那么样的平常，那么样的平庸，那么样的平板，那么样的平淡！

没有奇迹。

而他，有多长时间了？就那么向往着，憧憬着，期盼着……

忽然，人人都乱了他们的五官，他们的手脚，他们的话语，他们的哭笑……当然更重要的是，乱了他们的方寸！于是，他便开心了！也许，他也乱在其中，因超验的惊奇、惊愕、惊惶、惊悚、惊喜、惊魂，而如同瀑布坠崖，并刚刚击到崖下深潭的那一瞬间！

可是，居然一切都"依然故我"。老板赚了那么多钱，他那只有黑斑的门牙却依然没去做洁齿处理；虽然又新来了一个女秘书，是第十二个吧，她那一脸的微笑却绝无新意；街口那个摆烟摊的小P，也依然是一脸的横肉，所贩的，也还都是些水货……当然，地铁候车站台上新有了卖汉堡包的小商亭，可那股子千篇一律的烘牛肉饼和起司的气息，难道不更令人厌倦？出了地铁站，迎面的报摊上，那些花花绿绿的报纸杂志呢，你一瞟之间，已经了然，无非靓女俊男、大腿手铐，一些个一号的印刷体大字，什么"内幕"呀，"揭秘"呀，蹦进你的瞳孔，竟不能使你有丝毫的兴致；就连天上新挂出的月亮，也不能让你派生出哪怕一丢丢新的联想……为什么那上面不马上泄出一万个 UFO 来？星球大战为什么总还是在电视屏幕上打，而且都还依然不能占据到黄金时间？

无聊，无聊赖，百无聊赖，千无聊赖，万无聊赖，亿无聊赖，兆无聊赖！

他翻过身，双眼盯着天花板，天哪，连那只不知哪天就趴在吸顶灯旁边的那只苍蝇，它都竟然不能展现出一星半点的新姿来，您哪怕爽性飞到灯罩上，在那上头转转圈儿，跳个舞呢！它却都不，只在那儿昏睡，倒好像固定在那儿，给我的天花板当"美人痣"似的……我跟阿蓉建议过一百次了，"你把那颗痣去掉吧，现在用电离子去除法，十分钟的事儿，连你想疼都来不及……"她呢，连拒绝的表情都不能更新换代，光是露出鼓鼓的牙龈，笑不像笑，哭不像哭……

他腾身而起，坐到床边，甩掉皮鞋，抓起床头柜上的电话耳机，想了想，拨了一串号码。

照例"还没回来"！不用想象，无须猜测，无非又到那种地方鬼混去了！哼！

再拨一串号码。

他妈的，照例是录音，娇滴滴的声调，让谁给录的？他那千金可是个鸭婆嗓……"……对不起，请您听到滴音后，给我们留言……"谁给你留言？！

可是我犯错误也无新意，总拨这样的号码！

翻动一个小记事本，找到一个久违的号码，拨。

"哪位？"懒懒的声调。

"是我……"

"啊。"一点没有惊讶。就仿佛昨天，不，就仿佛下午才通过电话，不，就仿佛下午才见过面。

"……？"

"……。……？"

"……。……？"

"…………"

照例客套寒暄，照例言不及义，照例并不停止敷衍，照例懒懒的恹恹的。

终于点到正题："老兄，有什么消息？什么新闻？"

"能有什么消息，什么新闻呢？"

"咳，随便……不！老兄，来点耸听的！来点危言！爆点冷门！轰动一下！……"

"我看你是病了！"

"也许！我是病了！我需要猛药！需要奇迹！哪怕只是关于奇迹的消息！甚至是不准确的消息！传闻！乃至于……干脆——"

"干脆是谣言，你也需要？"

"聊胜于无！饮鸩毕竟可以止渴……"

"可惜，我连造谣的想象力也没有！"

"咳，我当然并不真的需要谣言……随便什么，小小的消息也行，求求你！……挤一挤牙膏，刮一刮锅底！……"

"对不起，我是无论大小，都无可奉告！……再见！"

他把耳机摔到电话座上。

愤懑中，他双脚交替用力，把袜子都褪了下来，甩得老远。

电话铃响，他一激灵，这毕竟可算是一桩稍稍提神的事。

他抓起耳机，迫不及待地："你好你好你好……"

对方在问："某某某在吗？"

打错了！

最可怕的，是经常出这种错，连别人的错误也并无新奇感，为什么不是外星人来电？

电话铃又响。

他抓起耳机，气急败坏地："错了错了错了跟你说错了！"

却并没有错，只是来电者好久没接触过了。

"……？"

"……。……？"

"……。……？"

"…………"

照例客套寒暄，照例言不及义，照例并不停止敷衍，照例懒懒的怏怏的。

对方终于点到正题："老兄，有什么消息？有什么新闻？"

他产生不了丝毫幽默感，因为听来只不过是自己说过的话的回音，只不过那无形的回音壁，把回声反弹得太缓慢罢了。

"你要什么消息？耸听的？危言？爆冷门的？轰动的？奇迹？……可是，我，我就连一个谣言也造不出来……造谣也需要想象力，懂吗？可我哪儿来的他妈的想象力？"

他那最后一句也说得软绵绵的，没有什么冲击力。

"你再想想，老兄，挤挤牙膏，刮刮锅底……"

"我无能为力……对不起，再见！"

他放回耳机，心膛里更觉一片空虚。

为什么不出现奇迹？今天，现在，此刻……

他在无意中，眼睛晃到了……晃到了好几秒钟，他才反应过来，那是他褪下的一只袜子……那袜子怎么有点不对头？他盯住看，伸长脖颈看，是的，有点不对头，确实不对头，可是一只袜子，不对头又怎么样？

他想挪开眼光，却没能挪开。

那只袜子褪下后，被他甩到了离床两米远的地毯上，袜子软嗒嗒地蜷曲在那里……可真是有点不对头，袜子它怎么啦？

他又瞪大眼睛看了一阵，终于，他忍不住下床，拢上拖鞋，走过去看。

弯下腰看。

细看。

看清了，袜子有点变化，怎样的变化？袜子上多出了些东西。什么东西？袜子上长出了植物……不，具体地说，是花，对，是花……怎样的花？有花梗、花托、花瓣、花蕊的花，是鲜花……真是鲜花吗？不是假花吗？他伸手拿起袜子，凑近脸前，眨眼看，定睛看，对，不错，是鲜花，像是那种正名儿叫半枝莲，俗名儿叫"死不了"的花，一共有三朵，一朵是粉红的，一朵是艳红的，一朵是嫩黄的；他举到鼻子边闻了闻，很香，"死不了"好像并不香，这是什么花呢？是袜子上沾上了花籽儿，花籽儿开出来的？这袜子是尼龙的，尼龙能当培养基吗？他有点怀疑，他撇撇嘴，能是真花？鲜花？它的根扎在哪儿？他掐下一朵，艳红的那朵，掐的时候，手指头的感觉，是掐植物嫩茎应有的那种感觉，掐断的部位有汁液渗出……确是鲜花，不是假的，不是尼龙的；他又拔出了一朵，是嫩黄的那朵，那花没有叶子，可是有根，根原来就扎在袜子的那一面，根系不复杂，上面也没有泥……袜子上只剩下一朵花了，一朵粉红的花，他望着那朵粉花，好一阵，这才又偏头朝地下看，看那两朵被他不知不觉中扔到了地毯上的小花，艳红的和嫩黄的，看不大清楚，他就俯下身看，看清了，那两朵花像世界上所有被掐被拔的鲜花一样，与还没被掐被拔的鲜花有了区别，不消说，那区别会越来越快地更加明显，就是变得萎蔫、枯败……

他直起腰，下意识地用拖鞋去碾了碾那两朵被掐掉拔掉的花，其实那两朵花，艳红的和嫩黄的，还是鲜的，所以碾出了一些汁液。

他又望望手里托着的袜子，袜子上还有一朵花，粉红的鲜花，他再凑到鼻子跟前，闻了闻，很香，香得很没有道理，为什么这么香？不是香水、香波、香皂、香粉的那些个香味，是真的花香，鲜花的香……

这真是香花？鲜花？真花？袜子上的花？刚才还穿在我脚上的袜子上的花？

他把那袜子搁到靠窗的沙发上。

他坐到床边，拨电话。

"……怎么又是你？……我没消息，没新闻！"

"可是我有新闻……"

"什么……"

"虽不是什么大新闻……"

"大大小小的新闻我都不要听，什么新闻我都不感兴趣……"

他挂断这个，他拨另一个。

"你不是要消息要新闻吗？我有了！"

"真的吗？"是懒懒的声气，"真的吗？"

"为什么骗你？我又不会造谣，我缺乏想象力……"

"真的吗？"稍微提起了点精神。

"出现了一件……怪事，也许算得上是个奇迹……"

"真的吗？"多少有了点急切的味道。

"真没想到，就在刚才，就在我们挂断了电话之后……"

"真的吗？"这回是确实提起兴致来了，"你先别说，让我先猜……"

"你猜不着的……"

"怎见得？唔，是不是……？"

"你想到哪儿去了！"

"那么，是……？"

"不是那一类的事！"

"那算什么消息？什么新闻？"

"是一个奇迹……"

"真的吗？是……了？"

"跟你说不是……"

"那么，是……啦？"

"不是都不是……奇迹其实就出在我家里，在我这间屋里，在我沙发上……"

"你开什么玩笑？"很失望的声气。

"……更具体地说，是在我的袜子上……"

"开玩笑！"是谴责的口气了。

"我的一只袜子，刚脱下不久的……那一只我还没注意……唔，看见了，还在地毯上，那一只没事儿，就是说没什么变化，情况是出现在那只袜子上……哪只？沙发上的那只，现在沙发上的那只……你听我说下去……"

"我没时间听你这些个乱七八糟的……你有病了，你快上医院吧！"

电话被对方挂断了，气愤的声气，还潴留在耳朵眼里，回旋着。

他搁回耳机，愣愣地坐着，并不生对方的气。是呀，这算什么消息？什么新闻？什么奇迹？

他在愣坐中，眼光无意中晃到了沙发，沙发起了一些变化，是的，不算太小的变化……仔细看，并不是沙发本身的变化，还是那只袜子的变化……袜子上的那朵没被他掐掉拔掉的花，那朵粉红的小花，它不知什么时候已经抽出了很多的分枝，分枝又派生出分枝，每个分枝上都又开出了一朵小小的、粉红的花……那些分枝就在他目睹下继续地滋生着，像电视里的动画片一样，不知不觉中，袜子上长出的植株已经像一棵小树，不，是不算小的树，那树顶朝天花板延伸着……只是这棵树光不断地开出粉红的小花来，而没有一片叶子……

他坐在床边，愣愣地望着那棵还在生长的树，袜子上长出的树，开出许许多多小粉花的树，那些小粉花散发出浓酽的香气，令他有点接受不了……

他又有点想打电话，可是他耳朵眼里仿佛立刻充塞着一些熟悉的声气，回旋着，他就再没去动电话。

他愣愣地望着那棵继续生长的树，那棵从袜子上长出来，开满粉红鲜花的树，树冠眼看就要挨着屋顶了。

他渐渐觉得那棵袜子上的树令他受不了。

电话铃响，他立即接听。

是同一办公室的大董来的。

大董也已回到家中，有一回在办公室里，大董说过："昨晚我做了个怪梦，梦见我在家里，给你往家里打电话，你说这不是'更向荒唐演大荒'吗？我会从自己家，往你家打电话！什么'日有所思，夜有所梦'！我会白天里有这样的思绪吗？！"当时他听了，也是很觉荒唐，连笑也笑不起来。大董往自己家里打电话！这需要多么伟大的想象力！问题是：要这份儿伟大干什么？！

但此刻电话里分明是大董的声音。

消息！新闻！奇迹！

他一个激灵，甩掉拖鞋，盘腿坐到床上，简直恨不能将电话听筒吞进耳朵眼里去。

"……告诉你，阿蓉，她死了！真的死了！谁还平白无故地咒人不成！……什么时候，就是我们下班没多久嘛！……怎么死的？很简单，她过马路的时候，被一辆汽车撞死了，当时立马顷刻就死了……"

他的心，难得地加剧了跳动。而脑海中也即时掀起了互相重叠激荡的浪花．阿蓉那颗痣，毋庸去做电离子去痣术了……那算得上"美人痣"吗？……所以嘛……所以该去做嘛……却总是露出鼓鼓的牙龈，似笑非哭地，也不知是领情还是嫌厌……现在那颗痣也死了吗？……

他不由得朝天花板上望去，那只苍蝇，那颗天花板上的"美人痣"，居然还在那儿趴伏着，居然还没死，不想死，也不会有一辆汽车把它轧死……

大董还在说些什么，他都没听仔细，但耳朵眼里很舒服，很惬意，很充实……他也就心畅神舒地回应着……是的是的，且看老板是怎样一个反应……对对对，上过保险的……能赔多少？五位数？怕得六位吧！……老板给不给算工伤？……谁将占据阿蓉的那个肥缺？……谁？他？笑话！论得到他？！……是的是的，"天下从此多事了"！……

可是"天下没有不散的宴席"，到头来关于阿蓉的话题终于枯竭，他依依不舍地缠住大董："……还有什么别的消息？新闻？……真的再没有了吗？……再挤挤牙膏，刮刮锅底……唉唉唉……阿蓉这究竟也算不上多过瘾的信息，有一点爆炸性，也就一点点，爆得还不够气派……大街上随便问一个人，谁知道阿蓉是谁呢?！……"

大董那边挂断了电话，他觉得自己仿佛立刻从一架秋千上跌落了下来，顿时又复归于无聊、无趣、无生意。

他愣了一阵，又偶然地在一瞥间，看到了沙发那边，沙发上的那只袜子上，所长出来的那棵树，已经顶到了天花板。但似乎就那样，不再生长。满树粉红的小花，在窗外射入的光线映衬下，显示出丰富的层次，确是鲜花，有一种水气，伴着花香，袭入他的鼻腔。

他呆呆地望着那棵袜子上长出来的树，有好一阵子。

心里却越来越空。

他跳下床，略一迟疑，便迅猛地朝沙发那边扑去。

扑到沙发边，他几把扯坏那棵树，那确是棵树，很脆弱，枝干和枝条很快就被撅断掐折，那些小粉花更是纷纷离枝坠落，而且，简直不用费力，那窝藏在袜子里面的根系也便被他统统揪出，他把那棵树清除掉以后，抓起那只袜子，凑到眼前细看，袜子似乎秋毫无犯，连那穿了若干天所难免要有的不雅气味也还存在，他不由说了声："好好的一只袜子啊！"

他用拖鞋碾碾地毯上那些花枝，扔掉袜子，回身扑到床铺上，把脸埋到枕头里，眼睛虽干干的，却以饮泣的声调，捶着床说："怎么总是没有奇迹发生啊！"

1994.12.13 绿叶居

拼合裤

有朋自外地来，多年不见，甚为欣悦。

双方坐在厅中沙发上，言谈甚欢。

主人的儿子，回到家来，似有若无地给了来客一个招呼，便快步进入自己那间屋，虽关紧了门，屋里音响中的摇滚乐依然从门缝中狂放泄出。

主人抱歉地笑笑说："一代新人……他们有自己的生活……有自己的趣味什么的……了……"

客人在主人儿子进屋时，因为那小青年的双腿恰从他眼前晃过，一瞥之中，留下了很深刻的印象——那裤子，前后所用的布料可能是相同的，颜色却分明不同：前面深蓝，后面浅蓝。

主人继续说些别的话，客人一时都听不真了，眼底里潴留着那小青年的双色拼合裤，心里漾出一圈圈涟漪，好一阵才回过神来，说："他那裤子……是买来就那样，还是……"

主人开头没明白："你说什么？"及至终于弄明白了，才笑道，"他们这一代，哪儿有自己动手的习惯！你看时下城里小青年们结婚，所置备的东西里，很少再有缝纫机了不是？现在的消费潮流，是什么怪模怪样的商品，只要有买方，便有卖方制作出来应市……他那前后不一个色儿的裤子，据说还不叫牛仔裤，是什么萝卜裤，是在高档购物中心里，买的现成的，因为是‘独一份’，所以好贵……唉，他们这一代！"

客人便笑笑说："可以理解……他们真赶上好时候了！"

主人说："他可是最不喜欢这个话了，每次我这么说，他总驳……他，还有他的几个朋友，最近正起劲地批判俗世呢！"

客人不解："批判俗世？"

主人说："就是对眼下的商品社会，持严厉的批判态度。他们认为，作为社会智者，也就是知识分子，其天职便是抨击现实，无论你是怎么样的现实，总不完美，不完美就得抨击……如果不是进行批判，而是说现实的好话，比如‘好时候’什么的，他们便会把嘴角撇到耳根！"

客人说："对现实保持监督批判的态度，这很可贵啊，然而也不能对现实中的任何事物都披头盖脸地否啊批啊，比如这以经济建设为中心，这市场经济的发展，其总的走向，我们为什么不能采取肯定的、亲和的态度呢？……况且，他能穿上那条拼合裤，不就正是享受到了市场经济的好处吗？"

主人说："我也常跟他争，可是他哪儿服，他说，你们那是恐惧思维，总拿现在跟‘文革’时期什么的比，思维逻辑无非是：现在的什么什么，总比以前的什么什么强多了……总怕以前的那些个情况又绕回来；他们认为这很可笑……"

客人沉吟着说："这好笑么？……"

主客又聊了些别的，很投机，于是留饭。很难得地，主人的儿子没出去，一起进餐。

席间，客人按捺不住，讲起了一桩往事："……其实也无非二十年前，并不古远……我妹妹要结婚，我正好有个机会出差北京……那时候，我妹妹最向往的，是能穿上一条涤卡的裤子；我就决心到北京给妹妹妹夫各买一条涤卡裤子……"

主人望望儿子，儿子嘴角挂着冷笑，只顾搛菜。主妇并不注意讲与听，只是劝大家多吃。

客人继续讲："……到了北京，到商店一看，涤卡裤子到处都有，可是，需要用北京专用的‘工业卷’买，我一个外地人，哪儿来的北京专用‘工业卷’？……"

主妇便笑说："你怎么不去找他要？……那时候，他可是一再跟我说，他跟你是所谓的生死之交……"说着望住丈夫，一脸的讥讽。

客人再讲："……那时候你们刚添了丁，该置备的东西很多，你们俩人的'工业卷'还不够呢，我忍心去剥削你们吗？……"

主人便问儿子："'工业卷'，听说过吗？"

儿子说："哎呀，那时候粮票、布票……票证很多，谁不知道呢？不是一度还有点心票、自行车票、电视机票……什么的吗？对了，还有副食本，什么一个月二两芝麻酱什么的……怎么，跟我来忆苦思甜了吗？这节目，挪到西单那个天天大款云集的'忆苦思甜大杂院'的特色饭馆去，可能更合适吧？……再说，这些票证，如今都是收藏家的抢手货，在国际市场上也俏得很呢？咱们家还搜得出一点来吗？要有，拿去拍卖，肯定能有好价钱！"

主人和主妇便都责备地望着儿子。儿子若无其事地攘起一根玉米笋……

客人仍继续讲："……可真叫'吉人自有天相'，正在我灰溜溜的时候，有一天，办完事，路过三里河商场，我进去转，在那儿，我竟撞上了美事！……那儿有两条涤卡裤子，居然不要'工业卷'！为什么不要？因为那是两条次品，不是一般的次，是怎么回事？原来，那两条裤子，都是正反面用料颜色不一致的，一条正面色深，一条却反面色浅……我赶紧把它们一起买了下来，心里真是高兴极了！回到我们那儿，我就让我母亲，把那两条裤子拆开，然后把它们拼合修改成了一深一浅、一男一女两条新裤，在妹妹结婚的那天，他们穿着那两条新裤子，真叫扬扬得意！……"

主人听到这儿，便望着儿子说："那前后颜色不一样的裤子，搁在今天，恐怕还是不必拆开了啊！"

主妇想到儿子的新裤子，摇摇头说："哎哎……难看！"

谁知那儿子却停箸眨眼，稍许，笑笑说："……拼合裤……唔，很有点'后现代'的味道……这故事挺有意思！"

主妇请客人多多吃菜，客人边吃还边感叹："……我一直忘不了这两条拼合裤……

从这两条裤子,能拎出我许许多多的其他回忆……不管怎么说,我承认,我穷怕了,这穷,还不是指我个人手头的钱少,而是指整个社会的物质匮乏……当然,精神很重要,可是整个社会没东西,缺吃少穿,光有表面的精神,其实,那深处的东西,不是愚昧,就是虚伪,要么便是困惑与痛苦……”

主人想了想说:“如今,社会上担心物资大匮乏的心理,好像是比较淡薄了;人们普遍都认为,社会不会再逆转到‘文革’那种状态了;一些知识分子所担心的,反而是:这样的满眼物资,社会会发展成什么样?会不会出现物欲下的愚昧、吹起普遍的虚荣之风?最近看了一部电影《二嫫》,里面那个二嫫在虚荣心的鼓动下,竭尽财力买了一台村里谁家也不趁的特大彩电,算是获得了一时的快乐,但彩电搬进来,占据了她家很大的空间,人都没地方待了,而他们家在彩电前看到所有节目结束,荧屏上一片雪花,人都看得昏睡过去了,想必也并没什么精神上的收获……这电影就超出了你的思维,它不是怕穷,倒有点怕富呢!”

主妇听到这儿,点头说:“其实穷也罢,富也罢,都不是最要紧的啊……”

客人却仍然沉浸在他的思路里,说:“要紧的,是精神?就一个人自己来说,他也许虽穷而有精神,便活得很有意义;可是就一个社会而言,物质的大匮乏无论怎么说也是一桩痛苦的事!别忘了,我们说货架子满满当当,这只是说的城市,还有主要是沿海的农村,其实在我们国家不少地方,特别是偏远农村,物质匮乏,甚至大匮乏的现象,也还存在着啊!你说的那部电影,是很好的,取了一个很有警戒性的视角;但是,也还可以有另外的视角,比如,通过两条裤子的拼合,引出关于个人命运与社会经济发展之间关系的深远思考……”

主人一时无话,便望着儿子问:“你有什么感想?”

儿子喝完一勺汤,很从容地说:“那两条拼合裤,已经是过去的事情了。《二嫫》意思也不大,无非是说要物质、精神两手抓。都是老话。你们往上的一代,总有一半的生命,活在过去;我们这一代,却总有一半的生命,活在未来。所以我们之间很难说得拢。”

主人责备说:"怪话!难道我们现在,不是共同生活在一个时空中?"

儿子说:"可是这个时空,大部分,已经被你们以上的一代人占据。连话语空间,也被你们切割了百分之八十以上……你们刚才不就把几头的话全给说了吗?我们难道只有重复的份儿?……我们为了开发自己,不能不对基本上属于你们的现实,以及你们的所有话语,取严厉批判的态度!"

主妇只感到儿子无礼,朝儿子微嗔,又代向客人致歉说:"他这也不知道是打哪儿学来的……"

客人却望着那年轻人,若有所悟地说:"我……仿佛看到了……多年前……我自己……的影子……当然那时人文环境是很不相同的,但是……人性的密码,却原来……大体上是一致的啊!"

送走客人以后,主人想跟儿子再聊聊,儿子却说还有事,走了。他也确实有他自己的事——他们几个年轻人,约在某个星级宾馆的酒吧,边喝酒,边策划他们最新的举措——在某张主要介绍消费潮流的小报上,作一整版针对俗世俗众的刻薄批判。

而那客人在去往客舍的路上,脑子里除了原来那两条拼合裤,又增加了这天所看到的穿在年轻人身上的拼合裤,三条拼合裤竟渐渐在他脑中搅成了一团。

1995.8.26 绿叶居

套白狼

忽然接到一个老同学的电话。

"嘿！你怎么把我忘啦？！……"他劈头，不，是劈耳，劈耳便责备我"薄幸"！

我想分说一下，他岂容我分说，像放鞭炮般地，越责备我越激烈起来："……连我的声音都觉着生啦？……至于嘛！不也就是报屁股上丢了点小'豆腐块'，电视里头参加了回什么抢答式的'垃圾节目'罢了……就把我们老同学给忘到爪哇国去啦！……如今爪哇国不算怎么远了，你是整个儿把我给忘到曼德拉那儿了……就是南非，好望角！……你这人！怎么几年都不给我打个电话？省下那点电话费，够你干什么呢？抠门儿大仙！……"

我不仅顿时感到冤情似海，而且也着实地不愉快起来。我固然很久没跟他联系，他又何尝给我写过信挂过电话？……"抠门儿大仙"是北京人给吝啬鬼取的"雅号"，是"不用脏字儿骂人"，我凭什么好端端地人在家中坐，骂从天上，不，从热线中来呢？

我便也老实不客气地反击了他几句，谁知他那边"扑哧"笑了，语气陡然又极其亲切，不，简直是极其地亲昵起来："……唉呀，我是你的忠实读者群当中最忠实的一个，要评'忠实读者奖'，那我稳拿冠军！……我连你发在外地周末版上的百字'语丝'都一一拜读，还把你的文章剪贴下来，当我儿子作文的范本呢！……你在电视上一露，我马上让全家人聚齐，一睹你的风采！……你一点儿也没老！你简直是越活越年轻了！你的思维还是那么敏捷，言语还是那么幽默……哎呀呀，你是母校的骄傲啊！你的光辉，把我们都给掩盖啦！……你这狗儿爷！真想你呀！想得我心尖儿痛！……"

我觉得云山雾罩，莫名其妙。亲热得用上了"狗儿爷"这样的骂语，真非同小可！不过稍一定神，我便提醒自己：如果有人忽然骂你，那倒往往并不足虑；倘若是忽然有人捧你并且说想你想得心尖儿痛，那可就必须警惕了！

我便问："……你这么热辣辣地来电话，必有缘故……你找我究竟有什么事？"

传来他很见怪的语气："干吗非得有什么事？……人是感情动物，是不？……想你了呗！……真的，不知怎么的，忽然想起来，当年你请我吃烤白薯的事儿来了……忘啦？我这人可是，谁对我有滴水之恩，必涌泉相报的呀！……"

"那你是……要给我涌泉了吗？……"

"嘻嘻……看你急的！泉要先慢慢地流，最后才涌得起来啊……那回的烤白薯，真是我一生当中所吃到的最甘美的食物！你还记得吗？是在咱们学校东边那个胡同的拐角，那儿有棵大槐树……"

说实在的，他来电话的时候我手头上正忙着，他既然没什么具体的事，何必这么絮絮叨叨地侵占我宝贵的时间？

我忍耐不住了，便说："你既然没什么具体的事，那咱们……"

他在那边马上截住我话茬儿，像说相声般地"抖包袱"说："大事没有，小事毕竟有一桩！无事怎么敢惊动到阁下的金銮殿？……是这么回子事：我想请你喝茶！"

我一时没能明白："喝茶？喝什么茶？到哪儿喝茶？"

他笑说："看你急的！我就知道你，还有你们那个圈里的人，最恨大鱼大肉地胡吃海塞，最喜欢雅雅静静地喝茶清谈……所以，我没开饭馆，也没开咖啡屋，而是开了个茶寮……"

真没想到，这倒的确是别开生面，亏他有这么个点子！

"是吗？你下海当老板，开茶寮啦？在什么地方？有多大？……这开茶寮，能有生意吗？能赚到钱吗？"

"究竟还是你厉害啊！两句话就问到点儿上啦！所以说，我要到你府上，当面向你汇报，向你讨教哇！"

"到我家来？那……干脆，约个时间，我到你茶寮去不得了？"

"茶寮还在装修，没成型呢！……怎么，嫌我去了踩脏你家地毯呀？"

"我这儿根本没地毯！……"

几天以后他如约而来，一进我家便环顾、左顾、右顾、仰顾、俯顾、移动顾、探头顾……仔仔细细地顾过后，颔首说："行，脱俗，有你的！不过……真是没地毯，连镶木地板也不弄，就这么用合成砖一铺……嘿嘿，你老兄，是想把钱用到更锋利的刀刃上吧！"

我请他坐下，沏人家给我刚寄到的乌牛早茶给他喝，那是一种龙井体系的绿茶，他很内行地品了一口，吧叽着嘴唇赞赏说："颊内生香！这才叫好茶哩！"

我急着问茶寮的事，他且不说，倒是问起我都在干些什么，跟圈里的人来往得勤不勤，我们这些人如今是不是都步入了小康行列，谁买了小轿车，什么牌的？奥拓太小点吧，捷达挺不错啊！有几位买了商品房？……我如实地告诉他，我们这些个靠码字儿谋生的人，发了点财买上了车子房子的，真是凤毛麟角，绝大多数，不过是温饱无虞、自得其乐罢了，比如我，存是存了点钱，买一般的家用电器，气儿还粗，提起什么车子房子，还是只有望洋兴叹的份儿……

"还往银行里存啦？一再地降息！也该往收益高的方向想想啦！没炒股吗？"

"没。倒不是观念上觉得炒股不光彩，是没那么经得起折腾的神经……"

"这就对啦！我也没入股市！"

他不炒股，倒颇出乎我意料。心想人家不去股市投机，而是扎扎实实地搞实体经营，不禁肃然起敬起来。

喝过半杯茶，他这才跟我讲起他的茶寮来。

啊呀，那真是奇思妙想，倘若真的搞起来，倒真是个都市里的桃花源！

我正沉浸在他所描绘的"青瓦白墙、蓬椽草帘、陶桌竹椅、砂壶拙杯"等等雅极妙绝的境界中，忽听他说："……我这茶寮，不就是你老兄化食会友、闭目构思的第二客厅么？……我将发放白金卡，仅仅六张，凭白金卡可以随时来茶寮免费品茶，你老兄是第一张！……"

我听了受宠若惊。

"你还可以推荐，看谁有资格享受白金卡，我听你的！"

我顿觉自己成了权威，享有生杀予夺之乐。思维里迅即飘过一串人影……唔，这个要郑重推荐……那位么，对不起，尽管他自以为了不起，不过，要到咱们茶寮来喝茶，对不起，请照单付账！……

我的老同学，不，老朋友，他继续讲述其优惠方案："……白金卡六张，是费用全免的待遇……然后是六十六张金卡，一张金卡一年仅收九百九十六元，然而到茶寮来消费，持卡者享受半价优待，随来者四人之内七折，四人外无论多少人一律八折！……再，便是银卡八十八张，一张银卡一年仅收六百六十九元，持卡人享受七折优惠，随来者无论多少人一律九折优惠！……还有碧玉卡，一张一年仅收二百元，持卡人享受八五折优惠……"

我的算术水平从小不行，被他说得晕头转向。不过我也用不着去算，我反正是白金卡持有者，持白金卡是根本用不着算账的……不过，持白金卡的人带人去喝茶，难道也免费么？……

我正胡思乱想，他像唤醒梦魇者一般叫着我名字说："……嘿，你总得帮帮兄弟我啊！你在你们那个圈里，不是人缘顶好么？你给推推金卡、银卡！每推一张，你拿百分之八的劳务费，如何？……得得得，瞧你那表情……好好好，我认罪认罪！哪儿能跟你说什么劳务费呢！……是呀是呀，所谓劳务费就是回扣的别名，不是什么好名分！……你哪能呢！再怎么着你也不缺这么点钱花不是？就够买个仨瓜俩枣的小钱，你希罕它呢！……你说得对，说得对，你面嫩，直接让你出头，大面积地推，也忒难为你了……这样吧，除了几位你最亲密的战友，由你亲自去推，其余的，你提供地址电话就行了！……"

于是我便让他从我的通讯录上抄走了一大串地址。他很满意地告辞而去。

以后接连几天，不时有我们圈里的人给我来电话，或说是接到了电话，或说是接到了打印的材料，问我那茶寮是怎么回事儿？那老板究竟是什么人？是不是我已跟他合了伙？……我便说明一番，劝他们无妨考虑买卡，他们便问我买没买。我不好意思说自己的白金卡属于惠赠，根本不用拿钱买，便含混应之……不过来电话的朋友也都表示："有这么个茶寮倒是挺不错的……咱们也算有个可以品茶细论文的清雅之地了……"

然而我那老同学却好久没露面，也没电话；我给他打，总没人接，呼他的BP，总无回音。说实在的，我倒挺想他的……你该说，我想的是他那白金卡吧？我也不能否认。不过我总觉得这茶寮属雅人雅事，我挂记着，不算丢份儿。

忽然一天老同学飘然而至，进门便连连谢罪，不等我赦免，便急急慌慌地跟我说："到头来还得拜你这个真佛！……茶寮正紧锣密鼓地装修中……可匾还没人给写！……你跟好几位书法家都是朋友，你帮我求求他们的墨宝……包在你身上！……"于是他便详细地给我布置，门面上写什么，里头中堂写什么，单间小门上写什么……我拿小本记录完，他又搓着手说："既有字，不可无画……既挂画，不可只拘一格！我的设想，是中国水墨画、工笔画以外，还要容纳油画、丙烯画、水彩画……甚至木刻、剪纸什么的……当然，除了架上画，浮雕、圆雕，甚至于装置艺术，都可以上……你不是有那搞后现代艺术的朋友们吗，将来他们可以来我的茶寮表演行为艺术……"

我说："你别一口吃成个胖子啊！一步步来好吗？……"我想到了两三位能求得动的朋友，先让他们给他写匾和捐两幅现成的画吧……

他来如风，去如电，令我在茶香氤氲中殷殷期待……

后来他来我家取了我给他求的字画，千恩万谢一番；我问他茶寮装修得怎么样。他摇头、啧舌，表示"如今要做成一样事，真是比上青天还难"……我对他充满同情，并且暗祝他排除万难，有志者事竟成。

一天晚上我都钻被窝了，忽然他来电话，也没铺垫，头两句便是："我马上去你家！你要救我一命！……"

吓得我从被窝里滚出来，心里仿佛揣上了一只刺猬。

不一会儿他果然来了，还好，红光满面的，不像是即刻便要被谁打杀了煮吃的灰头土脸的模样，我松了一口气。

他也不坐，更不吃茶，言简意赅，直奔主题："你现在手头能拿出多少现金？"

我虽迟疑，却也不愿撒谎："归里包堆，也就两三千块吧……"

他便说："你留一半，给我一半！"

不言借，更不说还，非常潇洒，极其自然，"你留一半"，倒像是恩赐于我……想到我乃白金卡享有者，也便觉得人家投桃，自己理应报李……于是取出一千五百元给他。他接过去，也不数，也不谢，塞进衣兜，嫣然一笑，十分妩媚，说了句"解我燃眉之急"，竟便告辞，翩然引去。

再钻进被窝，我怅然若失，不，不是若失，而是实实在在地失去了一千五百元，于我来说，这不能算是个小数字……他既开茶寮，何至于一时连一千五百元的活钱都没有了呢？生意人真是不可思议！……

第二天一觉醒来，吃早餐时，心中暗想：这一千五，就算我赞助他那茶寮了吧！可真是的，怎么能成为"抠门儿大仙"呢？人还是豪爽一点的好！孔夫子有言，虽陌路相逢，肥马轻裘，敝之而无憾嘛！……

我的老同学自那晚以后，又很多天没有音讯。

一日，我忽然想，与其总盼他来跟我联系，莫若我去茶寮找他；即使茶寮还是一派装修中的纷乱景象，并且他本人不在现场，我见到了他的实体，也便等于见到了他本人，并且等于领到了至少是半张白金卡。

我便去了。那地点离我家颇远。要不我也不至于这么多天才去。在他告诉我的那条街的街口下了"面的"，我往里走，张望着……他告诉过我，往里走，路东，一百米，左边……眼看满一百米了，却了无迹象……难道他是……？……啊，看见了看见了，那里，一个门面，有些个茅顶竹檐的味道，显然，到了到了！……

……没什么动静，是停工状态。怎么这个时候也不干活？……我推门进去，一股刺鼻的油漆味扑进鼻腔……满地狼藉……一片混乱……人呢？人在哪儿？……

我朝里间望望，唤了声："有人吗？"……这才看到，里间有些人在打扑克，大概是"拱猪"……

两三个人迎了出来，疑惑地问："你找谁？"

我本想说找他们老板，可看他们那表情，实在不怎么友好，不仅是不友好，倒有点小瞧我的架式，我便爽性说："是你们老板让我来的！"

"来得好！"

"总算来了！"

……

怎么回事儿，倒仿佛他们早就在等我去似的！

一个似乎是工头的家伙，长着挺粗挺乱的两丛眉毛，逼到我身前，伸出手，不是要跟我握，而是——"钱呢？拿来了吧？给！"

这我就不明白了！

一时间我陷于他们的包围。里间的人也都出来了。那眉毛挺凶，不，不仅是眉毛，整个儿凶神恶煞的家伙，更贴近了我的身子……

我惶急，并感到恐怖……

我们双方经过紧张而复杂的一番你言我语，才终于达到基本沟通。

原来，我的老同学确实要在那儿开茶寮。他们装修队也确实一直在为茶寮搞装修。可是，我那老同学一直没付他们款。不付款怎么还给干？因为现在不比前几年，那时候搞装修的是求大于供，不仅是必得付半款或定金才给你干活，甚至于还可以讨个高价……现在却是满街的装修公司，满胡同的装修队，是供大于求了，所以，人家找上门来便是喜事，给很少的定金，甚至于先干着再说，都乐意……我那老同学，据他们说，原也不像个骗子，是真想搞这么个茶寮，可他们没想到，他不是缺资金，敢情他是根本就没有资金，凭着一个创意，两片嘴唇，三寸长舌，四处联络，五路奔走，六界吹嘘，七处赊欠，八方卖卡……便想把事弄成，发财得意！整个儿是"空手套白狼"的路数！……按我那老同学的筹划，他把金卡银卡卖出去了，这地方的年租金和装修费也就差不多了，可是，他费了老鼻子劲儿，金卡一张没卖出去，银卡和碧玉卡合起来也没卖出几张，买卡的有的也只是付了一半的款……所以，他现在干脆躲起来了，任谁再也找不到他，说不定是到很远的外地去了……那这些个干装修的为什么不撤呢？不能撤啊，撤了，已经用的料、费的工时，岂不都泡了汤？……

我好不容易才向装修队的人们证明了自己的清白无辜，可是他们死活还是要我留下家庭住址和电话，我也没有瞎编作伪的勇气，老老实实地写给了他们，这才脱身……出得门去，我简直是抱头鼠窜，跳上"面的"时，司机几乎拒载，大概以为我是作了什么案，要他帮助逃跑……

回到家我把自己堆到沙发上，抱肩大喘气。我成了我那老同学，不，什么老同学！我上过那么多学，他只不过是我初中时期的同学，不，还不能说是整个初中时期的同学，他其实只跟我同过半年班而已……而现在，他该了一屁股债，却连屁股都没拍一下，便走人了，连股青烟都没留下……我呢，却成了代他受过的人质！……唉唉，都是为了贪得那张画饼般的白金卡吣！

电话铃响，特别扎耳朵眼儿，我迟疑了一下，拿起话筒……是电视台的朋友，就是拉我去拍那个"垃圾节目"的主儿……什么什么？什么节目构想被他们台长毙了？"闲话茶寮"？我的构想提纲？我老同学亲自送去的？我什么时候列过这样的提纲？……台长说不能搞"变相广告"？……他答应赠金卡和银卡？根据我的建议？……如果拍了便是搞"有偿新闻"？……冤枉冤枉！……电话号码？那电话号码确实是我向他提供的，我本以为……我真是冤哉枉哉啊！……他到哪儿去了？我还想找他呢！可我问谁去呢？他临开溜前还拿走了我一千五百块血汗钱！……

一个堵心的电话也罢了，紧跟着又是一个，是一位画家朋友打来的，质问我，他给我的那幅画，不是说是为了在我朋友的茶寮里挂吗？怎么现在出现在了拍卖行下个月的拍卖目录里？而且起价仅仅一千元！……我说好哇好哇，他既然敢把画拿去拍卖，那成交后他一定会去拍卖行取款，那时怕我们堵不住他！……朋友说，他给拍卖行打了电话，人家倒是透明度挺高，说供画者是位女士，与任何茶寮都无关……唯我是问？天哪！我唯谁是问去？！……

粗针脚

珠珠的妈妈开着桑塔纳2000，到寄宿学校接珠珠回城度周末。

珠珠一上车就嘟噜着嘴。可见过去的这一周她又有不顺心的事。

妈妈一边开车一边询问她，并且跟往常一样，不待珠珠回答便劝解起来：

"这又是怎么啦？物理实验报告没得上优？……嗨，这跟做生意一样，兵家常事！哪儿来的常胜将军！……物理成绩我不那么在乎……你英语和电脑的成绩还是领先嘛！……反正将来是送你到美国学经济管理……力气用到刀刃上是对的，就像这几天我的生意，客户当然一个都不能放，可没必要个个都给他伺候满了，懂吗？……"

车子拐到高速路上，加大了马力朝市区飙去，珠珠妈妈没偏过头，可是能感觉到珠珠依然极不开心，显然，这与成绩单没有关系。

"那……是不是又跟同宿舍的哪位姑娘闹别扭啦？……我跟你讲过多次，绝不要嫌贫妒富……咱们是比上不足，比下有余嘛！……波娜她家开宝马车来接她，你不必羡慕，咱们家再奋斗一段，说不定能买上比她家更神气的车呢！……秀秀她每回都是搭学校的依维柯面包车进城，你别看着她上那个车就自以为咱们家多优越……秀秀她家可是书香门第，爷爷是上了《中国名人大辞典》的……你跟她们朝夕相处，可千万不能伤了和气！……"

"谁说伤和气啦？"

珠珠妈妈这才偏头望望女儿,女儿的嘴竟嘟噜得更高了。

汽车进了城,停在一家四星级饭店门外。

珠珠妈妈带珠珠在咖啡廊吃自助餐。

珠珠取完色拉,走回座位,妈妈已经在用爱立信全球通手机跟什么人交谈上了。珠珠先把盘子往桌上一顿,然后气呼呼地跌坐到法国路易十六式的沙发坐椅上。妈妈望了她一眼,然后主动结束通话,并且跟对方说:"对不起,现在我跟女儿在一起,我们难得享受天伦之乐……咱们以后再谈,我要关闭手机了……拜拜!"

妈妈确实关闭了手机。她去取菜。然而没等她返回,手包里的 BP 机又蛐蛐起来。她取回菜来,忙把手包里的 BP 处理成无声接收状态。

母女俩对坐进餐。

珠珠忽然说:"对不起!"

妈妈如聆佛音,心中大畅。望女儿,嘴不嘟噜了,愠色全消。显然,到头来女儿是能理解自己的,她对女儿的爱,难道还需要更多的证明吗?

后来她们都去取了烟熏三文鱼和菠萝鸡块……母女俩漫无边际地聊了一阵,都挺愉快。

临到面对面吃巧克力奶昔的时候,妈妈问:"缺什么东西?……咱们一会儿就去商厦,给你买个够!……"

珠珠先是说:"都够用呢!"眼里游过一道光,忽又说,"唔,对了……我想……要个……文具盒……"

妈妈笑了:"我当你要什么宝贝!文具盒?我们小时候,都叫它铅笔盒……那算得了什么?进了商厦,它柜台上有多少我都能包下来!就是给你们学校每个同学送上一个,在我也不难!……"

珠珠脸色晴转阴,小嘴又有点往起撅,说:"……不是那个,是……文具盒的套儿……"

"……套儿?……你说的是什么东西?……"妈妈听不明白。

　　珠珠解说了一番。原来是一种一头可以收拢的布套儿，用来把文具盒装进去，起保护作用的。

　　妈妈理解了："文具盒能值几个钱？用坏一个换一个就是了，用得着装进布套儿保护？……想必又是一种新潮流，你们同学之间又兴起了这么个时髦！……好吧好吧，哪儿有卖的？咱们一会儿就去买它！"

　　"没有卖的！"

　　妈妈也理解："对了对了，如今什么都是这样：现卖的算不上时髦，时髦的要定货现做……手包不就时兴这个吗？好，告诉我，哪儿定做你说的那种套儿？咱们直奔它去！"

　　"没有那样的地方！"

　　妈妈叹了口气，心想珠珠这是作什么怪！捣什么乱！不过，细一想，必是有什么特殊的缘故，于是便耐下心来细问："你在哪儿见着那种套儿了？"

　　"秀秀她就有！"

　　"波娜也有？"

　　"没！波娜她更没有！"

　　什么叫"更没有"？妈妈心里生气了，直想发作，可望着眼前的骨肉，究竟心软，于是忍住气说："你也不为妈妈想想，为了支撑你的前途，付出了多少代价！……好，谁让我到头来还是爱你呢……那你把秀秀那东西说个明白，究竟什么样儿，你画下来，我找人给你做去！现在莫说是做个这种小玩意儿，就是造幢大楼，造艘轮船，只要拿得出钱来，没有达不到目的的！……"

　　珠珠却丝毫也不领情，嘟噜着嘴，一脸的苦相……

　　星期一一大早，妈妈把珠珠送到寄宿学校，等珠珠他们上课以后，到校长室找到王校长。

　　王校长听完珠珠妈妈的诉说，问她："您自己怎么判断呢？您觉得杨慧珠为什么跟您闹别扭？"

　　珠珠妈妈本是远近闻名的女强人，此刻却眼圈一红，忙从圣罗兰牌手袋里取出个装揩面纸的小盒，灵巧地抽出一张香湿揩面纸，捏在手中，却又并不使用……她声音有点走调地对王校长说："……我实在想不出来……真的，我不懂……我尽了最大努力……可就是不能讨得她的欢心……我究竟做错了什么？……"

　　王校长缓缓地说："您，没做错什么……汤波娜的爸爸妈妈……还有很多徐春秀同班同学的家长，都没做错什么……"

　　珠珠妈妈利索地用揩面纸轻按了几下眼窝，问："不光我们珠珠，好多同学都不开心了吗？怎么回事儿？难道是……秀秀的家长，做错了什么？"

　　王校长摇头："您怎么能这样想？"然后，一五一十地告诉她："其实事情很细小，半个月前，徐春秀从家里回来，同学们发现，她的文具盒外头，多了一个布套儿……这样的世道里，文具盒算得上什么贵重物品吗？加什么布套儿？一时间成了件新鲜事，班上同学们都抢着看，议论纷纷……她们几个同宿舍的女生，心理上的效应更加复杂……徐春秀呢，她原来以为同学们只会讥笑她，谁知，万万没有想到，到头来竟是羡慕，以至于嫉妒……"

　　珠珠妈妈还是不大能明白……

　　王校长便从办公桌的抽屉里，拿出一样东西给她看："这就是那个在同学们当中引出心理风波的文具盒套……"

　　珠珠妈妈忙接到手中。大吃一惊！一个棕色棉布的盒套，套口装了根同样颜色的绦环，文具盒装入后，可以收紧绦环，简单已极！如此而已！

　　王校长说："徐春秀的妈妈跟女儿聊天的时候，说起当年自己上学时候，文具盒上有个套儿，是徐春秀姥姥给缝的，徐春秀就让她妈妈给缝一个，她妈妈果然给她缝了这个……徐春秀现在很以这个为荣……我们借来了，校务会议上还做了研究……"

　　珠珠妈妈百思不解。她翻动着那个文具盒套，疑惑地说："这针脚多么粗糙啊！我要是有工夫……要在当年，我缝一个，一定比她强上百倍！……"

　　王校长说："可是，您觉得自己没有这个工夫……您觉得如今不是当年，如今只要有钱，什么东西都可以用钱去买……是的，这文具盒套缝得很粗糙，而且，它甚至于并不具备真正的功能性……徐春秀的妈妈，她跟我们一样，早离开了'当年'，置身于如今，她是公司的白领，她并不比当老板的闲散……她的经济状况可能比不上您，更比不上汤波娜等同学的家长，但她毕竟也有能力把孩子送到我们这样的学校来读书，凡孩子需要的东西，她也都舍得花钱去买……然而，她给孩子亲手缝了这样一个小小的文具盒套……就是这么个粗针脚的缝制品，竟在校园里引出了小小的轰动，它的冲击波，一直达到了您这儿……您还没明白吗？……您并没有做错任何事！只是，有的事您没有做，别的许多家长也没做，徐春秀的妈妈却做了！……"

　　珠珠妈妈只觉得胸中有块硬东西卡在那儿。她低头细看那文具盒套，她发现，套口旁用红线绣出了两个 X，她意会，那是秀秀这个昵称的汉语拼音的头两个字母……确实，针脚太粗了！然而，这些年来，她却连这样粗糙的东西，也没有为珠珠亲手制作过，哪怕是一小件……

　　"我们都记得唐代诗人孟郊的名句：慈母手中线，游子身上衣……如果改成：慈母手中钱，购得名牌衣……还能那么感人么？"

　　珠珠妈妈心中涌动着春冰融蚀般的酥痒。她凝视着手中的文具盒套，一时无言。

仁记饼屋

骑车路过多年未经的一条马路，发现那里出现了一家门面装潢颇抢眼的"仁记饼屋"，当时并不太饿，也无为家里购回西饼的计划，却不知怎么的忽然想进去看看。

存好车，进去一瞥，便觉得这饼屋颇为"后现代"。"后现代"建筑的特点是"同一空间中不同时间的并置"。这饼屋的糕点自选区色彩偏暖，在装饰趣味上相当"嬉皮"；里面吃比萨饼的地方多是车厢座，整体色彩偏冷，壁角有西洋古典式的科林多柱，墙上挂着些印象派风格的油画；更里面则是高上十厘米的一个空间，与外面用黑铁制的花式栅栏相区分，摆放、悬挂着不少喜阴植物，情调相当"雅皮"。

我走到最里面一个区域，找了个角落坐下。要了杯意大利"卡普奇洛"式咖啡，呷了一口，问自己："为什么要进来？"

仁记……成衣。对，就为这个。1950年，八岁时，随父母从四川迁来北京。大概是第二年，在隆福寺小学上学，同班有个同学，叫葛仁人。这葛仁人个子不矮，人却极瘦，班上淘气的同学如我者，便毫不留情地叫他"葛麻秆儿"。有一回，上着课，他忽然当众呕吐，吐出的全是酸水儿。后来知道，他是有病——严重的胃溃疡。我上学、放学回家，必路过他家所住的那条小胡同那个小院，那院门一侧固定着一个小木板，上头写着"仁记成衣"四个字。那是他家挂的，他父母给人裁衣服缝衣服。

记得有一回，放了学，我跟"葛麻秆儿"一路走，那是秋天，他在自己脖子上，箍了块手帕，显得怪怪的。还没走拢他家，他又忍不住呕了起来，在地上留下一大滩酸水，怪吓人，也怪让我恶心的。那以后，有好多天他没来上课，听说是，他没爸爸了，没人再找他家做衣服，家里更穷了，他妈不让他上学了。可是，他那么个动不动就要吐酸水儿的人，能帮他妈做衣服么？

有一天，我家吃晚饭时，不知怎么一个联想，跟我爸爸妈妈提起了葛仁人，说到他家没人找上门做衣服，他上不成学了。爸爸听了倒没说什么，妈妈责怪我："怎么早没听你说起？"

接下来的一个星期日，妈妈让我带她到葛仁人家去。妈妈拎去了一个大包袱。葛仁人家住在那个小院的一间小东屋里。我还是头一回去他家，见了葛仁人，我就直截了当地评论说："麻秆儿，你们家怎么这么穷啊？"妈妈当即白了我一眼，意思是"回家再跟你算账"。葛仁人倒并没怎么生气，问我学校里功课讲到第几课了，我也就跟他道个明白。后来我发现葛仁人他妈妈在抹眼泪，妈妈好像在安慰她。再后来妈妈带我回家，走在胡同里，我忽然想起来问："妈，你的包袱呢？"妈妈拍了我后脑勺一下，说："傻瓜！以后，不许再叫葛仁人'麻秆儿'！也不许你嫌贫爱富！"

我不傻。很快猜出，妈妈给葛仁人妈妈，送去了好几件衣服的活路。后来知道，妈妈还预付了工钱。那以后，葛仁人又来上学了。

取衣服时，妈妈还要我一起去。妈妈让我抱着个大玻璃瓶，里头的水儿红乎乎的，仿佛泡着只剥了皮的小耗子。到了葛仁人家，妈妈跟葛仁人妈妈说，那瓶子里的东西叫"胃宝"。很多年以后，那玩意儿很流行了一阵，就是"红茶菌"。

再后来我们搬家了。我也就基本上把"仁记成衣"什么的忘记了。葛仁人和他妈妈还记不记得我，还有我妈妈，也难说了。在后来的岁月里，我妈妈偶然提起过葛仁人和他们家的事，记得有一回是说："仁人那样的情况，应该早点动手术。"这话好懂。还有一回是说："他爸爸不知道有消息了没有？"这话听来有点奇怪，但我也没深究："他爸爸不是没了吗？""没了"也就是"死了"，死人哪儿来的什么消息？……

坐在"仁记饼屋"深处，品着很不错的咖啡，胡思乱想起来。这家店专卖西饼，并不卖黄桥烧饼、门钉肉饼等中式糕饼，却没取类似"安琪儿"、"维罗娜"那样的洋名儿，偏叫"仁记饼店"，十足的"国粹"味儿……会不会是葛仁人开的？不过，他为什么不开家"仁记服装店"而非开家"仁记饼店"呢？……

自己走上了弄文学的不归之路，轰动时脚步匆匆，寂寞时也绝不止步；又基本上被忝列于"小说家"行列，写小说的最喜欢把近睹新交与往事旧识勾连起来，夸张渲染，添枝加叶，乃至变形幻化……我呷着咖啡，不由得任虚构的翅膀扇动起来……

……是的，葛仁人的爸爸没死，只是抛弃了他们母子，远走高飞了……飞到哪儿去了呢？……在葛家，听见葛仁人跟他妈妈对话时，用一种我完全听不懂的语言，那是闽南话还是潮汕话？或者，是广州话？……那时候，去香港还比较容易……不一定叫偷渡……后来又去了台湾？……不一定是政治取向，也许是有属于个人的，很私密的原因？……但那就必须设想出，葛仁人是怎么度过后来那些岁月的……光他那名字，在"批林批孔"时就得触霉头，那时他或者改叫"葛批孔"？他妈妈，当年看上去就有病容，能坚持到80年代么？……是80年代初，还是80年代中、后期，他爸爸重现大陆，是港商，还是台商？……结果，就有了这家"仁记饼店"？……哎，这太"肥皂剧"，太落套……不过，这样想想老同学，还是很惬意的……

……也许，是另一种情况……葛仁人爸爸的出走，不但只是一桩纯粹的家庭悲剧，而且，他走得也并不远，没过几年，也就回来了……葛仁人大概上完初中，就去街道工厂当工人了，工资虽低，却有医疗保障，于是他动了手术，切去了胃里的溃疡……但他即使病愈，不呕酸水了，那剩下的胃，恐怕也很小很小了，被工厂里的人戏称为"麻秆儿"，仍势不可免……在那荒诞的十年里，他因为出身是"城市贫民"，可能并未吃到多少苦头，但以他那内敛的性格，想必也不会去当个什么"造反派"头头……那么，近二十年来，他怎样发展起来的？从一辆卖煎饼的推车，到一爿小小的烧饼铺……终于到这样一家似模似样的西饼屋？……但这样的想象，也还是一种"套路"；人的生存，有其非常个人化的爱恨情仇融化其中……我该怎样去测量葛仁人的生命历程里的情感年轮？……

……更也许，妈妈让我跟着抱去的那瓶红茶菌，竟逐步止住了他胃里的酸水，后来不用动手术，他的胃溃疡也就痊愈了……他一直上到大学，学历比我还高，并且分配到一个很不错的单位里……近二十年来，他带头下海，成为商海中的一员健将，这"仁记饼屋"，只不过是"仁记系列"中的一种，该系列确以"成衣"打头，还有"仁记鞋屋"、"仁记花屋"、"仁记婚纱摄影"等多种名目；而"仁记饼屋"也还有多处连锁店，分散在这大都会各区……在他那为母亲购置的郊区别墅中，会在壁炉上，保存着一只曾被我捧抱过的玻璃瓶吗？如有，里面该还养着我妈妈称之为"胃宝"的红茶菌吧？……随着这思绪而来的是自责：妈妈那在天之灵啊，不等您"跟我回家算账"，我已立刻羞愧……什么时候，我才能彻底摆脱庸俗的念头？……但即使是这样的并非高尚的想象，也还是令我生出一种感动——我，葛仁人这一代人，赶上了改革、开放，不管二十年前如何，这近二十年来，都获得了体现自身价值的可能性……

"先生，您再来点什么？"服务小姐笑吟吟地站在我面前。啊，杯子已经空了。

"结账吧，"我说，"不过，我想很冒昧地问一下，你们这里的老板，是不是姓葛？"

小姐蔼然地道歉："对不起，我刚来不久……"

我还问："那么，为什么叫'仁记'？"

小姐笑得很天真："仁慈，仁爱，仁义……不都有个'仁'字吗？"

我说："是老板告诉你们的？"

小姐说："是这店里的经理告诉的……"她用下巴指了指，我看到，有位穿黑色套装的中年女士在那边巡视，显然，那便是这家店面的经理。可见在经理之上，还有老板，那老板的产业，不止这一家店，新来的服务小姐尚不知老板姓氏，未见过面，在情理之中。

我把应付的钱给了小姐，同时说："我告诉你吧，你们的老板很高很瘦，他自己的胃基本上切除掉了，从小就没办法享受美味糕饼，于是，他发奋要开这样的糕饼店，制作最甜美的糕饼，让别人来尽情享受……你可以问这里的经理：是不是这样？……"

小姐有点惊讶："是吗？……"

我笑笑，走出了"仁记饼屋"。我还没品尝它的糕饼，但我心里漾溢着甜美的波环。

借　条

那一年那一天，陆大姐走后，我越来越不自在。

陆大姐是来跟我借钱的。

上世纪 70 年代，我跟陆大姐住在同一个胡同杂院里。胡同杂院的生存空间虽有诸多不便，但那份邻里亲情确实是弥足珍贵的。记得有一回我起晚了，匆匆跑出去上班，那天在工厂当检验员的陆大姐轮休，她发现我那屋门上的挂锁没咬合好，就一直关注着我的屋门，特别是有外客和送煤工来的时候，她就坐在她家屋门外小马扎上织毛衣，起到看守我那屋门的作用。那天我下班回来已经天擦黑，她迎着我，指出我的疏漏，我感谢她，又不禁这样说："咳，我这么个邋遢人，能有什么宝贝值当人家偷！说实在的，我要真在乎，起码得买把'将军不下马'的锁，哪能拿这么把破锁瞎凑合哩！"说着摸钥匙，几个兜里都没有，后来还是进屋在窗台上找着了，再出门讲给陆大姐听，她跟爱人已经在小厨房里忙着做饭，看我摇晃那钥匙，便笑个不停；那晚，陆大姐还端来一碗热腾腾的猪肉茴香馅饺子给我……

后来我时来运转，调到个好单位，分到了新居民区楼房里的单元房，那时候还没有搬家公司，全靠同事亲朋帮忙，我有了媳妇儿子，家具也置备了不少，搬家时很热闹也颇费事，那天陆大姐爱人——我叫他陈大哥，全院的同辈都分别按他们各自的姓氏称呼他们——也帮着搬家，当他和另外几位男子把大立柜摆放在我那五楼单元的卧室里后，喘着气笑着跟我说："你小子就跟这儿安居乐业吧！"我听出他那意思，是觉得若再搬动那大立柜实在是太难为人了，而且，他那时也觉得我已经一步登天，住上了有煤气、暖气和抽水马桶的楼房，他们家可是还不知道哪年哪月才有这个福气哩！

我真的有福气，那以后我又搬了两次家，房子一次比一次大，设施也越来越好。但陆大姐他们家却久久地仍住在那个胡同杂院里。我也曾因为办事或饭局需要到那附近，完事后顺便回去探访过，老辈的所剩无几，同辈的见了对叹发白或谢顶，新一辈的个个面生。记得最后一次去，陆大姐告诉我陈大哥因癌过世了，我们相对唏嘘好一阵，临别时我给她留下最新的地址电话，欢迎她去做客，并且表示如果她有什么困难，我一定尽可能地帮助她。

那天陆大姐突然来找我。爱人孩子都不在家，就我一个人接待的她。她把我当成很亲近的人，很爽朗地埋怨说："如今你这门也太严实啦！"是的，现在进大门先得被保安盘问，到了楼下还得先在控制盘上按我家的单元号，我从对讲机里问明来人，按下开门键，楼门才开，来客坐电梯上到我那层，来到我那防盗门外，还得按门铃，我照例要先从猫眼"验明正身"，这才以三道程序打开门把客人迎进来。

陆大姐坐到沙发上，开门见山地跟我借钱。她说不是遭了难来化缘，倒是喜事临门还盼能助她一臂之力。原来我们同住过的那片胡同杂院马上要拆除，她家已经领到了拆迁款，用那笔款子到四环外楼盘买一所三居室的单元将将够，但那就必须跟儿子儿媳妇孙子同住，她说倒也不是晚辈对她不好，是她觉得最好还是能自己一个独单元，更舒服地安度晚年，不过要是买一个二居一个独居，钱就不够了，算来算去，她还缺两万块钱，已经从她并不那么富裕的弟弟家借到了一万，现在希望我能再借她一万。她说她觉得自己一定能尽快还给我，因为她已经在家具城当了推销员，刚去了一个月业绩就很不错哩。

我就从里屋给她拿出了一万元现金，跟她说我爱人也一定会同意，她也就爽快地收下了。

我为什么在陆大姐走后不自在？那是因为，她走前我拿张纸写了两行字，形成一张借条，还让她签了名。爱人回来知道这事后问我："你为什么搞这么个借条呢？那么多年的老街坊了！"我当时的解释是："如果是雪中送炭的事，我会送给她一万。但当时总觉得她毕竟是想锦上添花。再说，这样有个借条，也体现出对她的尊重嘛！"爱人又问："你让她签字的时候，她什么表情？"我说："挺高兴的，一再说：我一定还你！"

但那张借条却仿佛一个赘物吊在我心尖上，让我常常觉得自己实在是做错了什么。也曾想把那张借条撕掉，拿到手里又犹豫起来，后来就夹到一本厚书里，权当是书签。

大约半年后，忽然有天接到陆大姐儿子电话，悲痛地告诉我他妈妈去世了。也是癌，查出来后一个半月就不行了。还没等我说出哀悼的话，他就主动宣布："妈妈借您的一万元，我们一定会替她归还给您。"我知道他和他爱人的收入加起来尽管维持温饱有余，但供孩子上那高收费的学校却十分吃力，就真诚地说："说实在的，对我来说，多这一万元也富不到哪儿去，少这一万元也穷不了，你们二老都仙去了，好好培养下一代是对他们在天之灵最大的安慰，那一万块钱算是我送给你们的教育投资吧！"他却说："钱是一定要还的，只是您得再等一等。您要把妈妈签下的借条留好啊！"他那最后一句话，仿佛用力拨动了坠在我心尖上的那个赘物，让我一颗心好痛苦。

好几年过去，我渐渐淡忘了那借条的事。也曾因事路过陆大姐儿子他们住的那片楼区，电话地址都一直记得，估计他们也该还住在那里，有过去看望他们一下的念头，却没有付诸行动，总觉得会让人家以为我是讨债去了。

日夜奔流不息的生活，让我有了新的社会关系，其中有的逐渐热络起来，比如一个帮我攒电脑的小伙子，是一位朋友介绍给我的，我叫他阿康，成为了我的电脑维护员，我的电脑一旦出了问题，总打电话把他找来，渐渐地，不为维修电脑我也会叫他来，他自己有时也会打电话来说想陪我喝下午茶，我也就渐渐烦他帮我做些别的事，比如整理书柜。有天阿康在帮我整理图书的时候，从一本厚书里抖擞出了那张陆大姐签了名的借条，他看了就提醒我，那样的东西不能乱放，应该收藏在固定的地方。我接过，脸颊有些发热，阿康走后，我把那借条撕了。

忽然有一天，一个声音陌生的人给我来电话，叫我爷爷，我正发愣，他解释自己的身份，原来是陆大姐的孙子，已大学毕业两年，他问我哪天有工夫接待他。我说自己已经退休，哪天都行。他就说星期日上午来。到时候他果然来了。我满心满意想跟他怀一番旧，想到他爷爷奶奶，我鼻子先酸了，跟他讲到那一回我把锁挂到锁鼻上却没按拢锁舌的事，他有礼貌地聆听着，直到我啰啰唆唆地讲完，他才微笑着说，他是替奶奶还那一万元来的，他把钱放到茶几上，更礼貌地问我，是不是方便把奶奶签过名的那张借条给他。我慌了，仿佛销毁了记录着自己罪愆的证据。最后我写了张有自己签名的收条给他，他也不多留，连道几声谢，告辞了。那天爱人从外面回来，看到我觉得奇怪，以为家里出了什么不祥之事，我把情况讲了，她安慰我说："一切都很正常呀！"

那天，阿康又来喝下午茶，闲聊一通后，他说自己不想再给别人打工，想开一爿电脑维修部，这几年也攒了点钱，只是还不大够，问我能不能借他一万元。我马上说，可以可以。他说那他就写张借条，我说不必不必。阿康狐疑地望着我。我去把钱拿来，放在他面前。他把钱推开，很不高兴地说："你以为我会赖账？"我说："你赚到钱就还给我，赔了，就不还也罢。"他竟是真正生气的模样："我可是看见过你给别人开的借条的！你能那样尊重别人，怎么就不能对我一视同仁？"面对他那瞪圆的眼珠，我十足地吃惊。

阿康没借我的钱，而且，也从此疏远了我。我的心尖上这回有种另样的感觉，也许，得借助那个句子才能表达出其微妙——生命中不能承受之轻。

一切都很正常吗？在我平淡的生活里，究竟是什么在扰乱着我的情绪？

吧台椅

　　老两口有自己独特的生活习惯，每天上午请小时工来帮忙，中午有个大午睡，下午到晚上则一切自理。小时工换了好几个，最近由社区劳务中心介绍来的秋秋，在他们家已逾三个月，相处日见融洽。

　　但这天中午秋秋走后，老太太对老头说："今天秋秋有点怪。"老头瞅着老太太，仿佛在检查她脸上皱纹的变化，说："我倒觉得你今天怪怪的。"老太太很不高兴："我怎么啦？你现在想作什么怪？"老头说："往日中午一起吃饭，你总话多，让人耳朵咸咸的，今天淡得出奇。你还总时不时下死眼瞥秋秋，秋秋好像也感觉到你的异常，就只是低头扒饭，菜也搛得比往日少。你们弄饭的时候我在那屋临帖，也没觉得有什么特别的动静。二位今天究竟为什么冷战？"老太太声高起来："什么冷战！世界都进入后冷战时期了，咱们家还冷什么战！"老头自悔失言。世界大事且不去说它，他们家前些年的确有过"冷战"，是在他们和儿子之间。"冷战"之先自然有过"热战"，概而言之，儿子不争气，一上高中就进入狂暴的叛逆期，高考只上了大专分数线，毕业后父母调动了所有社会关系资源，费好大劲才为他在一家合资企业里谋了个差事，他却并不珍惜，常常半夜才回家，鞋也不脱地把自己抛到床上，昏睡到天亮，那还算最好的状态，更多的状态是进门就呕吐，稍加斥责，他就嗷嗷乱嚷，一次气得父亲打了他一耳光，他竟伸出拳头猛捅父亲肩膀……再后来父亲就不理他，甚至说过"还不如哪天交通队来个电话，倒算干脆"的气话；母亲后来也从哭劝，变为了尽量少说话，儿子那间屋除非发出秽气，不得不进去代为清扫通风，也就由他爱怎么乱怎么乱，唉，家庭"冷战"，父母一方那真是"哀莫大于心死"啊！……

"好啦好啦，噩梦醒来是清晨，把他那照片再拿过来我看看，真正是浪子回头金不换啊！"老太太就把儿子刚从加拿大寄来的照片再递到老头手里，老头从头年就蓄起的胡须还难称美髯，但一手将照片持在眼前，一手就得意地去捋那髯须。

老太太这才再把话题转到秋秋身上："你说这是怎么回事？我把这照片给秋秋看，告诉她照片上的小两口还有我们那小孙子，很快就飞回国来探亲，她把那照片看得很仔细，也说了几句为咱们高兴的话，可烧起饭来也不知怎么就没往日麻利了，说是心不在焉吧，却又像心事重重……今天这汤，是不是咸？她要打死卖盐的，是不是？"老头说："也许勾起了她什么心事，她想念起丈夫儿子什么的了，跟照片上的生活一对比，他们的生活质量是不是也太低一点了呢？触景伤情，也没什么奇怪的。""啊，要不是今天觉得她奇怪，那天的事也就早忘了——那天也没想着跟你说，你哪里想得到，我跟她一起在街那边菜市场买鱼头去，在菜市场外边，忽然一辆小轿车停在我们身边，车里一个浓妆艳抹的女子钻出来，大声招呼她，她也就亲热地应和着……你知道咱们都是有教养的人，人家说话绝不去窃听，她们远离了几步去叙旧，我也就再远离几步等着秋秋，后来她们告别，车开走了，秋秋倒是主动地跟我说，那是她老乡，这二年在这儿做生意发财了……""外地进城的农村人，也有少数奋斗发财的，又何必大惊小怪？""做生意发财？什么样的生意？看那模样，不像是做什么好生意，若不是开发廊，就是开歌厅！""你的意思，是怀疑秋秋……""她跟咱们说的经历，恐怕不那么真实。""只要她能按你的要求做事，让咱们有安全感，别的管那么多干什么呢？你累不累呢？"老太太立即牢骚一箩筐："我的腰都累得快断了，你难道不知道吗？晚上我在厨房烧饭，站得腰酸腿疼，当着秋秋跟你说过了嘛，要是有那么张恰可好的椅子，能调节高矮，椅座还能旋转，我能坐着切菜什么的，岂不就好多啦？可这事你管了吗？你光知道练那个书法，整天饭来张口，衣来伸手，依我看，你练字是对的，可也该多下楼活动活动才是……唉，我就知道你又要张嘴跟我来那老一套：爽性让秋秋全天来算了，晚饭何必自己烧？而且既然买菜的事交给了秋秋，也并不怕她虚报账目，你就连那鱼头什么的特殊原料也统统交给她去买就是啦，何必'御驾亲征'！你说得倒便宜！你须知道晚上烧顿精致的饭菜，对我来说，就跟你练那书法一样，兼有健身、养性、审美、获取成就感种种综合功能！而特殊的原料，如鱼头、蹄筋、粉皮之类，不跟着秋秋去，她会挑吗？你只管吃的时候摇舌舔唇赞好，怎知我的一片苦心！……"老头本想说，拿我书桌旁的转椅到厨房试过嘛，椅座太大，又不能升到你期望的高度嘛，你要的那种椅子，那天在百货商场家具厅倒看见两个，说是酒吧里用的吧台椅，功能倒符合你的要求，但那形态，搁到咱们厨房，你坐到上头，合适吗？……但怕惹出"热战"来，便不再作声。

第二天的事态出乎二老的意料。秋秋烧好中饭，一起吃完，整理完餐桌，洗净碗盘，就提出辞工。

老太太盯住她眼睛问："我们没对你不满意呀。是你对我们不满意啦？"秋秋说："你们待我，跟待亲闺女一样。可是我不能再在你们这儿干了。我……我很难，很难。"老头问："你有什么困难呢？说出来，我们能帮一定帮。是家里出了什么事？谁病啦？你爱人，还是孩子？"秋秋没有低下头，反倒微微扬起了下巴，说："我以前跟你们全是撒谎。我没丈夫，没孩子。我现在当小时工，为的是让自己有个新的开始，今后也许能有个好丈夫，能生出好孩子来。我以前不是坏人，不是。那时候从山旮旯到这么个大地方来，什么都不懂，就被安排打那么份工。如今好多姐妹不还在打那个工？随时还有新来的呢。我给她们打保票，只有极少数坏，绝大多数跟我一样，是好的。不过像我这样，下决心这么改变的，也确实还不多……"二老都是聪明人，相互对望了三秒，尽在不言中。老太太就给秋秋结算工资，还差一周才到月底，但给算成足月。秋秋接过，道谢完，这才说："我给大妈带来样礼物，现在搁在门外头呢，希望别拒绝。看见它，能想起来我的好处，给我点祝福，我就能更好地走自己的光明路了。"那礼物是个吧台椅，搬进厨房正合老太太用。

　　十多天后儿子儿媳妇孙子一起回来了。起先厨房里的吧台椅也没太引起他们注意。后来一天儿子翻父母最新的照相簿，忽然发现有张老太太跟秋秋在厨房里的合影，他下死眼把照片上的秋秋看了个仔细，就跳起来问父母，知道那是秋秋，以及相关的一切后，脸上表情怪怪的，后来就宣布："晚上，孩子睡了以后，我要跟你们三个，长谈……现在我只是在想，这个秋秋——我荒唐的时候她不这么叫，当然那恐怕也不是她的真名——她也能像我一样，虽然痛苦，却终于让自己的生活有个良性的转折吗？她的主观条件可能比我痛下决心时候还强，可客观条件上，肯定恶劣许多……忙是难帮，可是，咱们一齐给她最良好的祝愿，那是应该的吧？"那晚吃完饭，老头老太太就总哄着孙子上床睡觉，孙子却比往日精神头更大，跳到厨房那吧台椅上升起降下，左旋右转，唉……

秋色老梧桐

鳏居三年多，这天他有了到远处去寻觅的冲动。

他锁上单元门。门厅茶几上还摊放着陈旧的私人照相簿。老伴去世的头一年里，他翻看的全是跟老伴和儿孙有关的，从黑白渐进到彩色的那些相片；第二年里，常翻看父母留下不多的，以及自己小时候还不算少的，那些多半已经发黄的相片；到最近，他把长期忽略的几本照相簿拿来翻看，那里面杂七杂八什么图像都有，这几天，若干中学时代的相片不知怎么的，从他心底牵出了丝丝缕缕剪不断、理还乱的情愫……

他坐上公共汽车以后，那静静平摊在门厅茶几上的照相簿，显露出一张颇大的毕业合影，合影上的那些莘莘学子，清一色的淳朴表情，还有几位全都成了仙的，位置在正当中的老师，表情或严肃或慈蔼，但相片里谁能知道，他此刻坐那公共汽车，是要往何处去？去寻何人？就是几十年前，拍那毕业照的他，又怎能想到，现在的他，竟会有这样的一次寻觅？

他转了两次车。最后一段路，他坐在一位年轻人给他让出的座位上，望着窗外掠过的那些眼生的新楼新店，心里暗哼着两首歌。不是从头哼到尾，是片片断断地哼，而且还交错着哼。一首是《哎哟，妈妈》，当年他们中学生都会唱，他就抱着吉他，坐在教室的窗台上大声地唱出过那些歌词："河里水蛭，从哪里来？是从那水田，向河里游来；甜蜜的爱情，从哪里来？是从那眼睛里到心怀……"后来社会形势走向"反修防修"乃至"大破四旧"，这歌不能张口唱了，但心里还是常哼："哎哟，妈妈！你可不要生气，年轻人就是这样相爱！"其实中学时代他何尝懂得爱情……唉，儿子却刚上大学就似乎很懂得了，唱什么《同桌的你》，他听来听去，竟也大体上能哼哼，离家时最后再端详了一番那毕业照上的奥尔迦，心里除了那首印尼民歌，居然也混杂进了《同桌的你》里面的旋律："……你也是无意中说起，喜欢和我在一起……谁娶了多愁善感的你？谁安慰爱哭的你？……"

奥尔迦是他给她取的绰号。她那时左手腕上戴了块小坤表，据说是瑞士名牌欧米迦，她父亲是个著名的老字号的掌柜，她跟他同班的时候，正赶上公私合营的高潮，她父亲是那行业里带头接受社会主义改造的头面人物，正是因为有这样的家庭背景，她才有条件而且也敢于戴那样一块手表来上学。一些不大友善的男生就要把她叫成欧米加，是他，把那音转化为了奥尔迦，那时候一些爱好文学的高中生都会读俄罗斯大诗人普希金的长诗《叶甫盖尼·奥涅金》，那长诗里有个美丽的姑娘，是女主人公的妹妹，叫奥尔迦，他带头那么一叫，大家一随，就没叫成手表牌子了。

但那块手表给奥尔迦带来的只是噩运。不管她多么积极，就是入不了团。她后来不戴那块表，甚至还和犯了政治错误的父亲划清了界限，尽管她学习成绩优秀，高考也没失常，但她没有被大学录取。那所中学当时的升学率非常高，连他那样吊儿郎当的都考上了。他承认，很多年完全忘记了她。直到二十年前，去参加中学的校庆活动，见到不少当年的同窗，听到有人提起她，才倏地想起这位"同桌的你"。她为什么不来参加校庆活动？据说她就在本城，而且现在情况也大大好转了，她应该来啊！十年前有热心的同窗又组织了聚会，特别通知到她，据说她接到电话也答应去，但到时候仍不见她的踪影。他向聚会的同学打听她的情况，说她父母早就双亡，她家开创的那字号还在，但早已是国营性质，目前跟她们家族完全没关系了。她中学毕业后就到一家工厂当了工人，后来嫁给了一位技术员，有一儿一女，早已抱上了孙辈。那工厂现在已经不复存在，那里正开发为一个著名的商品楼盘。那回在几位女同窗关于她的报道中，最刺激他的信息是："她自打高考考得不错，却接不到录取通知书以后，就再也不戴任何手表了。"

在他记忆里，她一头厚密的短发，常用一根藕荷色的缎带，箍住顶部朝下扎起，因此没有"谁把你的长发盘起"的疑问；而在她结婚的时候，正如他迎娶自己妻子的时候一样，不可能穿什么特别的嫁衣，仪式上的色彩主要体现在人们送来的红宝书上，因此也就没有什么"谁给你披上了嫁衣"的喟叹；他更没有给她写过信，甚至简单的纸条也不曾传递过，"谁看过我给你写的信，谁把它丢在风里？"如这样发问完全是无的放矢，但，"从眼睛里到心怀"，混混沌沌，懵懵懂懂，朦朦胧胧，"哎呀，妈妈，你可不要生气"，那，确实是有的，有的……这些天翻看那些老照片，竟不禁眼热心烫，特别是，前些时又有老同窗来过电话，说是"访旧半为鬼，惊呼热中肠"，告诉他好几个噩耗，又说起女生里寡妇越来越多，奥尔迦也是其中一位……"谁来安慰爱哭的你？"他难道能够？谁又来安慰鳏居在空巢中的他呢？……

他本不抱希望。并不掌握具体地址，只知道大概其是在那一带。真到了那一带，他又怕真的迎面遇上她。有个短发用缎带箍起的姑娘闪过他身旁，惊得他一抖。马上他又搓着手，嗤笑自己糊涂，能还是那么样的一朵活泼移动的鲜花吗？

他走进卖副食的一个大棚。这应该是她常来的地方。但能那么巧吗？倘若真的遇上，他一定要装作偶然邂逅的样子，他该怎样编造自己出现在她眼前的缘由？他们会像四十多年前那样，靠得那么样近吗？当时他们合读一本莱蒙托夫诗选，她伸过戴表的手，来翻去读过的那篇，她喜欢他用低低的喉音，声调夸张地吟出那些迷人的诗句……

忽然他仿佛遭遇到晴天霹雳，一瞬间，他认出那就是她！在一个菜摊前爆发出一场争吵，大体的情形是，卖菜的嫌买菜的挑那些茭白时狠撕包叶、深掐根茎，往回抢，大声说："你买不起别买！"买菜的就扬声抗议："你狗眼看人低！"你一句我一句，句句难听，两个人的面部肌肉，都在争吵中扭曲得似乎爬满蚯蚓。那买菜的正是奥尔迦。他宁愿那不是她。也曾多次设想过,面对面也认不出来。但无须面对面,就能肯定那确实是她。奇怪,身躯缩短变粗,脸庞起皱短发变薄,声音破锣般沙哑,可他能马上认出她来。

他转身躲避。没有人特别注意大棚里这口角的一幕。这算得什么人间奇观,既然根本算不上一出戏剧,也就无所谓正喜悲闹。但他眼里涌出了泪水,是那种流不出来,而且能逐渐又渗回泪腺的热乎乎的液体。谁来安慰……吵架的她?从这极短暂的镜头里,他意识到她经历过太多坎坷,甚至眼下仍有许多艰辛,她的灵魂变得鄙俗粗砺,他们不可能再一起唱《哎哟,妈妈》,一起吟诵比如说"在大海上,一片孤帆闪着白光"那类的诗句……

在那附近的街道上踽踽独行了一阵,他不自觉地走进了一片绿地。绿地里有一排梧桐树,一些树叶还是绿的,挂在枝上,迎着秋风摇曳;一些树叶已经干枯,落在甬路上,风吹过来,就在水泥砖上滑动,仿佛是些特异的铜片;还有些树叶变黄了,却还柔软,有水气,陆陆续续地从树上飘下来。他在甬路上漫步,望着那些一样环境不同状态的梧桐叶片,心里旋出淡淡的哀愁。

忽然他又看见了她。真的是她。更是她。她坐在一张长椅上,菜篮子放在身边。她左手拿着一片颇大的黄绿相间的梧桐叶,右手捏着一支圆珠笔,低着头,看不见她的眼睛,但可以看出她嘴角边的皱纹分明地是在怡然地抖动……她用那梧桐叶当纸,不可能是在算账,看呀,她写下或者是画下了几笔,停下来,微微歪着头,自我欣赏,然后又再往上描补……

他在离她大约十几米外的地方,变成一尊铜像了。当然,那屹立不动的"铜像"心里,正漾出悲喜交集的涟漪……

美中不足

各位看官，这里三个故事看似各不相联，但合起来却相辅相成，恰好成为一篇小说，并集中表现了一个主题，用《红楼梦》里的一句话来说，就是——"叹人间，美中不足今方信"。

2006年初夏应邀到美国讲《红楼梦》，回来写成三个故事奉献给大家。《石头记》甲戌本"楔子"里有这样的话："那红尘中有却有些乐事，但不能永远依持；况又有'美中不足、好事多魔'八个字紧相连属……"请注意：曹雪芹故意把"多磨"写成了"多魔"。第五回里那句"叹人间，美中不足今方信"大家更不会忘记。这三个"冰糖葫芦"般的故事如此命名恰切否？请大家读完评说。

第一个故事

他一再叮嘱我，到了纽约，一定要当面问她，还记不记得挪开暖瓶的那回事。

他和她，三十几年前，和我，同在工厂一个车间。他们是正式工人，我是教师，下放劳动。我比他们大十岁，但很合得来。我跟他学镟工活儿，叫他师傅。她是统计员，那时梳着俩抓鬏，走过来跑过去，扎着红头绳的大抓鬏前后晃荡，使人联想起硕大的蝴蝶。

工间休息的时候，在那间更衣室当中，大家围坐在一张长方形的大案子，说说笑笑，用大搪瓷缸子，大口喝水。大案子上，常放着几只大暖瓶，是最粗糙的那种，铁皮条编的露着瓶胆的外壳，漆成浅蓝色。

我当然还记得那张大桌案，甚至记得那是因为工会会议室里买来了新桌案，才把那旧的淘汰到车间更衣室来的。也记得那种胖高的暖瓶，北京人又叫做暖壶，也就是热水瓶，这种东西在中国现在也越来越不时兴了，现在多半是喝饮水机上不断更换的桶装水。在外国，特别是西方社会，暖瓶，甚至开水，对他们来说都是陌生的概念，在他们的日常生活里，如果不喝咖啡，那在家就喝自来水，在餐馆则喝大杯的冰水。

他在我面前回味过很多次，就是挪开暖瓶的那件事。他非常喜欢她，休息时，却不敢坐在她近旁。她总大大方方地坐在案子一端，他呢，那天选择了一个离她最远的位置，就是案子的另一端。那天大家究竟议论些什么，我已经记不得了，只记得那天他话多，正当他高谈阔论，她忽然大声说：“哎，把暖瓶挪开！”我坐在案子一侧，离暖瓶比较近，就把一只暖瓶挪了挪，他还在议论，她就更大声地对我说：“劳驾，把那个暖瓶也挪开！”我就把两只暖瓶都挪到一边地下去了。这些细节，经他提醒，我都还想得起来。

她要求挪开暖瓶，是因为暖瓶挡住了她的视线，使她不能看清楚大发高论的他。挪开了暖瓶，她就睁圆一双明亮的眼睛，直盯着口若悬河的他，两个抓髻静止不动，仿佛一对敛翅的春燕。

“她非要把我看清楚，你说这是不是别有意味？”

他问我多次。我的回答永远是肯定。

后来社会发生了很大的转折、很大的变化。我们的人生也随之发生了很大的转折、很大的变化。我成了所谓的作家。她1978年考取大学，1983年赴美留学，1990年获得博士学位，现在是美国一所州立大学的终身教授。

他下岗后做过很多种事，现在比较稳定，是一家大公司的仓库管理员。那家工厂早已消失，原址成为一个华丽的专供“成功人士”享受的商品楼盘，底层是商场，商场附设星巴克咖啡厅，我和他正是在那里会面的。他知道我要去美国讲演，打电话说要见我，托我个事。我就约他到星巴克，他喝不惯咖啡，甚至闻不惯那里头的气息，他说完他的心事嘱咐，就离开了。

我已经年逾花甲，他和她也各自都早已结婚有了子女，我们应该都不算浪漫人士，但他却还是希望我能在美国见到她，并私下里问她，还记不记得挪开暖瓶的事情。那是不是意味着，在他们生命的那个时段，她喜欢他，以至他说话时，她不能容忍任何障眼的东西，她不但要倾听他，还要注视他。他只希望她在我面前表示，她还记得，确实，她那时候喜欢过他，然后，我回国把她的回应告诉他，他就满足了。

我把他的嘱托，视为一个神圣的使命。甚至于，从某种意义上说，完成好这个使命，不亚于要把我那演讲的任务达到圆满。

人的一生有许多美好的瞬间。使这些瞬间定格，使其不褪色，可以永远滋润我们那颗在人生长途跋涉中越磨越粗砺的心。

我演讲那天，她没有来。当地文化圈的人士聚餐欢迎我，她也没露面。我给她打去几次电话，都是英语录音让留言，但我留了言也没有回应。？

直到回国前一晚，再拨她家电话，才终于听到了她的声音。她的声音一点没有变。她很高兴。说他们全家到欧洲旅游，昨天才回来。她说看到报道，祝贺我演讲成功。我就引导她回忆当年，提到好几个那时工厂里的师傅，其中有他，她热情地问："都好吗？你们都还保持着联系吗？"我就先普遍报道一下那些人的近况，然后特别提到他，提到他那时如何喜欢高谈阔论，那时候我们给他取的外号是"博士"……我都提到那张旧桌案了，她一直饶有兴味地听着，还发出熟悉的笑声，但就在这关口，发生了一个情况，就是她先道了声"sorry"，然后分明对她那个房间里另外一个人，估计是她的女儿，大声地说："朱迪，你把那个花瓶挪开，我看不到微波炉了……"虽然她马上又接着跟我通话，但我的心一下子乱了，我都不记得自己究竟是怎么跟她结束通话的。回国很多天了。我没主动给他去电话。他也还没有来电话。如果他来电话问我，我该怎么跟他说呢？

第二个故事

19 年前，我在美国参加了若翠的婚礼，是在她夫君的牧场，给我印象最深的，就是牧师在他们那栋雪白的住宅回廊外为他们举行仪式，众宾客围贺后，婚宴就在露天排开，长长的餐桌两边，就用许多收割后压榨紧凑切割整齐的牧草垛当长凳，坐上去非常舒适，而且，还散发出特殊的清香……

16 年前，我在北京接到若翠的电话，她说跟夫君一起来北京。下榻王府饭店，没时间跟我见面了，问我可好。我简单说了说自己的状况，顺便问起当年跟她一起去美国的几个熟人，她说，哎，那几位呀，还只是在华人圈子里混，她说她现在几乎不跟华人接触，交往的都是跟他夫君相关的白人，她说他们从不去唐人街，她现在习惯了看英文报刊英文电视，在派对里，那些白人用英文俚语表达的幽默感，她已经可以共鸣。我就问了她一个俗气的问题：你们有孩子了吗？她并不见外，说明年会落生，他们会让那孩子受最好的教育，健康成长。

9 年前，我第二次去美国，妻子晓歌跟我一起去的，若翠在牧场接待了我们三天。她夫君去欧洲了，就她和她的女儿翠茜在家。翠茜那时已经 7 岁，上小学了，每天她开车送接，我们接触不多，但离开她家后，私下里不禁感叹：这孩子怎么那么傲气？对我和晓歌，爱搭不理的，若翠说翠茜能说简单的中国普通话，她爸爸一再强调，孩子今后还是能掌握英、中双语为好，但无论若翠怎么动员翠茜跟我们说中国话，翠茜就连“你好”两个字也不说，但她跟她妈妈，却总在叽里咕噜地说英文。

3 年前，若翠来北京料理她父亲的丧事，我们在家里招待了她一次。我们劝她节哀。她说母亲在她出国前就过世了，想起来很伤感。父亲以 80 多岁高寿睡眠中离世，按中国传统说法，是白喜事。她夫君和女儿为什么没一起来奔丧，我们没问，她倒主动说了出来。夫君正所谓“商人重利轻别离”，原来他不仅有从祖上继承来的很大的牧场，也还涉及多种商业投资，总在飞来飞去地忙他的生意。翠茜么，她叹了口气，说已经进入了反叛期。有一天，她独自在家，忽然来了快递。是翠茜从网上订购的一件 T 恤衫。她打开一看，大惊失色！那 T 恤衫上用英文印着：“我要杀死母亲！”

我和晓歌听了大惑不解，若翠说美国法律没有明文规定卖那样的"文化衫"非法，人家就可以在网上兜售，购买者可以选择内心想杀死的任何一个人来要求印制。我们就奇怪，你对女儿那么好，她怎么会内心里那么痛恨你呢？若翠忍不住落下眼泪，她说，那是因为，有一个问题她永世无法为翠茜解决，那就是，翠茜一直上的是高尚社区的学校，那里的学生里没有亚裔孩子，绝大多数是白人孩子，剩下有些黑人孩子，开始，翠茜觉得自己跟别的孩子没什么不同，都是美国孩子嘛，但渐渐地，她就从别人眼睛里发现，她的皮肤、眼睛、鼻子……跟那些美国孩子差距越来越大，她自己也就越来越自觉地去发现，她还有哪些永远不可能跟同学们取平的特征，而这些特征，都不是来自父亲，而是来自母亲！为此，她无论如何不能原谅母亲……

今年，2006 年去美国，若翠来听了我讲《红楼梦》，后来，我们在曼哈顿上城一家咖啡馆聚谈，她先到，谈了一阵后，她夫君也来了。她夫君粗通中文，但跟我沟通，还得赖她翻译。她夫君的意思是，希望我能帮助他们的翠茜"认识中国"。她把那意思跟我更具体地展开。她说她原来那种"既然到了美国就要彻底进入白人圈"的想法大错，对她自己造成的损失且不论，对翠茜那是毁灭性的选择。翠茜现在的心理危机，实质上是一个身份认同问题。现在她决心促成翠茜利用假期到中国留学，学中文，了解中国，从血缘上、文化上认同中国。她说翠茜学校前些天举行了一场"喊叫大赛"，参赛的学生要当众高喊自己憋在心里的一句话。翠茜参赛那天他们两口子都去了，事先他们也不知道女儿究竟会喊出什么。翠茜那天拼足全身力气喊出的一句话是："我是美国女孩！"

回北京的那天，在纽瓦克机场，我惊讶地发现，若翠和她夫君，还有一位亭亭玉立的姑娘，居然也来给我送行，那姑娘当然是翠茜。若翠告诉我，翠茜在"喊叫大赛"中得了冠军。赛后不少同学找她谈心，说这才知道她内心里有那样的压抑感，也才知道他们有意无意中伤害过她，表示从今往后大家要更多地沟通。可是，翠茜却拒绝领取奖杯。她自己用蹩脚的中文对我说："现在，我问我，那是，谁在喊？那个人，她是谁？"她没表达尽的意思，我已经了然。

翠茜将在暑假来北京短期留学。我和晓歌会尽力帮助她。

第三个故事

大秦是那种年过花甲，依然可称为师奶杀手的成功男人。那天在新泽西州他家，举行欢迎我访美的派对，我觉得不少"西施"其实是冲着他来的，不仅单身的见了他就露骨地表达爱慕，就是跟先生一起来的，有的也是明摆着对他欣赏不已。那晚许多女宾简直完全忘了我才应该是派对的焦点，完全围着他说笑打趣，他呢，神采焕发，妙语连珠，肢体语言十分生动，不要说女宾们绝倒，就是我们男客，也不得不承认他学识丰富、幽默风趣、风度迷人。

热闹到接近午夜，大家才陆续告别离去。梅兄开车载我回纽约。在纽约期间我一直住梅兄家。我们是二十年的老朋友了，无话不谈。路上我就发感慨，说大秦对于他那个圈子里的女性来说，可谓"大众情人"，他真不该结婚。梅兄说，他结婚三十多年了，男大当婚，结婚不奇怪，奇怪的是——这是圈子里好多人，包括男的也包括女的，私下常叹息的——他那婚姻竟然一直持续到现在，他好像把吸引诸多女性让她们欣赏只当成一种登台表演般的乐趣，而严格地跟娶妻生子过日子区别开来。我笑说，哎呀，你看，才离开他家没一会儿工夫，秦太究竟是怎么个模样儿，我竟已经想不起来了！倒是那几位女宾，音容笑貌还宛在眼前，恐怕回到中国也难忘怀！

我继续发议论：俗话说"家有丑妻是一宝"，如果大秦那么个美男子娶了个丑妻，大家可能反而会觉得必有其道理，现在令人纳闷的是，秦太不美不丑，是十足的平庸，你看在派对上，她似有若无，虽然不时地给大家递送饮料、小点，众人也不时地跟她道声谢笑一笑，何尝有人特别地去跟她攀谈？

梅先生说，你是主客，你也太不厚道，别人忽略她倒也罢了，你怎么也不去主动跟她聊聊？我说你批评得对，但也无法补救。梅先生说，其实大家也只不过是偶尔在派对上见见，谁真正了解谁呢？大秦夫妇婚姻那么巩固，一定有其内在的道理，只是我们不得而知罢了。

那晚回到梅兄家已经是后半夜了。进入客房，简单洗漱一下，就上床了。糟糕，久久地失眠。于是乎对自己说，想些乏味的事吧，努力想一些本来用不着去想的事，好比从1数到1000，据说是自我催眠的最佳方案。就努力地去回想头晚派对，怎么跟秦太见的头一面，大秦是怎么把她介绍给我的。好像用了"拙荆"那么个文绉绉的词儿……她眉眼究竟如何？……递给我西柚汁以前，问我要不要加冰块……往大茶几上放一只大瓷盘，里头是她亲手制作的多味小吃，全插着牙签……对了，有个小插曲，就是我从裤兜里掏手帕时，把一粒胶囊掉到地毯上了，我还哎呀了一声，当时大秦就问我怎么了，我告诉他算了算了，把那粒胶囊拈起来，搁进水晶烟缸里——那烟缸只是个摆设，大家都进入了后现代文明，没人在屋里抽烟——也还有其他人问我：那是什么？我就说是救命的东西，但是这粒弄脏了，不要了……这是些什么值得记忆的细节啊！打个呵欠，我昏昏入睡了。

第二天我遭遇不幸。一起床就觉得不对头。必须吃带来的胶囊。去旅行箱里取，呀，捶下自己脑袋——我把整个小药匣，忘记在休斯敦朋友家了！没错，我在那边玩完了，回纽约的时候，整理东西，忘把它装回箱子里了！我记得是把那小药匣搁在朋友家客房的书架上了！那里面最重要的就是那种胶囊，我那毛病发作时，必得吞那胶囊救急！昨晚我裤袋里怎么会掉出一粒……那是从休斯敦往圣安东尼奥游览时，我怕犯病，特意用干净手帕裹上了一粒……我怎么就那么马虎呢？为什么用那么笨的办法带药？又为什么不另准备一方打喷嚏时好使用的手帕？……梅兄招呼我到厨房去吃早点，我只好瞒着他，我这种短期访问者，怎么敢到美国医院去看病？也不敢到药店乱买药，那种胶囊是国产的，美国目前也买不到……本来上午梅兄要陪我去参观大都会博物馆，我就说实在太疲乏，而且梅兄也应该顾及他那公司的生意，岂能总是为陪我玩而耽搁他的正事？梅兄就让我在他家休息，开车去他公司忙他的生意去了。

我一个人在梅兄的宅子里，越来越不适，越来越恐怖，这才深刻地体会到，千好万好，不如自己家里好，而一粒国产的胶囊，于我是多么珍贵！他家的电话响了很多次，我都没去接，因为那应该全是找他的，很可能对方还说的英文。但是，熬到中午时分，门铃响了，我去开门，是快递公司送东西来了，我代签了字，留下那东西，搁到茶几上。

就在我几近崩溃的情况下，梅兄回家来了。他说给家里拨过电话，我竟不接，怕我出大问题了。我告诉他有快递，他拆开那个封套，里面有封信，还有个小纸匣，他看完那信就惊呼一声，然后把信递给我。原来是秦太写的："梅兄速转刘兄：我想刘兄在客途中，也许所带来的每一粒药都是重要的，所以，我找出家中的空心胶囊，细心地把昨天他不慎掉到地毯上的那粒胶囊里面的药粉转移了，一早就让快递公司给递过去。希望对刘兄有用。祝刘兄旅途愉快！"

药到病除。我给秦太打电话致谢，她语气平淡地应对了几句。在离开美国之前，我再没和梅兄议论过大秦的婚姻。

1942 年

6 月 4 日生于四川省成都市育婴堂街。

后在重庆度过童年。

父母兄姊均热爱文学艺术，深受家庭熏陶。

1950 年

随父母迁居北京，从此定居北京。

在隆福寺小学上小学，在北京 21 中上初中。

1958 年

在北京 65 中上高中。

给若干报刊投稿，屡被退稿。

8 月，在《读书》杂志发表《谈〈第四十一〉》一文，是投稿第一次成功。

1959 年

在《北京晚报》"五色土"副刊陆续发表一些儿童诗、小小说。

为中央人民广播电台少儿部《小喇叭》（对学龄前儿童广播）编写若干节目；其中快板剧《咕咚》经编辑加工、录制后大受欢迎；"文革"中录音带被销毁；1991 年重新录制播出。

1961 年

毕业于北京师范专科学校，分配到北京 13 中任教。

至"文革"前,在《北京晚报》《中国青年报》《人民日报》《光明日报》《大公报》《北京日报》《体育报》《儿童时代》《大众电影》等报刊上发表了约 70 篇小小说、散文、杂文、评论等文章。

1966—1976 年

"文革"中,因 1964 年曾发表过一篇关于京剧的文章,以"反江青"罪名被冲击。

1974 年后再试写作,曾写一关于"教育革命"的长篇小说,由出版社联系获准脱产修改,但终未达到当时出版要求。

1976 年

写出一个大院里孩子们同坏蛋斗争的中篇小说《睁大你的眼睛》并得以出版(北京人民出版社)。

又按照当时政治要求写出一些短篇小说、散文,有的到次年才收入多人合集中出版。

调到北京人民出版社(后恢复"文革"前社名:北京出版社)文艺编辑室当编辑。

1977 年

11 月,在《人民文学》杂志发表短篇小说《班主任》,产生重大影响——被认为是"伤痕文学"的开山作,也是"新时期文学"的发端;从此成名。

从《班主任》后,写作冲破懵懂,沿着认定的方向跋涉,穿越风云,锲而不舍。

1978 年

参加《十月》杂志(开始以丛书名义出版)创刊工作,在创刊号上发表短篇小说《爱情的位置》,经转载和广播,影响巨大。

在《中国青年》杂志上发表短篇小说《醒来吧,弟弟》,反应亦极强烈。

《班主任》《爱情的位置》《醒来吧,弟弟》均被改编为广播剧,由中央人民广播电台多次广播,《醒来吧,弟弟》被搬上话剧舞台;此年发表的短篇小说《穿米黄色大衣的青年》亦由电台播出。

1979 年

在首届全国优秀短篇小说评奖中《班主任》获第一名。颁奖会上，从茅盾先生手中接过奖状。

参加中国作家协会第三次全国代表大会，被选为中国作家协会理事。

成为中华全国青年联合会常务委员，至 1993 年卸任。

9 月，参加中国作家代表团访问罗马尼亚，此系"文革"后第一个作家出访团。

在《人民文学》杂志发表短篇小说《我爱每一片绿叶》，写作技巧有长足进步。

1980 年

调至北京市文联当专业作家。

《我爱每一片绿叶》获 1979 年全国优秀短篇小说奖。

《看不见的朋友》获 1954—1979 年第二届全国少年儿童文学创作奖。

在《十月》杂志发表中篇小说《如意》，其弘扬人道主义的追求引起争议。

出版《刘心武短篇小说选》(北京出版社)。

1981 年

在《十月》杂志发表中篇小说《立体交叉桥》，引出更大争议，一些评论家认为"调子低沉"是步入了写作上的歧途，另有评论家则认为此作标志着刘心武的小说创作在反映现实、探索人性及艺术工力上均达到了新的水平。

5 月，应日本文艺春秋社邀请访问日本。

1982 年

应导演黄健中之请，改编《如意》；北京电影制片厂拍成彩色艺术片《如意》。

1983 年

11 月，参加中国电影代表团赴法国，在南特"三大洲电影节"上，《如意》在开幕式上放映，获好评；后陆续在法国、西德电视台播出。

1984 年

冬，应邀访问西德，参加"中德大学生会见活动"，并在波恩大学、波鸿大学与威尔兹堡大学介绍中国当代文学。

年底，参加中国作家协会第四次全国代表大会，再次当选为理事。

在《当代》文学双月刊第5、6期连载长篇小说《钟鼓楼》。

1985 年

出版长篇小说《钟鼓楼》(人民文学出版社)，并获第二届茅盾文学奖。

因《钟鼓楼》获北京市政府嘉奖。

7月，在《人民文学》杂志发表纪实小说《5·19长镜头》，反响强烈。

11月，又在《人民文学》杂志发表纪实小说《公共汽车咏叹调》，引起轰动。

1986 年

年初，应当代文艺出版社邀请访问香港。

6月，调中国作家协会人民文学杂志社，任常务副主编。

在《收获》杂志设《私人照相簿》专栏，进行图文交融的文本尝试。

散文集《垂柳集》出版，冰心为之作序。

1987 年

1月，被任命为《人民文学》杂志主编。

2月，《人民文学》杂志1、2期合刊发表马建写的小说《亮出你的舌苔或空空荡荡》违反民族政策，承担责任，停职检查。

9月，复职。

冬，应邀赴美国访问。参观美洲华侨日报；在哥伦比亚大学、三一学院、哈佛大学、麻省理工学院、康奈尔大学、芝加哥大学、旧金山大学、斯坦福大学、伯克利加州大学、洛杉矶加州大学、圣迭戈加州大学等处演讲，介绍中国当代文学，并参观耶鲁大学；参加爱荷华大学"作家写作中心"的纪念活动；游览华盛顿等地。

1988 年

3月，应香港《大公报》邀请，赴香港参加五十周年报庆活动；在《大公报》安排的大型报告会上作关于改革开放与文学创作的报告。

5月，应法国文化部邀请，参加中国作家代表团访问法国，除在巴黎活动外，还访问了西部港口城市圣·拉扎尔。

《私人照相簿》在香港出版（南粤出版社）。

《我可不怕十三岁》获1980—1985年全国优秀儿童文学奖。

以上数年中，若干小说、散文还分别获得过《当代》《十月》《小说月报》《小说选刊》《中篇小说选刊》《儿童文学》《北方文学》等杂志，《人民日报》《文汇报》等报纸副刊的奖；拍成电视剧播出的有《没工夫叹息》《熄灭》（电视剧名《火苗》）《今夏流行明黄色》《到远处去发信》《非重点》《公共汽车咏叹调》和八集连续剧《钟鼓楼》；若干作品被英国、美国、西德、苏联、日本、瑞士、瑞典、法国、意大利等国翻译为英、德、俄、日、法、意、瑞典等文字出版；自1987年起被世界上有威望的英国欧罗巴出版社《世界名人录》收入词条。

1989 年

春，应香港中文大学翻译中心邀请，与妻子吕晓歌赴香港访问。

1990 年

3月，以任届期满，免去《人民文学》杂志主编职务。

香港中文大学翻译中心编译的英文小说集《黑墙与其他故事》出版。

秋，以"鱼山"笔名在《钟山》杂志发表中篇小说《曹叔》。

1991 年

出版小说集《一窗灯火》。

除小说外，开始发表大量散文、随笔。

1992 年

长篇小说《风过耳》在内地（中国青年出版社）、香港（勤＋缘出版社）分别出版，反响颇为强烈。

长篇小说《四牌楼》完稿，交上海文艺出版社出版。

《献给命运的紫罗兰——刘心武谈生存智慧》由上海人民出版社出版，受到读者欢迎。

在《收获》杂志发表中篇小说《小墩子》，后由中国电视剧制作中心改编拍摄为电视连续剧。

至该年，在海内外出版的个人专著按不同版本计已达43种。

在《红楼梦学刊》1992年第二辑上发表论文《秦可卿出身未必寒微》，在"红学"界和读者中均引起注意；另有若干《红楼梦》人物论和《红楼边角》专栏文章发表。

冬，应瑞典学院邀请（斯堪的纳维亚航空公司赞助）赴北欧访问；在挪威奥斯陆大学、瑞典斯德哥尔摩大学和隆德大学、丹麦哥本哈根大学和奥胡斯大学的东亚系汉学专业以《九十年代初的中国小说》为题作学术报告；12月7日，参加诺贝尔文学奖有关活动，听1992年得主德里克·沃尔科特发表受奖演说。

1993 年

华艺出版社出版《刘心武文集》（1—8卷）。

出版长篇小说《四牌楼》。

1994 年

1月，应台湾《中国时报》邀请赴台参加"两岸三地文学研讨会"。

《四牌楼》获上海优秀长篇小说大奖，到沪领奖。

1995 年

出版随笔集《人生非梦总难醒》（上海人民出版社）。

出版小说集《仙人承露盘》（华艺出版社）。

1996 年

出版长篇小说《栖凤楼》（人民文学出版社）。至此，由《钟鼓楼》《四牌楼》《栖凤楼》构成的"三楼"长篇小说系列竣工。

应《南洋商报》邀请赴马来西亚访问并顺访新加坡。

1997 年

应日本文化交流基金会邀请，与妻子吕晓歌访问日本。其长篇小说《钟鼓楼》、儿童文学作品《我是你的朋友》、短篇小说《王府井万花筒》等此前已相继译为日文在日本出版。

1998 年

建筑评论集《我眼中的建筑与环境》由中国建筑工业出版社出版,在建筑界产生影响。

应美国科罗拉多大学邀请,赴美参加金庸作品国际研讨会,在会上提交关于《鹿鼎记》的论文《失父:一种生存困境》。

1999 年

出版纪实性长篇小说《树与林同在》(山东画报出版社)。

出版《红楼三钗之谜》(华艺出版社)。

赴新加坡出席国际环境文学研讨会。

2000 年

应邀访问法国,并应英中协会和伦敦大学邀请,从巴黎赴伦敦讲《红楼梦》。

至此年底在海内外出版的个人专著(不含文集)按不同版本计达 101 种。

2001 年

出版包含建筑评论的随笔集《在忧郁中升华》(文汇出版社)。

在北京电视台录制播出《刘心武谈建筑》系列节目。

2002 年

出版小说集《京漂女》(中国文联出版社),自绘插图。

应澳大利亚雪梨华文写作协会邀请赴澳大利亚访问。

2003 年

以马来西亚《星洲日报》世界华人文学"花踪奖"评委身份赴吉隆坡参加相关活动。

台湾联经出版社出版小说集《人面鱼》。此前台湾已出版过刘心武多种作品,如皇冠出版社出版了《钟鼓楼》,幼狮文化事业公司出版了《四牌楼》《为他人默默许愿》(散文集)。

2004 年

赴法参加巴黎书展活动。书展上展出了译为法文的著作有小说《树与林同在》《护城河边的灰姑娘》《尘与汗》《人面鱼》《如意》与歌剧剧本《老舍之死》。

建筑评论集《材质之美》由中国建材工业出版社出版。

小说集《站冰》出版（人民文学出版社），自绘封面插图。

2005 年

出版集历年研红成果的《红楼望月》（书海出版社）。

应 CCTV-10（中央电视台科学教育频道）《百家讲坛》邀请，录制播出《刘心武揭秘〈红楼梦〉》系列节目 23 集，反响强烈，引出争议。

《刘心武揭秘〈红楼梦〉》第一、二部相继出版（东方出版社），畅销。

2006 年

应美国华美协会邀请，赴纽约在哥伦比亚大学讲《红楼梦》。

应邀参加香港书展。

出版《刘心武揭秘古本〈红楼梦〉》（人民出版社）。

2007 年

继续应邀到 CCTV-10《百家讲坛》录制节目，并出版《刘心武揭秘〈红楼梦〉》第三部、第四部（东方出版社）。

访问俄罗斯。

2008 年

出版随笔集《健康携梦人》（中国海关出版社）。

自 1986 年出版《垂柳集》，至此所出版的散文随笔集已逾 30 种。

2009 年

在《上海文学》杂志开《十二幅画》专栏，每期发表一篇写人物命运的大散文，并配发自己的画作。

4 月，妻子吕晓歌病逝，著长文《那边多美呀！》悼念。

2010 年

再应 CCTV-10《百家讲坛》邀请，录制播出《〈红楼梦〉的真故事》系列节目。至此在《百家讲坛》录制播出关于《红楼梦》的个人系列讲座累计达 61 集。

出版《〈红楼梦〉的真故事》（凤凰联动·江苏人民出版社），在争议声中畅销。

4 月，应台湾新地文学社邀请赴台参加 "21 世纪世界华文文学高峰会议"。

出版《命中相遇——刘心武话里有画》（上海文艺出版社）。

加快《刘心武续〈红楼梦〉》的写作，次年完成推出。

至本年底，在海内外出版的个人专著，文集不算在内，重印亦不算，按不同版本计达 182 种（按不同书名计则为 141 种）。

年底，筹备编辑《刘心武文存》。

只包括在中国大陆、台湾、香港和海外出版的书（同一著作每种版本单列）；不包括散发于报刊尚未出书的篇目，亦不包括多人合集中的篇目。第一个数字表示不同版本的排序；［ ］中的数字表示剔除同一书名的版本后的排序；注意：文集 8 卷不参加排序。

1976 年

1.[1]《睁大你的眼睛》［儿童文学·中篇小说］

北京人民出版社 1976 年 1 月第一版

1978 年

2.[2]《母校留念》［儿童文学·小说集］

中国少年儿童出版社 1978 年 7 月第一版

1979 年

3.[3]《小猴吃瓜果》［低幼读物·画册］

少年儿童出版社 1979 年 4 月第一版

1980 年 6 月第二次印刷

4.[4]《班主任》［短篇小说集］

中国青年出版社 1979 年 6 月第一版

1980 年

5.[5]《我是你的朋友》[儿童文学·中篇小说]

北京出版社 1980 年 7 月第一版

6.[6]《绿叶与黄金》[中短篇小说集]

广东人民出版社 1980 年 8 月第一版

7.[7]《刘心武短篇小说集》

北京出版社 1980 年 9 月第一版

1981 年

8.《这里有黄金》[中短篇小说集]

广东人民出版社 1981 年 4 月第二次印刷

有平装、软精装两种

9.[8]《大眼猫》[中短篇小说集]

浙江人民出版社 1981 年 8 月第一版

1982 年

10.[9]《如意》[中篇小说集]

北京出版社 1982 年 5 月第一版

1983 年

11.[10]《中国现代作家选（Ⅲ）刘心武〈我爱每一片绿叶〉〈深谷小溪默默流〉》

[日本] 东方书店 1983 年第一版

12.[11]《同文学青年对话》

文化艺术出版社 1983 年 10 月第一版

1984 年

13.[12]《到远处去发信》[中短篇小说集]

四川人民出版社 1984 年 4 月第一版

有平装、软精装两种

14.[13]《如意》[电影文学剧本](与戴宗安联合署名)

中国电影出版社 1984 年 6 月第一版

1985 年

15.[14]《嘉陵江流进血管》[中篇小说集]

陕西人民出版社 1985 年 2 月第一版

16.[15]《日程紧迫》[中短篇小说集]

群众出版社 1985 年 5 月第一版

17.[16]《我可不怕十三岁》[儿童文学集]

新世纪出版社 1985 年 8 月第一版

18.[17]《钟鼓楼》[长篇小说]

人民文学出版社 1985 年 11 月第一版

有平装、软精装两种

1986 年 5 月第二次印刷

1986 年

19.[18]《公共汽车咏叹调》[纪实小说]

湖南文艺出版社 1986 年 1 月第一版

20.[19]《都会咏叹调》[小说集]

作家出版社 1986 年 3 月第一版

21.[20]《垂柳集》[散文集]

陕西人民出版社 1986 年 4 月第一版

22.[21]《立体交叉桥》[中短篇小说集]

人民文学出版社 1986 年 6 月第一版

有平装、软精装两种

23.[22]《巴黎郁金香》[访法散文集]

群众出版社 1986 年 11 月第一版

24.[23]《木变石戒指》[中短篇小说集]

青海人民出版社 1986 年 12 月第一版

1987 年

25. *Little Monkey Triesto Eat Fruit* [科学童话·英文]

海豚出版社 1987 年第一版

有平装、精装两种

26.[24]《斜坡文谈》[文学理论]

上海文艺出版社 1987 年 4 月第一版

27.[25]《王府井万花筒》[中篇小说集]

湖南文艺出版社 1987 年 9 月第一版

有平装、精装两种

28.[26]《5·19 长镜头》[小说自选集]

四川文艺出版社 1987 年 11 月第一版

29. げくけきの友たちだ [《我是你的朋友》日译本]

[日本] 福武书店 1987 年 12 月第一版

1989 年 3 月第二版

1991 年 2 月第三版

1988 年

30.[27]《她有一头披肩发》[中短篇小说集]

台湾林白出版社 1988 年 4 月第一版

31.《钟鼓楼》[长篇小说]

香港天地图书有限公司 1988 年第一版

1993 年第二版

32.[28]《私人照相簿》[纪实文学]

香港南粤出版社 1988 年 11 月第一版

33.[29]《刘心武代表作》

黄河文艺出版社 1988 年 12 月第一版

1989 年

34.《小猴吃瓜果》[科学童话]

开明出版社、海豚出版社 1989 年 3 月第一版

35.《钟鼓楼》[长篇小说]

台湾皇冠出版社 1989 年 4 月第一版

36.[30]《一片绿叶对你说》[文艺随笔集]

河北教育出版社 1989 年 12 月第一版

1990 年

37.[31]*BLACK WALLS AND OTHER STORIES*[小说集·英译本]

香港中文大学翻译中心出版社 1990 年第一版

38.[32]《王府井万花镜》[小说集·日译本]

[日本] 德间书店 1990 年 9 月第一版

1991 年

39.《母校留念》[小说]

[日本] 骏河台出版社 1991 年 4 月第一版

40.[33]《一窗灯火》[中短篇小说集]

华艺出版社 1991 年 10 月第一版

1993 年第二次印刷

1992 年

41.[34]《列奥纳多·达·芬奇》[传记]

江苏教育出版社 1992 年 5 月第一版

42.[35]《有家可归》[散文随笔集]

广东旅游出版社 1992 年 5 月第一版

43.[36]《风过耳》[长篇小说]

中国青年出版社 1992 年 6 月第一版

1992 年 12 月第二次印刷

1993 年 3 月第三次印刷

1995 年 8 月第五次印刷

1996 年 3 月第六次印刷

44.《风过耳》[长篇小说]

香港勤＋缘出版社 1992 年 6 月第一版

45.[37]《献给命运的紫罗兰——刘心武谈生存智慧》

上海人民出版社 1992 年 6 月第一版

1992 年 11 月第二次印刷

1995 年第三次印刷

1996 年 12 月第五次印刷

46.《刘心武代表作》

河南人民出版社 1992 年 6 月第二次印刷·精装本

47.[38]《蓝夜叉》[中篇小说集]

香港勤＋缘出版社 1992 年 9 月第一版

1993 年

48.《北京下町物语》[长篇小说·《钟鼓楼》日译本]

[日本] 东京恒文社 1993 年 2 月第一版

1994 年第二版

49.[39]《为你自己高兴》[随笔集]

内蒙古人民出版社 1993 年 3 月第一版

50.[40]《杀星》[小说集]

香港勤＋缘出版社 1993 年 6 月第一版

51.《我是你的朋友》[儿童文学·中篇小说·增订本]

希望出版社 1993 年 6 月第一版

52.[41]《四牌楼》[长篇小说]

上海文艺出版社 1993 年 6 月第一版

1994 年 4 月第二次印刷

1996 年 11 月第三次印刷

53.[42]《我是怎样的一个瓶子》[随笔集]

成都出版社 1993 年 9 月第一版

54.[43]《沉默交流》[随笔集]

中国华侨出版社 1993 年 11 月第一版

55.[44]《富心有术》[随笔集]

群众出版社 1993 年 12 月第一版

1995 年第二次印刷

56.[45]《中国当代名人随笔·刘心武卷》

陕西人民出版社 1993 年 12 月第一版

☆《刘心武文集》[1—8 卷]

华艺出版社 1993 年 12 月第一版

☆《刘心武文集·〈钟鼓楼〉〈风过耳〉》(简装本)

☆《刘心武文集·〈四牌楼〉〈无尽的长廊〉》(简装本)

华艺出版社 1997 年 5 月第一版

1994 年

57.[46]《仰望苍天》[随笔集]

知识出版社 1994 年 1 月第一版

1995 年第二次印刷

东方出版中心 1996 年 7 月第三次印刷

58.[47]《男扮女妆与女扮男妆》[随笔集]

中原农民出版社 1994 年 2 月第一版

59.[48]《相对一笑》[小小说集]

中共中央党校出版社 1994 年 2 月第一版

60.[49]《秦可卿之死》[专著]

华艺出版社 1994 年 5 月第一版

61.《四牌楼》[长篇小说]

台湾幼狮文化事业公司 1994 年 8 月第一版

62.[50]《为他人默默许愿》[散文集]

台湾幼狮文化事业公司 1994 年 10 月第一版

63.[51]《中国小说名家新作丛书·刘心武卷》

海峡文艺出版社 1994 年 11 月第一版

64.[52]《红楼梦（缩写本）》

接力出版社 1994 年 12 月第一版

1995 年第二次印刷

1997 年 9 月第三次印刷

1995 年

65.[53]《人生非梦总难醒》[名人日记·随笔集]

上海人民出版社 1995 年 1 月第一版

1995 年 3 月第二次印刷

66.[54]《仙人承露盘》[中短篇小说集]

华艺出版社 1995 年 3 月第一版

67.[55]《女性与城市》[杂文集]

中国城市出版社 1995 年 6 月第一版

68.《我是你的朋友》[增订版·"小学生成才书架"系列之一]

希望出版社 1995 年 10 月第一版

69.《在胡同里转悠》［随笔集］

陕西人民出版社 1995 年 11 月第二次印刷

70.[56]《刘心武海外游记》

华文出版社 1995 年 12 月第一版

1996 年

71.[57]《刘心武小说精选》

太白文艺出版社 1996 年 2 月第一版

72.[58]《开发心大陆》［随笔集］

吉林人民出版社 1996 年 3 月第一版

1997 年 3 月第二次印刷

73.[59]《你哼的什么歌》［散文集］

湖南文艺出版社 1996 年 6 月第一版

74.[60]《刘心武张颐武对话录——"后世纪"的文化了望》

漓江出版社 1996 年 7 月第一版

75.[61]《边缘有光》［随笔集］

汉语大辞典出版社 1996 年 8 月第一版

76.[62]《刘心武怪诞小说自选集》

漓江出版社 1996 年 8 月第一版

有平装、精装两种

77.[63]《我是刘心武》

团结出版社 1996 年 9 月第一版

78.[64]《刘心武》［中国当代作家选集丛书］

人民文学出版社 1996 年 10 月第一版

79.[65]《刘心武杂文自选集》

百花文艺出版社 1996 年 11 月第一版

80.《秦可卿之死》[修订本]

华艺出版社 1996 年 11 月第二版

81.[66]《栖凤楼》[长篇小说]

人民文学出版社 1996 年 12 月第一版

1998 年 3 月第二次印刷

1997 年

82.[67]《封神演义（缩写本）》

接力出版社 1997 年 1 月第一版

1997 年 9 月第二次印刷

83.[68]《胡同串子》[中短篇小说集]

北京燕山出版社 1997 年 8 月第一版

84.《私人照相簿》

上海远东出版社 1997 年 9 月第一版

1998 年 2 月第二次印刷

2000 年换封面版权页称 2000 年 6 月第二次印刷

85.[69]《中国儿童文学名家作品精选丛书·刘心武作品精选》

河北少年儿童出版社 1997 年 8 月第一版

86.[70]《把嘴张圆》[随笔集]

上海远东出版社 1997 年 12 月第一版

1998 年

87.[71]《我眼中的建筑与环境》[建筑评论随笔集]

中国建筑工业出版 1998 年 5 月第一版

1999 年 5 月第二次印刷

2000 年 6 月第三次印刷

2001 年 6 月第四次印刷

88.《钟鼓楼》[茅盾文学奖获奖书系]

人民文学出版社 1998 年 3 月第一次印刷

1998 年 7 月第二次印刷

1998 年 8 月第三次印刷

1999 年 3 月第四次印刷

2000 年 1 月第五次印刷

2001 年 1 月第六次印刷

2001 年 8 月第七次印刷

2002 年 8 月第八次印刷

2003 年 1 月第九次印刷

1999 年

89.[72]《树与林同在》[非虚构长篇小说]

山东画报出版社 1999 年 3 月第一版

2006 年 7 月第二次印刷

90.[73]《八十六颗星星》(*The Eighty-Six Stars*)[儿童文学小说·汉英对照]

希望出版社 1999 年 6 月第一版

91.[74]《红楼三钗之谜》[刘心武红学探佚精品]

华艺出版社 1999 年 9 月第一版

92.[75]《蓝玫瑰》[中短篇小说集]

中国华侨出版社 1999 年 10 月第一版

93.[76]《过隧道的心情》[随笔集]

华东师范大学出版社 1999 年 12 月第一版

2000 年

94.[77]《一切都还来得及》[随笔集]

中国青年出版社 2000 年 1 月第一版

95.[78]《善的教育》[儿童文学]

辽宁少年儿童出版社 2000 年 2 月第一版

96.[79] Le Talisman (version bilingue)[《如意》中、法文对照版]

Librarie You Feng 2000 年 4 月第一版

97.[80]《作家刘心武〈班主任〉手迹》

线装书局 2000 年 5 月第一版

98.[81]《楼前白玉兰》[小小说集]

中国广播电视出版社 2000 年 7 月第一版

99.[82]《刘心武侃北京》

上海文艺出版社 2000 年 10 月第一版

100.[83]《我爱吃苦瓜》[茅盾文学奖获奖作家散文精品]

广州出版社 2000 年 10 月第一版

2002 年 10 月第二次印刷

101.[84]《了解高行健》

香港开益出版社 2000 年 12 月第一版

2001 年

102.[85]《亲近苍莽》

中国旅游出版社 2001 年 1 月第一版

103.[86]《在忧郁中升华》

文汇出版社 2001 年 2 月第一版

《刘心武谈建筑——在忧郁中升华》2007 年 8 月第二次印刷

104.[87]《人在风中》

作家出版社 2001 年 8 月第一版

105.《风过耳》

时代文艺出版社 2001 年 10 月第一版

有平装、精装两种

2002 年

106.[88]《京漂女》(自绘插图)

中国文联出版社 2002 年 1 月第一版

107.[89]《深夜月当花》

中国工人出版社 2002 年 1 月第一版

108.[90]《春梦随云散》

人民文学出版社 2002 年 4 月第一版

109.[91]《藤萝花饼》

台湾二鱼文化事业有限公司 2002 年 4 月第一版

110.[92]《刘心武自述》

大象出版社 2002 年 10 月第一版

2003 年

111.[93] L'arbre et la forêt [《树与林同在》法译本]

Bleu de Chine 2003 年 1 月第一版

112.[94]《人面鱼》

台湾联经出版事业股份有限公司 2003 年 2 月初版

113.[94] La Cendrillon Du Canal [《护城河边的灰姑娘》法译本]

Bleu de Chine 2003 年 4 月第一版

114.[95]《画梁春尽落香尘》["红学" 专著]

中国广播电视出版社 2003 年 6 月第一版

2003 年 9 月第二次印刷

2004 年 1 月第三次印刷

2005 年 6 月第四次印刷

115.[96]《眼角眉梢》

新华出版社 2003 年 8 月第一版

116.[97]《钟鼓楼》［初中生语文新课标必读］

> 人民日报出版社 2003 年 9 月第一版

117.[98]《天梯之声》

> 中国青年出版社 2003 年 10 月第一版

2004 年

118.[99] Poussiêre et sueur［《尘与汗》法译本］

> Bleu de Chine 2004 年 1 月第一版

119.[100] La mort de Lao SHe［《老舍之死》歌剧剧本法译本］

> Bleu de Chine 2004 年 3 月第一版

120.[101] Poisson à face humaine［《人面鱼》法译本］

> Bleu de Chine 2004 年 3 月第一版

121.《如意》［电影伴读中国文学文库·附电影光盘］

> 中国青年出版社 2004 年 1 月第一版

122.[102]《泼妇鸡丁》

> 台湾二鱼文化事业有限公司 2004 年 4 月第一版

123.[103]《在柳树臂弯里——刘心武随笔》

> 光明日报出版社 2004 年 5 月第一版

124.[104]《材质之美——刘心武城市文化酷评》

> 中国建材工业出版社 2004 年 5 月第一版

125.[105]《站冰——刘心武小说新作集》（自绘插图）

> 人民文学出版社 2004 年 6 月第一版

126.《四牌楼》

> 上海文艺出版社 2004 年 8 月第二版

127.[106]《大家文丛：刘心武》

> 古吴轩出版社 2004 年 8 月第一版

2005 年

128.《钟鼓楼》(中国文库 · 文学类)

人民文学出版社 2005 年 1 月第一版第一次印刷 (平装)

2005 年 1 月第一版第一次印刷 (精装)

129.《钟鼓楼》(茅盾文学奖获奖作品全集之一)

人民文学出版社 1985 年 11 月第一版、2005 年 1 月第一次印刷

2005 年 5 月第二次印刷

2005 年 7 月第三次印刷

2006 年 3 月第四次印刷

2008 年 4 月第七次印刷

2009 年 8 月第八次印刷

2010 年 1 月第九次印刷

2011 年 7 月第 15 次印刷

2011 年 9 月第 16 次印刷

2011 年 11 月第 17 次印刷

130.[107]《心灵体操》

时代文艺出版社 2005 年 1 月第一版

131.[108]《刘心武作文示范》

少年儿童出版社 2005 年 1 月第一版

132.[109] La Démone bleue (《蓝夜叉》法译本)

Bleu de Chine 2005 年第一版

133.[110]《红楼望月》

书海出版社 2005 年 4 月第一版

2005 年 6 月第二次印刷

2005 年 7 月第三次印刷

2005 年 8 月第四次印刷

2005 年 9 月第五次印刷

2005 年 9 月第六次印刷

134.[111]《刘心武揭秘〈红楼梦〉》

东方出版社 2005 年 8 月第一版

至 2005 年 19 月共十三次印刷

2005 年 11 月第二版

至 2005 年 12 月已第十八次印刷

至 2007 年 7 月已第二十八次印刷

2007 年 12 月第三十次印刷

2008 年 4 月第三十二次印刷

135.《红楼解梦——画梁春尽落香尘》

中国广播电视出版社 2005 年 9 月第二版第五次印刷

136.《楼前白玉兰——刘心武最新小小说集》

中国广播电视出版社 2005 年 9 月第二版第二次印刷

137.[112]《刘心武揭秘〈红楼梦〉》[第二部]

东方出版社 2005 年 12 月第一版

至 2007 年 7 月已第十五次印刷

2007 年 12 月第十七次印刷

2008 年 4 月第十九次印刷

138.[113]《刘心武解读人世情》

时代文艺出版社 2005 年 12 月第一版

139.[114]《刘心武感悟平常心》

时代文艺出版社 2005 年 12 月第一版

2006 年

140.[115]《刘心武自选集》

云南人民出版社 2006 年 1 月第一版

141.[116]《刘心武点评〈红楼梦〉》

团结出版社 2006 年 1 月第一版

142,《刘心武精品集·第一卷·钟鼓楼》

东方出版社 2006 年 1 月第一版

143.《刘心武精品集·第二卷·四牌楼》

东方出版社 2006 年 1 月第一版

144.《刘心武精品集·第三卷·栖凤楼》

东方出版社 2006 年 1 月第一版

145.《刘心武精品集·第四卷·献给命运的紫罗兰》

东方出版社 2006 年 1 月第一版

146.[117]《戴敦邦绘刘心武评〈金瓶梅〉人物谱》

作家出版社 2006 年 4 月第一版

147.[118]《红楼拾珠》

云南人民出版社 2006 年 5 月第一版

148.[119]《藤萝花饼》

云南人民出版社 2006 年 5 月第一版

149.《刘心武揭秘〈红楼梦〉》[第一部]

台湾好读出版有限公司 2006 年 6 月初版

150.《刘心武揭秘〈红楼梦〉》[第二部]

台湾好读出版有限公司 2006 年 6 月初版

151.《我是刘心武》

天津人民出版社 2006 年 8 月第一版

152.[120]《刘心武揭秘古本〈红楼梦〉》

人民出版社 2006 年 12 月第一版

同月第二次印刷

2007 年

153.[121]《四棵树》

二十一世纪出版社 2007 年第一版

154.[122]《用心去游》

上海三联书店 2006 年 12 月第一版

2007 年 1 月第一次印刷

155.[123] Dés de poulet façon mégère [《泼妇鸡丁》法译本]

Bleu de Chine 2007 年 4 月第一版

156.《一切都还来得及》

中国青年出版社 2005 年 5 月第一版

157.[124]《刘心武揭秘〈红楼梦〉》[第三部·黛玉之谜及古本之秘]

东方出版社 2007 年 7 月第一版

至 2007 年 8 月已第四次印刷

2007 年 12 月第六次印刷

2008 年 3 月第七次印刷

158.[125]《刘心武说世道人心》

中国青年出版社 2007 年 7 月第一版

159.[126]《刘心武说寻美感悟》

中国青年出版社 2007 年 7 月第一版

160.[127]《刘心武说草根情怀》

中国青年出版社 2007 年 7 月第一版

161.[128]《长吻蜂》

上海人民出版社 2007 年 8 月第一版·

162.《私人照相簿》

华龄出版社 2007 年 10 月第一版

163.《善的教育》

华龄出版社 2007 年 10 月第一版

164.[129]《刘心武揭秘〈红楼梦〉》[第四部·宝钗湘云之谜暨红楼心语]

东方出版社 2007 年 11 月第一版

2008 年 3 月第三次印刷

2008 年

165.[130]《健康携梦人》

中国海关出版社 2008 年 4 月第一版

166.[131]《刘心武小说》

吉林文史出版社 2008 年 5 月第一版

167.[132]《刘心武散文》

吉林文史出版社 2008 年 5 月第一版

2009 年

168.《钟鼓楼》(共和国作家文库)

作家出版社 2009 年 4 月第一版

169.《四牌楼》(共和国作家文库)

作家出版社 2009 年 4 月第一版

170.[133]《人在胡同第几槐》

中国文联出版社 2009 年 6 月第一版

171.《钟鼓楼》(新中国 60 年长篇小说典藏)

人民文学出版社 2009 年 7 月第一版

172.[134]《刘心武短篇小说》

现代教育出版社 2009 年 8 月第一版

173.[135]《刘心武中篇小说》

现代教育出版社 2009 年 8 月第一版

174.[136]《刘心武散文随笔》

现代教育出版社 2009 年 8 月第一版

175.《刘心武揭秘〈红楼梦〉》上卷（共和国作家文库）

作家出版社 2009 年 8 月第一版

176.《刘心武揭秘〈红楼梦〉》下卷（共和国作家文库）

作家出版社 2009 年 8 月第一版

2010 年

177.[137]《人情似纸》

江苏文艺出版社 2010 年 1 月第一版

178.[138]《红楼梦八十回后真故事》

江苏人民出版社 2010 年 3 月第一版

179.[139]《刘心武小说精选集》

[台湾]新地文化艺术有限公司 2010 年 4 月第一版

180.《红楼望月》

江苏人民出版社 2010 年 6 月第一版

2010 年 9 月第二次印刷

181.[140]《命中相遇——刘心武话里有画》

上海文艺出版社 2010 年 7 月第一版

182.[141]《红楼眼神》

重庆出版社 2010 年 9 月第一版

2011 年

183.[142]《刘心武续红楼梦》

江苏人民出版社 2011 年 3 月第一版

江苏人民出版社 2011 年 4 月第 4 次印刷

184.[143]《红楼梦》（曹雪芹著刘心武续）

江苏人民出版社 2011 年 3 月第一版

185.《刘心武续红楼梦》[繁体字竖排本]

香港明报出版社有限公司 2011 年 3 月初版

186.《刘心武揭秘〈红楼梦〉》精华本（一）

江苏人民出版社 2011 年 4 月第一版

187.《刘心武揭秘〈红楼梦〉》精华本（二）

江苏人民出版社 2011 年 4 月第一版

188.《刘心武揭秘〈红楼梦〉》精华本（三）

江苏人民出版社 2011 年 4 月第一版

189.《刘心武揭秘〈红楼梦〉》精华本（四）

江苏人民出版社 2011 年 4 月第一版

190.《刘心武续红楼梦》[繁体字竖排本]

台湾城邦文化事业股份有限公司商周出版 2011 年 4 月第一版

191.《〈红楼梦〉的真故事》

台湾人类智库数位科技股份有限公司 2011 年 6 月第一版

192.[144]《听刘心武说房子的事儿》

中国商业出版社 2011 年 8 月第一版

193.[145]《刘心武心灵随感》

时代文艺出版社 2011 年 11 月第一版

2012 年

194.[146]《刘心武种四棵树》

漓江出版社 2012 年 1 月第一版

195.[147]《风雪夜归正逢时——我是刘心武》

漓江出版社 2012 年 1 月第一版

196.《献给命运的紫罗兰》

漓江出版社 2012 年 1 月第一版

197.[148]《人生有信》

江苏人民出版社 2012 年 3 月第一版

198.Poussiêre et sueur [《尘与汗》法译本 folio 袖珍版]

Gallimard 2012 年 8 月出版

199.La Cendrillon du canal [《护城河边的灰姑娘》法译本 folio 袖珍版]

Gallimard 2012 年 8 月出版